Simon Wiesenthal · Segel der Hoffnung

Christoph Columbus
(Ullstein-Bilderdienst)

Simon Wiesenthal

Segel der Hoffnung

Christoph Columbus
auf der Suche nach dem
gelobten Land

Ullstein

Satz: Fotosatzservice Weihrauch, Würzburg
Druck und Verarbeitung:
Printed in Austria 1991
ISBN 3 550 06189 7

Die Deutsche Bibliothek – CIP-Einheitsaufnahme

Wiesenthal, Simon:
Segel der Hoffnung : Christoph Columbus auf der Suche nach dem gelobten Land / Simon Wiesenthal. – Berlin ; Frankfurt/M. : Ullstein, 1991
ISBN 3-550-06189-7

Die, die sich der Vergangenheit nicht erinnern,
sind verurteilt, sie erneut durchzuleben.

GEORGE SANTAYANA

INHALT

ANHANG

VORWORT

Im Laufe der Jahrzehnte, die ich der Suche nach Tätern und Zeugen der großen Tragödie der NS-Zeit gewidmet habe, wurde mir das Ausmaß des Judenhasses immer mehr bewußt. Ich gelangte zur Überzeugung, daß es eine große Aufgabe für die Überlebenden der NS-Zeit sein müßte, mitzuhelfen, diesen Judenhaß zu überwinden.

Um den Antisemitismus zu bekämpfen, muß man seine Wurzeln bloßlegen. Je mehr ich mich mit den verschiedenen – vom Antisemitismus verursachten – Verhaltensweisen gegen die Juden und Maßnahmen der vergangenen Jahrhunderte befaßte, umso klarer wurde mir, daß Hitler und die Nationalsozialisten nichts Neues erfunden haben. Der jahrhundertealte Haß und die Abneigung gegen die Juden war im Laufe der Geschichte immer wieder aufgeflackert und hatte zu Pogromen geführt. Eines aber hatte Hitler den Judenhassern der Vergangenheit voraus – nämlich die Möglichkeit, ihre Träume und Wünsche mit Hilfe der Technologie, die ihm bereitstand, zu erfüllen. Als ich die Ereignisse der Inquisition in Spanien im 15. Jahrhundert betrachtete, kam mir vieles, was ich darüber las, bekannt vor – als wäre es in der NS-Zeit geschehen. Der Wunsch, die Juden los zu werden, hatte damals in Spanien für die Kirche Priorität. Zuerst führte man mit Hilfe des Mobs die Zwangstaufe durch, dann setzte man die spanische Krone unter Druck, damit diese die Juden vertreibe.

Den neu Getauften, den Conversos, traute man nicht, sie wurden überwacht und bespitzelt, und die Zuträger von Informationen über das Leben und Treiben der neuen Christen gefördert und begünstigt. Genau wie Jahrhunderte später in NS-Deutschland oder in der Sowjetunion war der »ideale und treue Bürger« der Denunziant. Kirche und Krone teilten sich das Vermögen der Verurteilten, und auch der Denunziant bekam seinen Anteil. Da die Kirche kein Blut vergießen durfte, wurden die Verurteilten auf dem Scheiterhaufen verbrannt.

In Spanien entstand eine neue Ideologie, in der das »gute Blut« einen wichtigen Stellenwert hatte. Wer nach der Vertreibung der Juden in Spanien blieb, mußte einen Nachweis - den »Limpieza die sangre« - also Abstammung nicht von Juden oder Mauren - erbringen. Das war der Vorläufer des nationalsozialistischen Ariernachweises.

Gerade in dieser Zeit der Unruhe, ausgelöst durch die Inquisitionsprozesse und die Vorbereitungen für die Vertreibung der Juden, kommt ein Mann aus Portugal mit der Idee, den Weg nach Indien über das Meer zu finden, um die Macht und das Einflußgebiet Spaniens zu vergrößern. Doch der nautische Weg, den er vor Augen hat, wird von den Wissenschaftlern der Universität in Salamanca belächelt - und dennoch bekommt der Mann mit dem riskanten Plan Unterstützung von Conversos, den neu getauften Juden, die diese Reise finanzieren. Der Name des Mannes mit den kühnen Plänen ist Cristóbal Colón.

Ich wußte, daß Spanien und Italien sich darum streiten, das Herkunftsland dieses Mannes zu sein, und es intrigierte mich, mir durch eigene Forschung eine Meinung darüber zu bilden. Wer war dieser Mann wirklich? Ist Cristóbal Colón mit Christofero Colombo identisch?

Er selber benahm sich in den Ländern seines Aufenthalts wie in Heimatloser. In der »Biblioteca Colombina« in Sevilla konnte ich die Bücher, die sein persönliches Eigentum waren, einsehen, und seine Randbemerkungen in diesen Büchern überzeugten mich, daß sein Glaube ein Amalgam aus Christentum und Judentum war. Er kannte sowohl den Reisebericht von Marco Polo als auch den des jüdischen Reisenden Rabbi Benjamin von Tudela. Marco Polo erzählte von Juden in China, und Rabbi Benjamin, der bis an die Grenzen Indiens kam, berichtete, daß dort die verlorenen zehn Stämme Israels lebten.

Was war nun das Bindeglied zwischen Luis de Santangel, dem mächtigen, reichen und einflußreichen Mann jüdischer Abstammung, der die Expedition finanzierte, und Columbus? Warum ging Santangel ein so hohes Risiko ein - Columbus hätte schließlich (wenn überhaupt) auch mit leeren Händen zurückkommen können. War Cristóbal Colón jüdischer Abstammung? Diese Fragen wurden in der Vergangenheit von allen Seiten betrachtet und diskutiert. Ich versuche in diesem Buch, einen Teil dieser offenen Fragen an Hand von Dokumenten zu beantworten und komme dabei zu einigen Punkten, die auffällig sind, die dem Leser einige Denkanstöße geben und wahrscheinlich auch neue Fragen aufwerfen.

Eines ist sicher - was wir in den Schulbüchern über Columbus vorgesetzt bekommen haben, entspricht nicht den historischen Tatsachen. Königin Isabella wird idealisiert dargestellt, sie soll ihre Kleinodien verpfändet haben, um die Reise von Columbus und damit den Weg zur Christianisierung eines ganzen Kontinents zu ermöglichen - aber bei der Expedition befand sich gar kein Priester, und der Reisebericht von Columbus ging nicht an die Königin, sondern an den tatsächlichen Finanzier, Luis de Santangel. Doch in den Schulbüchern werden wir diesen Namen nur selten finden, dagegen wird als Hauptfigur Königin Isabella gefeiert.

Für das Jahr 1992 haben konservative katholische Kreise in Spanien und Lateinamerika vorgeschlagen, Isabella von Kastilien seligsprechen zu lassen, wobei die Tatsache ignoriert wird, daß diese Königin hinter der Vertreibung der Juden aus Spanien stand. Durch eine Seligsprechung wären die christlich-jüdischen Gespräche - die nach dem Massenmord an den Juden begonnen haben und langsam Erfolge zeigen - ernsthaft gefährdet. Davor wurde auch von vielen kirchlichen Würdenträgern gewarnt, und es scheint, daß die Seligsprechung deswegen nicht stattfinden wird.

Schon im Laufe meiner Vorarbeiten zu diesem Buch fand ich mich mit dem Schicksal der Ureinwohner Amerikas konfrontiert. Nach der Veröffentlichung des Buches erhielt ich viele Zuschriften von Lesern indianischer Abstammung. Weitere Berührungspunke ergaben sich auf meinen Vortragsreisen in den Vereinigten Staaten, wo ich Kontakte mit Professoren der Geschichte der Indianer knüpfte. Diese Begegnungen, meine Gespräche und die einschlägige Lektüre haben mein Geschichtsbild über die Tragödie der Indianer erweitert.

So begann ich mich schließlich auch mit dem gegenwärtigen Schicksal der Indianer in Nord- und Südamerika zu beschäftigen.

Beim Schreiben dieser Zeilen fehlt noch ein Jahr bis zu den großen, weltweiten Feiern im Zusammenhang mit der Entdekkung Amerikas durch Christoph Columbus ... Italien und Spanien streiten sich zwar um das »Eigentumsrecht« an dem Entdecker, aber alle werden im Jahre 1992 mit Feierlichkeiten die Entdeckung der Neuen Welt begehen. Die, die damals entdeckt wurden, haben keinen Grund, sich darüber zu freuen. Schon wenige Jahrzehnte nach der Entdeckung Amerikas durch Columbus war die Bevölkerung der gesamten Karibik ausgerottet, und mit der fortschreitenden Eroberung des amerikanischen Kontinents - vor allem durch die Spanier - setzte sich diese Vernichtungswelle über den ganzen Kontinent fort. Man hat zwar von der Entdeckung einer »Neuen Welt« geschrieben, aber die Entdecker haben im Gepäck die Grausamkeit, Unmenschlichkeit und Mordlust der »Alten Welt« in diese Neue Welt mitgebracht und dort konsequent angewendet - einschließlich der Inquisition, die der Vorläufer der »Endlösung« war.

Die Indianer können auf 500 Jahre Verfolgung zurückblikken. Was in den Schulbüchern als »Christianisierung« der Indianer dargestellt wird, war keine Bekehrung. Die Indianer wurden nicht bekehrt, sondern sie wurden gefoltert, auf jede erdenkliche Weise umgebracht, und ihre Kultur wurde zerstört. Es war ein Genozid, der sich über Jahrhunderte fortgesetzt hat. Auch heute noch wird an den Indianern Tag für Tag Verfolgung begangen.

In Brasilien haben sich die Indianerstämme immer tiefer in die Regenwälder zurückgezogen, um ihre Lebens- und Kulturform zu bewahren, um so leben zu können, wie sie wollen. Doch die Profitgier ihrer Umwelt läßt sie nicht in Frieden. Man rodet die Urwälder, und ihr Untergang ist besiegelt, wenn Geologen in den von Indianern besiedelten Gebieten Naturschätze aufspüren, oder wenn man Wälder in Felder umwandeln will.

In Nordamerika wurden Verträge, die die Indianer mit den Regierungen abgeschlossen haben, nie eingehalten, die Indianer wurden in Reservate zurückgedrängt, in denen es ihnen durch mangelnde Bildungs- und Arbeitsmöglichkeiten und durch Alkohol unmöglich gemacht wurde, ihre Kultur und Lebensweise zu pflegen und nach ihr zu leben. Das sollten sich alle die vor Augen halten, die sich anschicken, den Jahrestag der Entdeckung Amerikas groß zu feiern.

Nachdem ich im Jahre 1982 ein Ehrendoktorat des »John Jay College for Criminal Justice« in New York erhalten und dabei Gelegenheit hatte, mit einer Reihe von Professoren eingehende Gespräche zu führen, wurde mir die Wichtigkeit der Gründung eines Institutes zur Erforschung der Problematik des Völkermordes deutlich. Mein Vorschlag wurde wohlwollend aufgenommen, und so wurde ich im November 1982 Gründungsmitglied eines derartigen Institutes in New York. Das erste Untersuchungsprojekt befaßte sich dann mit der Tragödie der Miskito-Indianer in Nicaragua. Während des Symposiums berichteten drei Indianer aus diesem Stamm über ihre Situation.

Das Institut für »Study of Genocide« existiert weiterhin und widmet sich jedes Jahr anderen Opfern dieser Unmenschlichkeit. Ein von mir geplantes Hearing über das Schicksal der Indianer konnte nicht realisiert werden. Es mangelte an finanziellen Mitteln und auch an geeigneten Persönlichkeiten, die sich für diese Sache hätten engagieren sollen.

Nach wie vor glaube ich, daß ein internationales Hearing zum Problem der noch lebenden Indianer eine wichtige Aufgabe wäre. 1992 wäre das richtige Jahr dafür, um derer zu gedenken, die »entdeckt« wurden und deren Nachkommen bis zum heutigen Tag verfolgt werden.

Wien, April 1991
Simon Wiesenthal

I. ZYKLUS DES SCHICKSALS

Die drei Caravellen, die Christoph Columbus in die Indischen Lande bringen sollen, liegen im Hafen von Palos vor Anker. Es ist der Abend des 2. August 1492. Columbus steht auf dem Pier und beobachtet, wie die letzten Matrosen und anderen Teilnehmer der Expedition auf Deck gehen. Sein Befehl lautet, daß pünktlich um elf Uhr nachts alle auf dem Schiff sein müssen.

Aus der Geschichte wissen wir, daß die drei Caravellen erst am nächsten Tag, dem 3. August, in See stachen. Warum befiehlt Columbus seiner Mannschaft, noch vor Mitternacht auf dem Schiff zu sein? Warum überwacht er diesen Vorgang persönlich? Der Befehl ist ganz gegen den Brauch der Seeleute, die sich vor einer so langen Reise gewöhnlich bis zum letzten Augenblick bei ihren Familien aufhalten und erst ganz kurz vor dem Auslaufen des Schiffes an Deck gehen. Weshalb ist es diesmal anders? Ist vielleicht das Datum der Grund für den Befehl? Es ist doch der denkwürdige 2. August 1492; laut dem Dekret der spanischen Könige Ferdinand und Isabella darf sich nach Mitternacht dieses Tages kein Jude mehr auf spanischem Boden aufhalten. Sind die Teilnehmer der Expedition etwa von diesem Dekret betroffen? Gibt es Juden auf den Schiffen des Columbus? Gibt es eine Verbindung zwischen seiner Entdeckungsreise und der Austreibung der Juden? Und schließlich: Hängt die Reise überhaupt mit der Judenverfolgng zusammen? Alle diese Fragen drängen sich dem Forscher auf und verlangen nach einer zufriedenstellenden Antwort. Doch bevor wir selbst versuchen, die Antwort zu finden, lassen wir Columbus sprechen:

»Nachdem Ihr, die Heiligen Könige, die Juden aus Ihren Gebieten vertrieben haben, im gleichen Monat Januar sandten mich Ihre Hoheiten mit einer Flotte zu den Indianischen Landen aus.«

So beginnt sein Tagebuch. Diese beiden Ereignisse stellt er an die Spitze seines Berichtes über die Entdeckung Amerikas.

Auf den ersten Blick ist man geneigt zu glauben, daß Columbus hier historische Daten durcheinandergebracht hat, da bekanntlich das Vertreibungsedikt am 31. März 1492 unterzeichnet und die Zustimmung zu Columbus' Reise drei Monate vorher, nämlich im Januar, gegeben wurde. Allerdings wurde der Vertrag zwischen Columbus und den Königien erst am 17. April unterzeichnet. Wie soll man dieses scheinbare Verwechseln von Daten verstehen? Dies ist nicht anders zu erklären, als daß die Vorbereitungen zur Austreibung der Juden schon im Januar so weit vorgeschritten waren, daß sie den Personen auf dem königlichen Hof bekannt waren und daß sowohl Columbus als auch seine Protektoren davon wußten. So fließen die Daten – Januar: Zustimmung zur Columbus-Reise, März: Austreibungsdekret, 2. August: letzter Aufenthaltstag der Juden in Spanien und Vorabend der Entdeckungsfahrt – zusammen. Mit dem sprichwörtlichen Instinkt des großen Mannes, den Columbus auch bei anderen Gelegenheiten gezeigt hat, verbindet er hier die beiden Ereignisse. Die Historiker, die sich mit jener Zeit befassen, sind sich einig, daß die Entdeckung Amerikas und die Austreibung der Juden die weitreichendsten Konsequenzen in der gesamten spanischen Geschichte hatten.

Diese Nacht ist ein Wendepunkt der Geschichte. Ein Kapitel geht zu Ende, ein neues beginnt. Ein Kapitel, das nicht nur die Geschichte Spaniens, sondern die Geschichte der Welt beeinflußt. Daß Columbus seine Besatzung um elf Uhr nachts

geschlossen auf den Schiffen hat, ist eines der zahlreichen Rätsel, die uns Columbus und das Zustandekommen seiner Entdeckungsreise aufgeben. Columbus weiß, daß genau eine Stunde später die spanische Polizei, die städtische Miliz und die Familiares der Inquisition sich auf die Suche begeben werden, um herauszufinden, ob trotz des Dekretes Juden in Spanien verblieben sind. Aber die Tatsache, daß Columbus seine Leute bereits um elf Uhr nachts auf ihren Posten wissen will, kann nicht gesondert behandelt werden. Es gibt mehrere Vorfälle, die uns rätselhaft erscheinen. Man muß also alle diese Fragen und Ereignisse, die historisch belegbar sind, in ihrer Gesamtheit betrachte. Auch die Person des Columbus, die voller Widersprüche erscheint, kann nicht zur Aufklärung der Rätsel beitragen. Erst mit dem Verständnis für den Zusammenhang der Ereignisse hellt sich die Situation etwas auf.
Die Verbindung Columbus-Juden ist keine zufällige, sonden eine von beiden Seiten gewollte. Sie ist so manchem Forscher längst aufgefallen, und sie war Thema mehrerer Analysen, die sich um eine Erklärung für die Ursache dieser Verbindung bemühten. Die Ergebnisse sind bis zum heutigen Tag unbefriedigend.

Vielleicht gelingt es dieser Untersuchung, mit einer neuen Erklärung aufzuwarten und diese Interpretation durch das Geschehen jener Zeit zu untermauern.

Zahlreiche Forscher haben bereits festgestellt, daß der Personenkreis, der die Pläne des Columbus für eine Entdekkungsreise unterstützte, zum überwiegenden Teil aus Juden und aus getauften Juden bestand. Wir werden darüber noch eingehend und genau berichten. Es gibt keinen Zweifel: Ohne Mithilfe dieser Personen, die beim Königspaar intervenierten, die finanzielle Hilfe leisteten und wissenschaftlich-nautische Unterlagen bereitlegten, hätte es keine Entdeckungsreise von Columbus gegeben. Man kann nun freilich sagen, daß der Kontinent auch ohne Columbus ausfindig gemacht worden wäre. Die Zeit war reif dafür. Auch andere Nationen rüsteten zu Fahrten ins Unbekannte. Aber wiederholen wir es kurz: Ohne Hilfe der Juden wäre die Fahrt des Columbus nicht zustande gekommen. Um dies zu erklären, müssen wir uns mit der Situation der Juden im damaligen Spanien befassen.

Einige hundert Jahre vor Christi Geburt siedelten sich die Juden auf der Iberischen Halbinsel an. Es ist wahrscheinlich, daß sie zusammen mit den Phöniziern ins Land kamen. Mehrere spanische Städte - Toldeo, Maqueda, Escalona, Joppes und Aceca - weisen auf palästinensich-jüdische Herkunft hin. Diese Städte haben hebräisch klingende Namen. Der Name Toldeo kommt von Toldedoth, das ist die Stadt der Geschlechter. Im offiziellen Stadtführer von Toldeo von heute wird auf die hebräische Herkunft des Stadtnamens verwiesen. Man meint, daß sich in dieser Stadt Angehörige der Stämme Israels niedergelassen haben. Der Name Aceca bedeutet starke Festung, Escalona ist nach Ascalon in Israel im Stamme Simeon benannt. Maqueda in Anlehnung an Maceda aus dem Stamme Juda, Joppes in Anlehnung an Joppe (Jaffa) im Stamme Dan. Auch eine Reihe von Namen weiterer Städte, wie Layos und Noves, sind wahrscheinlich jüdischen Ursprungs. Die Namengebung erfolgte in Erinnerung an die damaligen palästinensischen Städte.

Zur Zeit Christi kamen jüdische Pilger aus Spanien nach Jerusalem. Sie werden Sephardim genannt. Der Name Sephard kommt aus der biblischen Bezeichnung Sepharad, und damit war das westliche Land am Mittelmeer, Spanien, gemeint. Auch der Prophet Obadia spricht von diesem westlichen Teil des römischen Imperiums als von Sepharad. Später spricht der Apostel Paulus von der Notwendigkeit der Mission unter den Juden auf der Iberischen Halbinsel.

Während der Verfolgung im Mittelalter, als die spanischen

Juden im Rahmen ihrer Abwehr den Herrschern schildern wollten, wie lange sie mit dem spanischen Land verbunden gewesen seien, haben sie darauf hingewiesen, daß sie schon nach der Zerstörung des ersten Tempels nach Spanien gekommen und vom Stamme Juda sind.

Lange Zeit nach den Juden und Römern kamen Westgoten, Vandalen und viele andere Völker.

Die Juden überlebten alle Eroberer in Spanien. Denn die Eroberer vermischten sich bald mit der einheimischen Bevölkerung und gingen in ihr auf. Die Juden litten, wurden verfolgt, arrangierten sich mit den Eroberern, und zu der Zeit, aus der die ersten urkundlich belegbaren Dokumente stammen, finden wir auch schon die Juden. Sie leben unter den moslemischen Mauren und unter den katholischen Spaniern, die in einige Königreiche aufgespalten sind. Im 9. Jahrhundert bezeichnen arabische Historiker Granada und Taragona als »jüdische Städte«. Juden und Christen genossen in den arabischen Königreichen volle Freiheit und bedienten sich einer igenen Gerichtbarkeit. Die jüdische Einwohnerschaft im moslemischen Spanien war die größte in Europa.

Die Juden waren es, die das Prinzip sprengten, jeder Einwanderer müsse mit der Zeit in seiner neuen Umgebung aufgehen und habe damit seine Identität verloren. Die Geschichte von Auswanderung und Einwanderung ist schlechthin die Geschichte der Menschheit. Wenn jemand diese Geschichte schreiben wird, dann wird man dort lesen, daß Einwanderer sich normalerweise sehr bald mit ihrer Umgebung assimilieren, daß sie das, was sie in ihrem Auswanderungsgepäck mitführen, mit der Zeit aufgeben. Dies aus Gründen der Sicherheit, der Opportunität und um neuen Schwierigkeiten aus dem Wege zu gehen. Alles Alte wird als Ballast abgeworfen. Nicht so die Juden. Was sie mit sich brachten, haben sie zum größten Teil auch behalten. So sind die Juden auf diesem Gebiet eine Ausnahme in der Geschichte. Das ist es auch, was ihnen immer wieder Schwierigkeiten und Verfolgungen eingetragen hat.

Der Antisemitismus vieler Völker war die Rache der Eingesessenen an Menschen, die sich nicht mit ihnen assimilieren wollten. Es ist natürlich nicht die einzige Erklärung des Antisemitismus, es ist aber eine der vielen Erklärungen, die es für dieses zweitausend Jahre alte Phänomen gibt.

Spanien ist ein Land, bei dem es schwerfällt, von Bodenständigkeit ethnischer Gruppen zu sprechen. Denn das kommt auf den Zeitpunkt an, auf dem man sich bezieht. Welcher Zeitpunkt aber auch immer herangezogen wird: Die Juden sind die Alteingesessenen. Das Verweigern der Verbundenheit mit dem Lande, eben auch Bodenständigkeit genannt, wie es die Antisemiten gegenüber den Juden vorgenommen haben, um sie in den Augen der Bevölkerung als Fremde abzustempeln, trifft auf die Juden Spaniens nicht zu. Die Juden des moslemischen und christlichen Teils Spaniens sind mit dem übrigen Teil der Bevölkerung freundschaftlich und kulturell verbunden, und sie bilden - wie ernst zu nehmende Gelehrte nachweisen können - die Brücke zwischen arabisch-maurischer und christlich-spanischer Kultur.

Die Verfolgung der Juden Spaniens unter den Westgoten durch König Sisebut begann im Jahre 612. Er dekretierte die Absonderung der Juden, eine Trennung, die als ständige Einrichtung der spanischen Königreiche erhalten bleiben sollte. Weil zu dieser Zeit Christen zum Judentum konvertierten, erließ Sisebut eine Verordnung, die solche Konversionen unter schwerste Strafe stellte. Ein Jude, der einen Christen konvertierte, wurde zum Tode und zum Vermögensverfall verurteilt.

Die wechselvolle Geschichte Spaniens nahm ihren Lauf. Die Mauren besiegten die Westgoten und errichteten ihre Königreiche, die Kalifate. Später schlugen christliche Könige einen Teil der Mauren zurück. Die Juden blieben in beiden Teilen. Nach der Unterwerfung der moslemischen Königreiche in

Spanien waren die christlichen Könige erstaunt über das hohe kulturelle Niveau, das sie dort vorfanden. Die Juden, die mit dieser islamischen Kultur verbunden waren, haben dann die Mittlerrolle übernommen, indem sie den Christen einen Teil der Errungenschaften der islamischen Zivilisation zugänglich machten. Trotzdem war der Übergang von der maurischen Herrschaft zur Herrschaft der Christen für das spanische Judentum ein Schock. Er hatte das jüdische Leben hart getroffen.

Die Juden lebten in den Vierteln, die sich damals Alhamas nannten, hatten ihre eigene Autonomie und Verbindungen mit den Juden aller anderen spanischen Städte. Die geschlossenen Ghettos kamen erst später. Die Könige Kastiliens und Aragons verliehen ihnen aus fiskalischen Gründen die Autonomie. Die Abgaben, die die Juden gezahlt haben, waren die einzige sichere und ständige Einnahmequelle der Staatskassen. Außer den normalen Abgaben in Form von Steuern entrichteten sie noch eine jährliche Abgabe von 30 Denari zur Erinnerung an einen Juden, der diese seinerzeit in Form von 30 Silberlingen genommen haben sollte, sozusagen als »Rückzahlung«. Das Ghetto war für die Eintreibung der Steuern unter den Juden in seiner Gesamtheit verantwortlich. Da die Staatskasse immer in Nöten war, mußten die Ghettos oft größere Beträge auf die künftigen Steuern vorschießen. Auf diese Weise haben sie sich Toleranz und Freiheit von den Königen erkauft.

Im christlich-mittelalterlichen Spanien bildeten die Juden eine rassisch und religiös geschlossene Gruppe, die sich von der restlichen Bevölkerung unterschied. Es war daher unvermeidlich, daß man für sie Gesetze schuf, Privilegien, die ihnen den Schutz des Lebens und des Eigentums sicherten. Außerdem bekamen sie das Recht, ihre eigenen Angelegenheiten selbst zu verwalten. Als sich gegen Ende des 12. Jahrhunderts innerhalb des Christentums Häresien ausbreiteten und die Kirche diese bekämpfte, war es unausbleiblich, daß sie ihren

Kampf nicht nur auf Häretiker, sondern auch auf die Juden ausdehnte. Die Juden wurden beschuldigt, Häretiker zu unterstützen. Ein Teil der alten Judengesetze, die seit Jahrhunderten gegen die Juden nicht mehr angewendet wurden, kam durch eine Bulle des Papstes Innozenz III. nach dem vierten Laterankonzil wieder zur Geltung. Die Lebenseinschränkungen der Juden wurden durch neue Bestimmungen noch verschärft; sie sollen das Zusammenleben von Juden und Christen in christlichen europäischen Staaten unmöglich machen.

Die Juden, die sich zu jener Zeit in zahlreichen europäischen Staaten aufgrund ihrer wirtschaftlichen und wissenschaftlichen Nützlichkeit gewisse Positionen erworben hatten, sollten aus diesen Stellungen entfernt werden, weil sie einen »schlechten Einfluß« auf die Christen ausübten. Die Juden waren Finanzberater und Steuerpächter. Sie versorgten den zwischenstaatlichen Handel und waren auch als Ärzte tätig. In Spanien übten die Juden außerdem verschiedene Handwerke aus – Geber, Schuhmacher, Sattler, Juweliere, Messerschmiede, Woll- und Seidenweber. Sie waren neben den Mauren auch sehr begehrte Eisenschmiede.

Gegen sie alle wendet sich die Kirche. Sie sollen keine Rolle mehr im Leben der Christen spielen. Die Kirche glaubt, daß besonders die jüdischen Ärzte großen Einfluß haben. Trotzdem hält sich fast jeder christliche Herrscher, König oder Fürst, manchmal auch Bischof, einen jüdischen Leibarzt, dem er vertraut. Die Kirche weiß genau, daß diese jüdischen Leibärzte in vielen Fällen erfolgreich zugunsten der Juden gegen diskriminierende Anordnungen invervenieren. Die Kirche hat Angst vor dem Einfluß dieser Ärzte, werden doch oft durch sie Absichten der Kirche gegen die Juden durchkreuzt. Seit dem 13. Jahrhundert nehmen Kirchensynoden gegen jüdische Ärzte im Dienste der Christen Stellung. So die Synoden in Béziers im Jahre 1255, in Wien 1267, in Avignon 1326 und in Bamberg 1491. Der Spruch der Synoden ist fast gleichlautend und besagt:

»Es ist besser für einen Christenmenschen zu sterben, als einem Juden sein Leben zu verdanken.« Die Tatsache, daß die Edikte der Kirchensynoden alle paar Jahrzehnte wiederholt werden müssen, ist ein Beweis, daß die Regierenden sich trotz der Anordnungen der Kirche ungern von ihren Leibärzten trennen. Um ihre Stellung zu behalten, treten in Spanien und in Portugal zahlreiche Leibärzte zum Schein der Kirche bei. Auch die Herrscher wissen, daß diese Taufen Scheintaufen sind und nehmen es mit Augenzwinkern zur Kenntnis. Aber der Haß gegen jüdische Ärzte und das Mißtrauen gegen die »jüdische Medzin« breiten sich aus.

Die Kirche dringt in alle Sparten des Lebens ein und gewinnt überall Einfluß. Sie verdrängt die Juden aus der Wirtschaft und stößt dabei auf ökonomische Probleme, die sie nicht meistern kann. Sie versucht daher, sie zu ignorieren.

Wie konnte man gleichzeitig einen Staat führen und auf Geld verzichten? Zu Geld kommen hieß damals Geld ausleihen und zu einem späteren Zeitpunkt zurückgeben und dann wieder neues Geld leihen. In der wichtigen wirtschaftlichen Rolle des Geldverleihens waren in verschiedenen europäischen Staaten hauptsächlich die Juden im Mittelpunkt der Geschehnisse. Nachdem die Juden verschiedenen Beschränkungen sowohl in handwerklichen Berufen als auch im Besitz von Grund und Boden und im Ackerbau unterworfen waren, zwang man sie geradezu in die Rolle des Geldverleihers. Laut kirchlichen Gesetzen war das Verleihen von Geld gegen Zinsen eine Sünde. Wenn aber schon einer sündigt, dann sollte es der Jude sein. Oft war es die Kirche, die ihre eigenen Gelder dem Juden gegeben hat, damit dieser sie gegen Zinsen verleihe.

Die rigorose Anwendung kirchlicher Vorschriften auf diesem Gebiet hätte zu einem wirtschaftlichen Chaos in Spanien geführt. Dies wußten sowohl die Kirche als auch die Krone, und so ließ man es bei der alten Praxis bewenden. Als die Gefahr der Ausschaltung der Juden von den Geldgeschäften drohte, baten im Jahr 1462 die Vertreter der Städte die Cortes (Parlament), man möge den Juden wieder Geldgeschäfte gestatten.

Aber auf anderen Gebieten wollte die Kirche, daß die Christen von den Juden unbedingt getrennt werden.

Das Christentum, ob es wollte oder nicht, war mit dem Judentum sowohl duch die Bibel als auch durch die frühe Geschichte des Christentums verbunden. Die nachchristliche Geschichte des Judentums ist zugleich ein Teil der Geschichte des Christentums. Die durch die Christen seit zwei Jahrtausenden unternommenen Versuche, sich von den Juden loszusagen und loszureißen, beweisen diese Bande deutlich. Im Zeitalter der Gärung innerhalb des Christentums, als die abweichenden Lehren sich breitmachten, bekämpfte die Kirche in öffentlichen Diputen die Sektierer. Es waren Turniere des Wortes, die beim Volk populär waren und mit einer großen Leidenschaft ausgetragen wurden. Mit der Zeit dehnte die Kirche diese Dispute von den Sektierern auf die Juden aus.

Im Verhältnis der Christen zu den Juden besonders in Spanien zieht sich die Frage der Auslegung der Bibel, die beiden Religionen gemeinsam war, wie ein roter Faden durch die Jahrhunderte. So kommt es, daß die Streitigkeiten die Stuben der Gelehrten verlassen und in Form von öffentlichen Zwangsdisputen auf die Straße getragen werden. Diese dauern ziemlich lange, manchmal einige Monate. Hier sind die Juden benachteiligt. Während ihre Gegner sich in Anschuldigungen, Anklagen, Anpöbelungen und Beschimpfungen austoben können, müssen sie Rücksicht nehmen auf ihre Widersacher. Die Rabbiner erlassen sogar interne Vorschriften für die jüdischen Disputanten, denn die »Gegner können die Wahrheit mit einem Faustschlag zum Schweigen bringen.«

Die Christen haben sehr oft vergessen, vielleicht bewußt vergessen, daß sie es waren, die die jüdische Bibel in alle Welt, zu den Heiden, den Bewohnern von entfernten Inseln, gebracht und überhaupt erst richtig verbreitet haben. Das Christentum kann auf die jüdische Bibel nicht verzichten, denn die Thora Israels ist es, die eine der Grundlagen des Christentums darstellt. Paulus, der mit Erfolg versucht hat, das Christentum vom Judentum zu entfernen, handelte aus jüdischem Selbsthaß. Nicht immer war es bei Paulus der Selbsthaß, oft war es die Haßliebe. In seiner Beziehung zum Judentum ist Paulus voller Widersprüche oder, wenn man es anders ausdrücken will, er geht dialektisch vor. Die Juden werfen Paulus vor, daß er das Judentum Jesu verfälscht habe. Paulus wiederum verstand das nicht und wurde schließlich zornig, weil die Juden seine Interpretation vom auferstandenen Christus nicht annahmen. Daher sah er keine Möglichkeit mehr, innerhalb des Verbandes des Judentums zu bleiben, aus dem er hervorgegangen war. Er sprengte den Rahmen der jüdischen Religion. Daher war in den Augen der Juden vor allem Paulus der Abtrünnige, nicht Jesus.

In ihrem Drang, das Judentum auszumerzen und zu vernichten, haben manche christliche Würdenträger sich als Vertreter Jesu ausgegeben. Sie drängten darauf, heilige Schriften des Judentums, den Talmud und vieles andere, zu vernichten, wobei sie außer acht gelassen haben, daß diese jüdischen Schriften in derselben Spache abgefaßt waren, der sich Jesus bedient hat. Jesus sprach hebräisch, wahrscheinlich auch aramäisch oder nur eines von beiden. Aber das Aramäische war ja zu dieser Zeit ein semitischer Dialekt.

Die Person des Paulus wurde in letzter Zeit in einer sehr gelungenen Studie des jüdischen Schriftstellers Shalom Ben Chorin dargestellt. Paulus ist der abtrünnige Jude, der auch seine eigene Tragödie mitmacht. Er ist römischer Staatsbürger christlichen Glaubens, in der hellenistisch-jüdischen Kultur verwurzelt.

Die jüdische Geschichte kennt viele solche Abtrünnige. Paulus' persönliche Tragödie ist es, daß er für die Juden ein

Grieche,für die Griechen aber ein pharisäischer Rabbi ist. Es ist ihm nicht gelungen, für die Juden ein Jude und für die Griechen ein Grieche zu sein. Es waren Christen, die ihm vorgeworfen haben, daß er den talmudischen Geist ins Evangelium hineingetragen habe. Aber viele Nachfolger von Paulus haben das Positive, das dieser über das Judentum gepredigt hat, die Lehre vom Licht Israels, gerne weggelassen. Sie haben sich nur auf das Negative, das er zum Judentum zu sagen hatte, gestützt, wobei die Christen übrigens dieses sogenannte Negative meist auch noch mißverstanden und es nicht als eine innerjüdische Auseinandersetzung nahmen, die es vor allem auch gewesen ist. Wichtiger als die eine oder andere Unmutsäußerung des Paulus (1 Thess 2, 14–16) ist sein grandioses theologisches Gemälde in Römer 9–11, das für viele mittelalterliche Christen derart unerträglich war, daß sie einfach die darin Israel zugesprochenen Heilsgüter für sich usurpierten: Die Enterbungstheorie hatte ihren Anfang genommen, und mit ihr gelang es, die Juden aus der gesamten auf dem Judentum beruhenden Theologie auszuschneiden. Bevor man sich also, nicht selten durch Mord, der jüdischen Menschen entledigte, hatte man durch eine spitzfindige pseudotheologische Theorie die Juden aus dem Neuen Testament entfernt, soweit dieses ihnen ihr Heil und ihre geistigen Güter zugestand.

Bei den Disputen ging es um die Frage, ob die Welt eine erlöste ist. Auch wenn es unter jüdischen Gelehrten Diskussionen zu verschiedenen Auslegungen gegeben hat, in einer Frage waren sich die Juden einig: Die Welt, so wie sie war, konnte von den Juden nicht als erlöst betrachtet werden. Kein Wunder. Die zweite Frage tauchte immer im Zusammenhang mit dem Prozeß Jesu auf. Die Juden wandten ein, daß zur Zeit dieses Prozesses nur ein kleiner Teil des jüdischen Volkes, nämlich ein Achtel, im damaligen Palästina lebte, und man könne doch nicht die Juden in anderen Ländern oder ihre Nachkommen für den Prozeß Jesu verantwortlich machen. Sie bemerkten, daß es Justizirrtümer und Justizmorde schon immer, bis in die Gegenwart, gegeben habe, daß es keine Völker mehr gäbe, würde man für jedes Schandurteil ein Volk verantwortlich machen. Sie wiesen auch darauf hin, wie viele Hunderttausende von Juden vorher und seither dasselbe Schicksal erlitten hätten.

Um jüdischen Theologen gewachsen zu sein, holte sich die Kirche immer die Disputanten aus den Reihen der Renegaten. Mit der Zeit bot sich das skurrile Schauspiel, daß die Dispute sich in Wortgefechte zwischen getauften und ungetauften Juden verwandelten.

Die Dispute spielten sich gewöhnlich auf einem großen Platz im Zentrum der Stadt ab und dienten eigentlich zur Aufwiegelung des Mobs, vor dem sie stattgefunden hatten. Ungeduldig wartete der Pöbel auf das Ende der Streitgespräche, um sich auf die Judenviertel zu werfen, zu plündern und zu morden.

Nicht immer endeten die Dispute mit einer Niederlage der Juden. In Barcelona gab es in der Zeit vom 20.–31. Juli 1263 einen Disput zwischen dem abtrünnigen Juden Pablo Christiani und dem Rabbi der dortigen Gemeinde, Moses Ben Nachman, genannt Nachmanides, wobei Nachmanides bei diesem Disput als Sieger hervorging. Er sagte unter anderem wörtlich: »Von der Zeit Jesus Christus' bis in unsere eigenen Tage war die Welt voller Gewalt und Raub, und die Christen haben mehr Blut vergossen als die anderen Völker, und in ihrer Moral sind sie genauso liederlich. Oh, wie anders lägen die Dinge für Eure Majestät und Eure Ritter, würden sie nicht länger für den Krieg gedrillt!« Der Rabbi bekam vom König eine Belohnung von 300 Sueldos, indem dieser dem Rabbi sagte: »Noch niemals habe ich gesehen, daß ein Mann eine schlechte Sache so gut verteidigen konnte.« Am Samstag erschien der König in Begleitung der Dominikaner in der Synagoge und sprach zu den Juden. Ein einzigartiger Vorfall im Mittelalter.

Über den wichtigen Disput des Mittelalters, der in Spanien stattgefunden hat, soll noch einiges berichtet werden.

Ende 1412, als es gleichzeitig drei Päpste gab, hat der Gegenpast Pedro de Luna, der den Namen Benedikt XIII. führte, mit Zustimmung des aragonischen Königs den jüdischen Gemeinden befohlen, Repräsentanten der jüdischen Religion nach Tortosa zu entsenden. Unter Zwang schickten die Gemeinden zwanzig Gelehrte. Die christliche Seite war vertreten durch den getauften Juden Geronimo de Santa Fé. Den Vorsitz führte der Papst selber. Er erhoffte sich von den Disputen eine bessere Position gegenüber den beiden Gegenpäpsten, denn die Bezwingung der Juden in einem Disput und die Unterwerfung der jüdischen Religion wäre eine Großtat in den Augen der christlichen Welt. Die Dispute begannen im Februar 1413 und zogen sich hin bis November 1414. Als das Ergebnis für Benedikt XIII. nicht das gewünschte war und die Juden sich sehr wortreich wehren konnten, begann der Terror. In verschiedenen Städten Aragoniens zwangen Mönche Juden zur Taufe, brachten sie in den Saal, wo ein Disput stattfand, dort mußten sie sich vom Judentum öffentlich lossagen und jüdische Gelehrte verhöhnen. Das machte aber auf die jüdischen Gelehrten, die die Praktiken der Gegenseite kannten, keinerlei Eindruck. Die Dispute wurden abgebrochen. Der enttäuschte Papst erließ im Mai 1415 eine Bulle, die den Befehl enthielt, den Talmud zu vernichten, den Zwang, die Juden abzusondern, und ihnen außerdem auferlegte, sich dreimal jährlich zur Anhörung von Missionspredigten in den Kirchen zu versammeln. Diese Bulle verlor aber bald ihre Kraft, denn noch im November desselben Jahres wurde Benedikt XIII. auf dem Konstanzer Konzil abgesetzt.

Solange die Mauren einen großen Teil der spanischen Halbinsel beherrschten und zu den spanischen Königreichen in einem Kriegsverhältnis standen, waren die christlichen Herrscher auf die in ihrem Königreiche lebenden Juden oft sehr angewiesen. Trotz der Verbote der Kirche hatten sie Juden hohe Stellungen anvertraut, besonders auf dem Gebiet der Wirtschaft und des Finanzwesens. Die spanische Kirche hatte eine Sonderstellung. Sie war nationalistischer als die Kirchen in anderen europäischen Ländern und hatte dadurch einen größeren Machtanspruch im Staate. Der Kampf gegen die Mauren war sowohl ein Kampf um die Befreiung Spaniens wie auch ein Kampf gegen die Ungläubigen.

Die Kirche wollte das gesamte spanische Leben beherrschen und auch auf nichtreligiösen Gebieten mitbestimmen. Das vertrug sich nicht immer mit den Absichten der weltlichen Herrscher. Und da unter den Ratgebern der Krone auch Juden waren, richtete sich der Zorn der Kirche gegen sie. Man verlangte eine Absonderung der Juden. Im Jahr 1109 kam es zum ersten Pogrom in Toledo und dann in anderen spanischen Städten. So wurden unter dem Druck der Kirche in Kastilien und Aragon eine Reihe von antijüdischen Maßnahmen getroffen. Aber immer noch hatten die Juden in den Juderien, den Ghettos, eine volle Autonomie. Doch die Kirche, die den christlichen Königen helfen wollte, die Mauren aus den besetzten Gebieten Spaniens zu vertreiben, duldete auch keine Juden, es sei denn, sie bekehrten sich. Die Kirche war nicht nur nationalistich, sondern auch chauvinistisch, und unter ihrem Einfluß wurden es auch die Spanier. Sie bekämpften über das Judentum hinaus jeden europäischen Gedanken. Bis zum heutigen Tag ist der Begriff »europeizante« in Spanien ein Schimpfwort geblieben. Die damalige Welt beschränke sich auf Europa. Ein Kosmopolit, ein Weltbürger, war damals einer, den man mit »europeizante« beschuldigte.

Genauso wie Hitler die Juden für alle Mißgeschicke verantwortlich machte und in dem Schlechten nur das Jüdische sah, genauso war es Ende des 14. Jahrhunderts, als die Pest in Europa wütete. Die Pest, die Tausende von Menschen dahingerafft hat, mußte jemandem angelastet werden, am liebsten den Juden. In Deutschland, Frankreich, Spanien und überall, wo Juden im christlichen Europa lebten, begannen Judenprognome unvorstellbaren Ausmaßes. Oft wurden diese Progromen von Geistlichen der katholischen Kirche angeführt. In Spanien war der erste Pogrom in Sevilla am 6. Juni 1391. Ein katholischer Geistlicher, Pater Peter Martinez, führte, trotzdem der König und auch der Erzbischof judenfreundlich waren, fanatisierte Massen sogar gegen die Schutzgarde, die der König um das Judenviertel hatte aufstellen lassen. Die Garde wurde besiegt und das Ghetto niedergebrannt. Es gab Pogrome in Barcelone, in Gerona und in vielen Städten Kastiliens und Kataloniens. Der Priester Martinez war nicht der einzige, der die Massen dazu aufputschte, von den angesammelten Gütern der Juden Besitz zu ergreifen. Die Raubgier unter dem Mäntelchen eines Kampfes gegen die Ungläubigen wurden entfacht. Die Pogrome dauerten drei Monate. Zu jener Zeit versuchte Papst Klemens VI. vergebens, durch seine Sendboten dem Morden Einhalt zu gebieten. Der Fanatismus mancher lokaler Organe der Kirche setzte sich über die Gebote des Papstes hinweg. Die einmal aufgehetzten Massen waren nicht mehr zu halten.

Der Kanzler des Königs von Kastilien, der im Auftrag seines Herrschers die Zerstörungen im Königreich untersuchen und beschreiben sollte, hinterließ der Geschichte in seinem Bericht einen wahren Satz: »Die Gier zu rauben und nicht der Glaubenseifer war die treibende Kraft.«

Ein Teil der Juden Spaniens flüchtete, der andere Teil, der verblieben war und noch etwas von seinem Vermögen hatte retten können, wurde Opfer einer ständigen Propaganda und ließ sich zum Christentum bekehren. Die Bekehrung wurde von der Kirche betrieben, um die noch am Leben gebliebenen Juden auf diese Weise verschwinden zu lassen. Der Druck zur Taufe umfaßte die ganze Halbinsel, und die treibende Kraft war der Ordensbruder und Prediger Vicente Ferrer. Jedes Mittel war ihm recht, um die Juden zu bekehren. Kein Wunder, daß er später heiliggesprochen wurde. Es gelang ihm, einen einflußreichen und geachteten Juden zum Christentum zu bekehren, nämlich den Rabbi Schlomo Halevi, der den Namen Pablo de Santa Maria angenommen hatte. Dieser Pablo de Santa Maria schwang sich zum Anführer des spanischen kirchlichen Antisemitismus auf; er wurde Bischof von Burgos und schließlich Staatskanzler von Kastilien. Pablo de Santa Maria brachte seine vier Söhne in Staatspositionen unter und protegierte jeden Bekehrten. Immer wieder waren es die Bekehrten, die in der Geschichte des Antisemitismus eine Rolle spielten. Ein weiterer Bekehrter, der Franziskanerbruder Alonso de Espina, hat alle anderen antisemitischen Bekehrten übertroffen. Espina wurde Beichtvater des Königs Heinrich IV. und hatte großen Einfluß auf Staat und Kirche. Er verlangte offen die Zwangstaufe der Juden, die Einführung der Inquisition und wütete mehr gegen die einst Bekehrten, denen er mangelnde Frömmigkeit vorwarf, als gegen die Juden selber. So wurde der Boden für die spätere Tragödie vorbereitet. Während früher die bekehrten Juden sich vor allem durch Heiraten in das christliche Milieu eingliederten und sich die Unterschiede verwischten, bildete sich jetzt eine Front zwischen den Bekehrten, also den »neuen Christen« und den »alten Christen«. Diese Trennungslinie führte dann zu Pogromen gegen die neuen Christen, die in Toledo im Jahr 1467 ihren Anfang nahmen.

Es kam zu einem Paradoxen. Einerseits versuchte man, die Juden zu bekehren, anderseits setzte man die Juden in den Augen der Bevölkerung so herab, daß sie zu den Bekehrten kein Vertrauen hatte.

Man versuchte, »wissenschaftlich« die Hartnäckigkeit, mit der die Juden ihrem alten Glauben die Treue hielten, zu deuten und darzustellen. Der Madrider Arzt Juan Huarte de San Juan lieferte hierfür »fundierte« Beweise. In einem Buch, das er dieser Frage widmete, behauptete er, der jüdische Charakter hätte sich vor tausenden Jahren während der vierzigjährigen Wanderung durch die Wüste aus Ägypten nach Palästina geformt. Die Ernährung mit Manna, die dortige Luft und das heiße Wüstenklima hätten die Geburt scharfsinniger Kinder verursacht. Diese Kinder aber hätten eine schwarze Galle, die sie listig mache. Sie seien verschlagen und feindselig gegen alle Nichtjuden.

Vergeblich sucht man eine Logik. Die gab und gibt es nicht. Ansonsten hätte ja die Kirche auf die Bekehrung verstockter und von Geburt an in ihrem Charakter benachteiligter Menschen verzichten müssen. Aber gerade das Gegenteil war der Fall. Man versprach bekehrten Juden gute Existenzmöglichkeiten und Ämter in Staat und Kirche, sofern sie die Schwelle des Christentums überschritten. Tatsächlich: Als Juden sich bekehren ließen, kletterten sie alle Stufen in der ihnen vorher verwehrten staatlichen und kirchlichen Hierarchie hinauf. Das trug ihnen den Neid des Volkes und auch eines Teiles des Klerus ein. Die Situation ähnelte einem Kreis ohne Ausweg und ohne Ende. Für die einen blieben sie weiter Juden, für die anderen waren sie nur zum Schein Christen.

Im Jahr 1903 wurde in Petersburg ein Protokoll einer angeblichen jüdischen Tagung veröffentlicht, das in die Geschichte unter dem Namen »Protokolle der Weisen von Zion« eingegangen ist. Es handelt sich hier um eine Fälschung, da es weder eine solche Tagung noch »Protokolle« gegeben hat. In diesem Machwerk, das vor allem die russischen Juden diskriminieren sollte, wird von einem Netz gesprochen, das die Juden um die Welt gesponnen hätten. Die Beherrschung der christlichen Welt sei das Ziel der Juden. Antisemiten, die sich auf solche »Protokolle« beriefen, wurden verklagt, und Gerichte haben die Mache als Fälschung bezeichnet. Die Nazis haben sich natürlich auch auf die »Protokolle« in ihrer antijüdischen Propaganda gestützt. Es ist wenig bekannt, daß diese Protokolle in Spanien einen Vorläufer hatten. Es handelt sich um einen Brief aus dem Jahr 1066, den ein Rabbi Samuel aus Marokko in arabischer Sprache an einen anderen Rabbi abgefaßt haben soll. In diesem Brief habe der Rabbi Samuel den Juden empfohlen, sich taufen und zum Christentum bekehren zu lassen. Sie würden auf diese Weise alle Ämter und alle wichtigen Positionen der Christen einnehmen, und die Herrschaft des Judentums könne sich so über die christliche Welt und über alle ihre Länder ausbreiten. Dieser Brief erregte damals großes Aufsehen, er wurde in mehreren Sprachen übersetzt und war jahrhundertelang Basis für Angriff gegen die Juden. Immer wieder - auch Jahrhunderte später - beriefen sich Antisemiten in Spanien auf diesen Brief als Beweis, daß die Juden die Beherrschung Spaniens anstrebten.

Die Tatsache, daß die getauften Juden Positionen im Staat einnahmen, war in den Augen der Antisemiten Beweis genug, daß sie die dem Rabbi Samuel aus Marokko zugeschriebenen Ratschläge befolgt hatten. Sie ließen es nicht gelten, daß die Juden zu dieser Taufe gezwungen worden waren, daß sie nur dank dieser Taufe eben diese Positionen erklimmen konnten und daß es in vielen Fällen nicht freiwillig getan hatten.

Es gab zu jener Zeit keine Presse. Pamphlete gegen die Juden oder gegen Bekehrte wurden abgeschrieben und unter das Volk gebracht. Eine Art Flugblatt unter dem Titel »Die Verse des Provinzials« erfreute sich damals beim Volk großer Beliebtheit. Während der Regierungszeit Heinrichs IV. wurde ein antisemitisches Flugblatt in Versen abgefaßt, in dem die Juden auf die schmutzigste Weise angegriffen wurden, wobei sich der Antisemitismus mit Pornographie und Rassenschande verbrämte. So wurde die Stimmmung im Volk für das kommende Morden der Juden vorbereitet. Die Mönche des Bettelordens, die zu den Verfassern dieser Flugschriften gehörten, zitierten diese Verse, wenn sie das Volk ausreichend gegen die Juden aufgestachelt hatten. Sie fanden großen Zuspruch.

Salvador de Madariaga sagt in seinem Buch »Kolumbus«

über diese Epoche: »Der Okzident hat erst in der Gegenwart wieder eine Epoche erlebt, die sich in bezug auf Gefährdung des Lebens mit dem damaligen Spanien vergleichen ließe.« Er meint damit sowohl die Judenmorde des Nationalsozialismus als auch die hierfür notwendige Stimmung und Agitation unter der Bevölkerung.

Der Antisemitismus mancher getaufter Juden feierte in Spanien wahre Orgien. Diejenigen, die sich in den Dienst der Kirche gegen die Juden gestellt hatten, waren nicht sehr zahlreich, lieferten aber den Beweis, daß in Zeiten einer Krise Gemeinheiten und schlechte Charaktere sehr gefragt sind. Da man sie brauchte, kletterten sie die Stufen der Macht sehr steil hinauf. Sie waren nicht nur Bekehrte, sie waren Abtrünnige, die, als sie in der kirchlichen Hierarchie mittlere und hohe Stellungen erklommen hatten, wußten, daß ihnen einmal ihre Herkunft bei ihrer weiteren Karriere abträglich sein würde. Und so versuchten sie, die Kunde von ihrer Herkunft dadurch zu tilgen, daß sie das Judentum überhaupt ausmerzten. Es ist eine besondere Tragödie des jüdischen Volkes, daß gerade diese Art Menschen eine führende Rolle bei antisemitischen Umtrieben eingenommen haben. Da die Abtrünnigen selber zu den Bekehrten gehörten, waren ihnen die Gefühle der anderen Bekehrten vertraut. Sie wußten, daß diese sich nur rein äußerlich dem neuen Glauben angepaßt hatten, im Innersten aber Juden geblieben waren; Juden mit eine Sehnsucht nach dem Judentum. Sie waren gezwungen, sich in die Netze der doppelten Loyalität zu verstricken. Sie haßten die Umstände, unter denen sie den Glauben ihrer Väter verließen, um materielle Güter oder die Stellung zu retten. Da sie sich gegenüber ihrem jüdischen Glauben schuldig fühlten, waren sie um so mehr bestrebt, die Vorschriften der jüdischen Religion zu befolgen, auch wenn sie dabei Gefahren auf sich nahmen.

Die Art, wie die Juden zur Taufe gezwungen wurden, hat unter ihnen natürlich viele innere Widerstände hervorgerufen.

Wie ein Chronist jener Zeit beschreibt, mischten sich während der Taufe die Tränen des Getauften mit dem Taufwasser. Als sie vor der Alternative standen, entweder das Land zu verlassen oder die Taufe anzunehmen, sind hauptsächlich vermögende Juden zum katholischen Glauben übergetreten. Die Mehrzahl von ihnen blieb auch nach der Taufe der jüdischen Religion treu; mit der Zeit gewöhnte man sich daran. Es war ein offenes Geheimnis, daß viele dieser Neuchristen heimlich die Praktiken der jüdischen Religion ausübten. Man nannte sie Marranen. Das Wort hat im Spanischen zwei Bedeutungen: Verfluchte oder Schweine. So entstanden die Unterschiede zwischen Conversos, den Bekehrten, die sich assimilierten, die die Beziehungen zu den Juden abbrachen, und Marranen, die nach außen hin Christen, heimlich aber Juden geblieben waren. Nicht immer ließ sich zwischen den beiden Gruppen unterscheiden, da manche Marranen die Tarnung perfekt beherrschten. Nur mit Hilfe der Bevölkerung konnte die Kirche sich Klarheit schaffen, wer Converso und wer Marrane war.

Die aufgehetzte Bevölkerung beobachtete die Bekehrten. Es fiel ihr Verschiedenes auf. Die Bekehrten behielten ihre jüdischen Essensgewohnheiten und Speisen bei, denen sie zugetan waren. Die Frauen der Bekehrten kochten genauso wie früher. Es waren Gerichte mit Zwiebeln und Knoblauch, sie brieten Fleisch in Öl und verwendeten kein Schmalz oder tierisches Fett. Die Christen beobachteten das und sahen, daß sich bei diesen Bekehrten nichts geändert hatte. Die Bekehrten rochen genauso wie die Juden, mit der Zeit wurde ihnen das zum Verhängnis. Es war ein Rückfall ins Judentum, eines der Merkmale, die ihnen die Inquisition unter dem Sammelbegriff »Judaizante« zum Vorwurf machte.

Die Marranen heirateten untereinander, weil sie unter sich bleiben wollten. Langsam vertiefte sich die Kluft zwischen neuen und alten Christen. Kein Wunder, daß damals in jenem wasserarmen Spanien der Ausspruch die Runde machte:

In drei Fällen ist das Wasser umsonst verflossen: Das Flußwasser im Meer, das Wasser im Wein, das Wasser bei einer Judentaufe.

Täufer wie Getaufte wußten in der ersten Phase nach der Bekehrung, daß es sich um ein reines Lippenbekenntnis handelte. Die Betrogenen wollten betrogen sein, und die Betrüger taten ihnen den Gefallen. Die kirchlichen Stellen konnten ihren Vorgesetzten hohe Statistikzahlen von Getauften melden, und das alles geschah unter der damals maßgebenden Devise »ad majorem dei gloriam«.

Es war die Kirche selbst, die dieses Problem der Neuchristen, der Ketzerei und Häresie entstehen ließ. Das Vorhandensein von Ungläubigen, das heißt der Juden in Spanien, störte die Kirche. Mit allen Mitteln des Zwanges gelang es ihr, einen Teil der Juden zur Taufe zu bewegen. Da die aufgezwungene Taufe ein Akt der Notlage oder der Opportunität war, konnte die Kirche von den Neugetauften keinen inbrünstigen Glauben erwarten. Das wurde nun zu einem Problem, das die spanische Kirche nicht lösten konnte. In späteren Zeiten reichte nämlich das bloße Lippenbekenntnis nicht mehr aus. Die Täufer überzeugten sich persönlich davon, ob die Getauften die neuen Gebote auch einhielten und fleißig zur Kirche gingen.

Nach dem Gesetz gab es damals für die Neuchristen keine Beschränkungen, alle Ämter im Staate und auch in der Kirche standen ihnen offen, und bald fand man sie als Ratgeber der Könige, an den Universitäten, in der Verwaltung, in der Armee und im Gerichtswesen. Es konnte auch nicht ausbleiben, daß sie in die vornehmen spanischen Adelsgeschlechter einheirateten, und es war eine Zeitlang beim Adel Ehrensache, einen Converso, also einen Bekehrten, in der Familie zu haben. Nun begann – vorerst von seiten des niederen Klerus – eine Wühlarbeit gegen die Marranen. Die Steuerlasten waren damals sehr hoch. Immer wieder galt es, neue Heere auszurüsten. Die

Finanz- und Steuerverwaltung lag in den Händen der Conversos. Stets aufs neue brachen Unruhen gegen die Conversos aus. Schließlich mußte der Papst bei der spanischen Kirche intervenieren.

Es waren die Judenhetzer, die der Inquisition den Boden bereiteten. Eine Gestalt überragte alle, die ihre Hände in diesem grausigen Spiel hatten. Es war der Prior des Dominikanerklosters San Pablo in Sevilla, Hojeda. In den Archiven von Sevilla sind die Hetzschriften Hojedas gegen die Juden und Marranen am königlichen Hof erhalten geblieben. Er ergriff jede sich bietende Gelegenheit, gegen die »jüdischen Beherrscher« zu toben, er ließ sich kein noch so unbedeutendes Ereignis, das seinen Hetzereien Nahrung geben konnte, entgehen.

Im Jahr 1478 fiel das jüdische Passahfest in die Karwoche. An dem Abend, an dem das erste Festmahl, der Seder, gefeiert wurde, schlich sich ein junger spanischer Adeliger in das jüdische Wohnviertel, die Juderia, in Sevilla ein, um sich heimlich einer schönen Jüdin zu nähern. Der heißblütige Spanier dürfte sich aber im Anwesen nicht ausgekannt haben, so kam er in einen Saal, in dem gerade der Seder abgehalten wurde. Dazu hatten sich Juden wie Marranen eingefunden. Die vielen brennenden Kerzen, die festliche Kleidung der Anwesenden, die mit Wein gefüllten Becher erschienen dem Katholiken in der Karwoche wie eine Verspottung des christlichen Glaubens. Bestürzt verließ er die Juderia und erzählte seinen Freunden von dem Gesehenen. Es dauerte nicht lange, bis Hojeda von diesem Ereignis erfuhr. So wurde diese an sich unbedeutende Begebenheit – man schrieb den 18. März 1478 – zum zentralen Punkt der Anklage gegen das Juden- und Marranentum. Hojeda verfaßte eine Anklageschrift, in der er besonders unterstrich, daß sich in der Woche, in der der Leiden Christi gedacht werden solle, Juden und Ketzer versammelten, um die christliche Religion zu verhöhnen. Der Dominikaner begab sich auf dem schnellsten Weg an den königlichen Hof in Sevilla, gebärdete sich wie ein Verrückter und forderte die sofortige Einführung der Inquisition.

Bald darauf versammelten sich in Sevilla unter dem Vorsitz der Königin Isabella hohe geistliche Würdenträger, in der Mehrzahl Dominikaner. Das Thema der Beratungen lautete: »Festigung des Glaubens«. Doch das war nur eine Umschreibung. In Wirklichkeit stand einzig und allein die Marranenfrage zur Debatte.

Die Inquisition als religiöse Einrichtung ist schwer verständlich. Sie ist ein sehr zweifelhafter Behelf der Kirche, die sich auf das Evangelium beruft und stützt. Wer sich mit dieser religiösen Institution befaßt, stellt sich die Frage, wie eine Religion, die auf ihre Fahne Nächstenliebe, Duldsamkeit und Barmherzigkeit geschrieben hat, Menschen bei lebendigem Leib verbrennen lassen konnte, nur weil sie gewisse Lehren der Kirche nicht annehmen wollten oder sie entgegen der offiziellen Linie auslegten.

Die Inquisitoren versuchten, sich auf die Evangelien zu stützen, indem sie aus dem Zusammenhang gerissene Teile der Aussagen der Apostel über die Schädlichkeit der Ketzer zu ihren Gunsten auslegten. In der Hauptsache berief sich die Inquisition auf den Apostel Paulus, der in seinem Brief an Titus im Kapitel 3, Verse 10 und 11 sagt: »Einen ketzerischen Menschen meide, wenn er einmal und abermal ermahnet ist. Und wisse, daß ein solcher verkehrt ist und sündiget als einer, der sich selbst verurteilt hat.« Besonders der letzte Teil des Verses wurde von den Inquisitoren als Auftrag zu einer Verurteilung angesehen. Dabei hat aber derselbe Apostel Paulus in seinem zweiten Brief an die Thessaloniker Kapitel 3, Vers 15, zum selben Thema ausdrücklich gesagt: »Haltet ihn nicht als einen Feind, sondern vermahnet ihn als einen Bruder.« Ähnlich erging es auch den Aussagen anderer Apostel; die Inquisitoren, getrieben von Haß, von wildem und blindem Fanatismus, verwendeten aus den Worten der Apostel nur das, was sie brauchten, und diese verstümmelten und durch Weglassung verfälschten Aussagen stellten sie als autoritative Auslegung dar. Da die Inquisitoren die Macht hatten, kam ihrer falschen Auslegung auch die Kraft des Gesetzes zu.

Der Sinn der Evangelien ist klar und durchsichtig und lehnt jeden Zwang in Sachen des Glaubens ab. Die ersten Christen, die nach den Evangelien ihr Leben gestalteten, lehnten auch mit Abscheu jeden äußeren Zwang ab, um so mehr als sie selber - besonders von den römischen Kaisern - gerade in Sachen des Glaubens grausam verfolgt wurden. Aus jener Zeit der Verfolgung blieben viele Zeugnisse der Duldung und Toleranz, wie sie von zahlreichen Heiligen der römisch-katholischen Kirche, wie den Heiligen Cyprian aus Lactantius, Hilarius von Poitiers, Ambrosius von Mailand, Gregor von Nazianz, um nur einige zu nennen, in ihren Schriften dargelegt wurden. Die Verfolgungen der Kirche wurden im Jahr 313 von Konstantin dem Großen in Mailand durch ein Toleranzedikt beendet. Unverständlicherweise beginnen die Christen einige Jahre darauf mit der Verfolgung anderer. Hinzuweisen wäre auf das Konzil von Nicäa im Jahr 325, wo unter Todesstrafe verboten wurde, die Schriften des Arius, der als Ketzer angesehen wurde, zu lesen oder zu besitzen. 353 erließ Kaiser Konstanz ein Edikt gegen die Ketzer, und später kamen noch weitere Edikte dazu gegen die Heiden, gegen die Juden, gegen die Ketzer und gegen Andersdenkende. Die Eskalation nahm von Jahrhundert zu Jahrhundert dramatischere Formen an, gepaart mit Hinrichtungen von Ketzern und ihren Jüngern. Sogar die Päpste billigten dieses gewalttätige Vorgehen, das in so krassem Widerspruch zu den Evangelien stand. Um das Jahr Tausend steigerte sich mit dem Auftreten der Katharer (Albigenser), die die römische Kirchenlehre verwarfen, der Wille, die Andersdenkenden physisch auszurotten. Damals übernahmen die Dominikaner die Inquisition, was zu einer völligen Vernichtung der Katharer führte.

Nur vereinzelte Kirchenfürsten wagten gegen diese Praktiken aufzutreten, wie etwa im Jahr 1048 der Bischof Wazo aus Lüttich, der sagte, Gott will den Tod des Sünders nicht, und rief: Genug der Scheiterhaufen. Aber diese vereinzelten Stimmen mutiger Christen konnten nicht vereiteln, daß von den Evangelien zum Autodafé ein Weg führte und sogar der hl. Thomas von Aquin im Jahr 1274 predigte, daß der Ketzer nicht nur von der Kirche exkommuniziert, sondern auch von der Welt durch den Tod ausgeschlossen werden solle.

Das also war die Marschroute der Inquisitoren. Sie schlossen das Opfer durch ein Urteil von der Kirche aus, und der weltliche Richter verbannte es durch den Tod von der Erde. Vorher natürlich gab es noch eine Reihe wirtschaftlicher und finanzieller Fragen zu klären. Was sollte mit dem Besitz der als Ketzer Verurteilten geschehen? Hier kam es zu einem langen Feilschen zwischen Kirche und Krone. Ein Inquisitionstribunal bedurfte der Zustimmung des Papstes, der großes Interesse für das Vermögen der Ketzer an den Tag legte. Ferdinand und Isabella stimmten der Inquisition aus verschiedenen Motiven zu. Während Isabella den Dominikanern sehr bald aus Glaubensgründen ihre Zustimmung gab, zögerte Ferdinand noch eine Zeitlang. Das wußten die Dominikaner und schalteten in Gesprächen mit ihm andere Motive ein. Sie sprachen von der Finanzierung des Krieges gegen die Mauren mit dem Geld der Ketzer. Damit gewannen sie Ferdinand. Doch Papst Sixtus IV. war bestrebt, bevor er seine Zustimmung zur Inquisition in Spanien gab, der Kirche auf jeden Fall den Löwenanteil am Vermögen aller Opfer der Inquisition zu sichern. Als die Boten Ferdinands beim Papst eintrafen, um sein Einverständnis zu erhalten, zögerte der Papst. Eine derart gute Ertragsquelle wollte er mit niemandem teilen. Ferdinand war aber außerdem König von Sizilien, wo die Inquisition in den Händen eines Erzbischofs lag und das Vermögen der dortigen Verurteilten der Kirche zufiel; daher kannte er die Haltung des Papstes und die Einnahmen der Kirche. Es ging dem König mitnichten um die Verteidigung des katholischen Glaubens, sondern um das Vermögen der Juden, Marranen und Conversos. Zwischen Kirche und Krone begann nun ein Kuhhandel um das Vermögen derer, die künftighin im Namen Christi nach ausgiebigen Foltern getötet werden sollten. Nach einigen Monaten hatten sich die Partner über die Teilung der blutigen Beute geeinigt.

Papst Sixtus IV. erließ am 1. November 1478 eine Bulle, kraft deren Ferdinand und Isabella ermächtigt wurden, in den Königreichen Kastilien und Aragonien die Inquisition einzuführen. Die Leitung des Glaubensgerichtes lag dem Wunsche des Oberhirten gemäß in den Händen dreier Bischöfe, deren richterliche Autorität übertragen wurde. König Ferdinand stand dem kastilischen Adel, dem zahlreiche Marranen angehörten, aus Habsucht gehässig gegenüber. Es war daher den Dominikanern ein leichtes, sich seiner Sympathien zu versichern. Ferdinand hätte allen Grund gehabt, Juden und Marranen wohlwollend gesinnt zu sein, aber sein Charakter täuschte all jene, die ihre Hoffnungen auf ihn gesetzt hatten.

Ferdinands Vater, König Juan von Aragonien, galt als großer Gönner der Juden. Seine Frau war die Enkelin der schönen Jüdin Paloma aus Toledo. Die Juden zeigten sich für die ihnen erwiesene Gunst stets dankbar und standen ihrem König treu zur Seite. Juans jüdischer Leibarzt, Don Abiater Aben Crescas, setzte sein ganzes medizinisches Können ein um ihn vor der Erblindung zu bewahren. Der Wunschtraum des Herrschers war die Vereinigung von Aragonien und Kastilien durch die Vermählung seines Sohnes mit Isabella von Kastilien. Das Schicksal der spanischen Juden war stets von der Gnade der Regenten abhängig gewesen, und da sie in Juan einen Freund und Helfer hatten, unterstützten sie seine Heiratspläne, hofften sie doch, daß Ferdinand in die Fußstapfen seines Vaters treten und als Herrscher eines Vereinigten Königreichs die Existenz der Juden sichern würde. Ferdinands jüdische Abstammung mütterlicherseits schien ihnen dafür eine gewisse Gewähr. Einflußreiche Juden in Aragonien informierten ihre Glaubensbrüder in Kastilien und baten diese, die Heirat Ferdinands zu fördern. Der königliche Obersteuerpächter von Kastilien, der Jude Don Abraham Senior aus Segovia, der seiner Klugheit wegen überall großes Ansehen genoß, setzte sich mit einer Reihe von kastilischen Granden in Verbindung, um die Infantin Isabella mit ihrem Vetter Ferdinand zu vermählen.

Isabella war diesen Heiratsplänen durchaus nicht abgeneigt, ein Teil des kastilischen Adels erhob aber Einspruch gegen die geplante Verbindung. Die Granden Kastiliens hatten für die Infantin drei andere Heiratskandidaten: den König von England, den König von Portugal und den Herzog von Berri. Die Gegner Ferdinands waren vorwiegend Geistliche, unter anderem der Erzbischof von Toledo, Don Alfonso von Carillo, und der spätere Kardinal von Spanien, der damalige Bischof von Siguenza, Don Pedro Gonzales de Mendoza.

Abraham Senior beriet sich mit dem führenden Juristen Aragoniens und Freund des Königs, Jaime Ram. Jaime Ram, Sohn eines Rabbiners in Monzon, übergab Ferdinand zwanzigtausend Sueldos, um dem Monarchen die Reise zu Isabella zu ermöglichen. Verkleidet überschritt der König die Grenzen Kastiliens und begab sich auf dem schnellsten Weg zu Don Abraham Senior. Unter größten Vorsichtsmaßnahmen begleitete Abraham Senior Ferdinand nachts zu einem Gespräch mit Isabella. Aber es mußten noch jene kastilischen Adeligen überredet oder bestochen werden, die gegen die Heirat waren. Einigen einflußreichen Marranen - vor allem Pedro de la Caballeria - gelang es schließlich, die Opposition gegen Ferdinand auszuschalten. Die Schatzkammern des Königreiches Aragonien waren leer, und Ferdinand war nicht in der Lage, Isabella ein passendes Brautgeschenk zu überreichen. Auch diesmal halfen reiche Marranen beider Königreiche dem Monarchen und kauften ein kostbares Halsband für 40000 Duka-

Porträt der katholischen Könige Ferdinand und Isabella

ten, das Ferdinand der Infantin als Morgengabe überbringen konnte. Die Heirat fand schließlich im Jahr 1469 statt. Ferdinand wußte, daß ein Großteil des kastilischen Adels gegen ihn eingestellt war. Er haßte die Granden Kastiliens. Sein Neid und seine Mißgunst übertrugen sich auch auf jene Marranen, die dem Adel angehörten, obwohl er gerade in ihrer Schuld stand. Dieses Dankgefühl verwandelte sich bei ihm zu einem Minderwertigkeitskomplex gegenüber den Marranen. Es war für ihn unerträglich, daß sie durch ihre bloße Existenz ihn an seine damalige Armut erinnerten. Als ihn die Dominikaner mit den Prinzipien des Glaubensgerichts vertraut gemacht hatten, sah er in der Inquisition sofort das passende Werkzeug, seine Kassen zu füllen. Noch ehe die Inquisition in Spanien eingeführt wurde, wütete sie schon auf Sizilien, das zu Ferdinands Herrschaftsbereich zählte. Er kannte also die Vorteile, die ein Glaubenstribunal dem Herrscher bot, zur Genüge.

Das Verhalten Ferdinands war ein typisches Beispiel für den Undank, den die Juden immer wieder ernteten. Es war aber auch das Ergebnis einer Fehlkalkulation. Man hatte in einen armen Prinzen Hoffnungen gesetzt und ihm zur Macht verholfen. Ferdinand empfand dies anscheinend als Erniedrigung: Vertreibung und Tod waren der Lohn für die Wohltäter.

Ferdinand mußte, um seine Unsicherheit gegenüber dem kastilischen Adel zu beseitigen, die Granden demütigen und unterjochen. Dem Land drohte ein Krieg mit den Mauren. Mit dem Vermögen der reichen Neuchristen und durch höhere Besteuerung der Einkünfte der Juden konnte Ferdinand den Kampf gegen seine maurischen Feinde finanzieren. Für den Monarchen gab es keine andere Möglichkeit, zu Geld zu kommen. Schon mußte, und das war bis dahin in Spanien noch nie dagewesen, die Geistlichkeit Steuern zahlen.

Jahre vorher hatte Isabella den blutigen Reigen in Kastilien durch Einführung sogenannter Schnellgerichte eröffnet. Sie sollten, um die leeren Staatskassen zu füllen, als Einnahmequelle dienen. Die Herrscherin fuhr jeden Freitag in eine andere Stadt Kastiliens, um Gericht zu halten. Sie hörte sich Klagen und Anklagen an. War der Angeklagte reich, so wurde er verurteilt, und sein Vermögen verfiel zugunsten der Krone. Das Urteil lautete entweder: Tod durch Erhängen, durch Auspeitschen oder Vierteilen. Als besonderer Gnadenakt galt: Zwangsarbeit auf den Galeeren. Wer vermögend war, mußte befürchten, daß ihn die geldgierige Königin unter irgendeinem Vorwand vor Gericht brachte. Auf den Märkten der kastilischen Städte propagierte Isabella in ihren täglichen Ansprachen eine Art Staatssozialismus. Sie versprach dem Volk erhebliche Verbesserung des Lebensstandards, sobald die Krone ihre reichen Gegner geschlagen hätte. Isabella wollte mit ihrer Politik der Kampfansage an die Reichen die Grundlage für einen nationalen spanischen Staat schaffen. Tausende von Spaniern, zumeist aus den größeren Städten Kastiliens, aus Sevilla und Segovia, flüchteten nach Granada und Portugal. Sie alle flohen lieber mit etwas Geld ins Ausland, als daß sie sich dem drohenden Gericht gestellt hätten. Diese Schnellgerichte, die öffentlich abgehalten wurden und zur Popularität Isabellas beitragen sollten, dienten in späteren Zeiten verschiedenen Diktatoren als Vorbild. Vor der Vernehmung wurden die Opfer stundenlang gefoltert, die Vernehmung selbst aber dauerte nur einige Minuten. Ein Priester, bei dem die Verurteilten die letzte Beichte ablegen konnten, stand neben dem wartenden Henker. Millionen Maravedis flossen in die Staatskasse. Außerdem gründete Isabella eine Volksmiliz, die sich »Santa Hermandad« oder Christusmiliz nannte. Ursprünglich war die Hermandad gegen den Adel gerichtet, ihre Mitglieder trugen schwarze Uniformen. Mit Hilfe dieser Privatarmee wurden die Gegner im eigenen Land eingeschüchtert. Die Hermandad war ein bunt zusammengewürfelter Haufen: Tagediebe, Landstreicher, Raufbolde und entlassene Sträflinge.

Diese Truppe wurde später in den Dienst der Inquisition gestellt. Sie gewann bald Einfluß, und so kam es zu einem großen Andrang zur Hermandad. Sogar Adelige, die sich bedroht fühlten, stießen zur Inquisition und bildeten neben der Hermandad eine Art Eliteeinheit. Skrupellosigkeit und Gemeinheit wurden zur Tugend im Dienst des Vaterlandes.

Der Adel Kastiliens beschuldigte Isabella, nach dem Tod ihres Vaters die Krone zu Unrecht in Anspruch genommen zu haben. In seinem echten Testament habe der König seine Tochter Johanna, die den portugiesischen König Alonso heiraten sollte, zu seiner Nachfolgerin bestimmt. Isabella war arm, konnte aber den Krieg um die spanische Erbfolge nur mit bedeutenden Geldmitteln gewinnen. Der Adel besaß genügend Geld. So hetzte Isabella das Volk gegen die Besitzenden auf, und wer vermögend war, wurde zum Feind erklärt, verurteilt und hingerichtet. Die Staatskassen füllten sich, der Krieg konnte finanziert werden.

Die nun geschaffene Inquisition brauchte einen großen Apparat: Eine Bürokratie, eine Polizei und ein Denunziantentum. Sie alle wurden auf die Bevölkerung losgelassen. Da diese drei Gruppen sich aus verschiedenen Gesellschaftsschichten zusammensetzten, war die Bestechung einzelner schwer, denn eine Gruppe überwachte die andere. Die kirchliche Polizei wäre leicht zu korrumpieren gewesen. Aber das von extrem katholischer Seite gezüchtete Denunziantentum stand in voller Blüte. Die katholische Kirche belohnte nämlich die Verräter zweifach, mit Geld und mit ihrem Segen. Geld gab es in Hülle und Fülle: Wenn der Denunzierte reich war, und er war es in den meisten Fällen, so fiel von seinem konfiszierten Vermögen auch für den Verräter eine beträchtliche Summe ab. Wahrscheinlich war es das erste Mal in der Geschichte der Menschheit, daß man für Denunzianten ein Abzeichen schuf. Sie trugen es stolz auf ihrer Brust: ein Kreuz zwischen Dolch und Ölzweig. Auch die Häuser der Dekorierten wurden mit diesem Emblem verziert.

Die Angeber wurden Diener der Inquisition und des Staates, denn beiden erwiesen sie einen Dienst. Wenn sie aus ganz anderen Gründen in persönliche Schwierigkeiten kamen, konnten sie sich auf die geleisteten Dienste berufen, was ihnen zumindest mildernde Umstände einbrachte.

Die Kirche arbeitete nach einem bestimmten Plan, der mindestens zwei Stufen hatte. Durch den Taufzwang sollten die Juden als Glaubensgemeinschaft untergehen; erst danach sollte den Täuflingen alles noch verbliebene spezifisch Jüdische genommen werden. Es stellte sich aber heraus, daß die Kirche in zahlreichen Fällen weder in der ersten noch in der zweiten Stufe erfolgreich war.

Die Situation nach dem Beginn der Inquisition, die allgemeine Verwirrung, das Denunziantentum, die Bedrohung, die Unsicherheit, die verschiedenen Kniffe, um den Fängen der Häscher zu entgehen, trieben Blüten, die in einer so ungewöhnlichen Zeit nicht selten aus dem Boden sprießen. Die Tribunale förderten erstaunliche Tatsachen zutage: Mönche, die sich in den Klöstern von ihren Klosterbrüdern, die ebenfalls jüdischer Abstammung waren, beschneiden ließen, Marranen, die zum Judentum zurückkehrten, um mit den Juden zusammen zu leiden, geheime Synagogen, in denen hohe Würdenträger des Staates ihre reservierten Sitze hatten.

Wer die Akten der Inquisition liest, sieht, daß Marranen noch in der dritten Generation den Sabbat hielten und am Versöhnungstag fasteten. Ihre Frauen bereiteten beliebte jüdische Speisen. Wer bei Freitagswaschungen ertappt wurde, den zitierte man vor das Tribunal. Das Tribunal fragte nicht nach dem Glauben. Für die Inquisition war die Tatsache der Einhaltung gewisser jüdischer Riten das wichtigste und maßgeblichste äußere Erscheinungsmerkmal, nach dem sie sich richtete. Die Marranen hatten zum größten Teil den jüdischen Glauben längst aufgegeben. Vieles davon war entweder vergessen, oder man wußte in der dritten Generation nichs mehr darüber.

Dos reales

SELLO TERCERO, DOS REALES
AÑO DE MIL Y SEISCIENTOS Y
CINQVENTA Y OCHO

Genealogía de

Diego de Silua Velasquez aposentador de Palacio y ayuda de Camara de S. Mag.d tiene Es.o de la ord. del Santo de Sant.o y es natural de la Ciudad de Seuilla

Padres

Juan Rodriguez de Silua y su muguer Doña Ger.ma Velasquez naturales de la Ciudad de Seuilla

Abuelos Paternos

Diego Rodriguez de Silua y su muguer Doña Maria Rodriguez naturales de la Ciudad de oporto en el Reyno de Portugal

Abuelos Maternos

Juan Velasquez y su muguer Doña Catalina de Çayas naturales de la Ciudad de Seuilla

Por orden de su Mag.d se ha mandado que las informaciones que tocan en la Ciudad de Oporto del Reino de Portugal donde nacieron los Abuelos Paternos del Pretendiente se haga en sus confines de Galicia, y se an señalado por confines los lugares de Monterrey. [illegible]

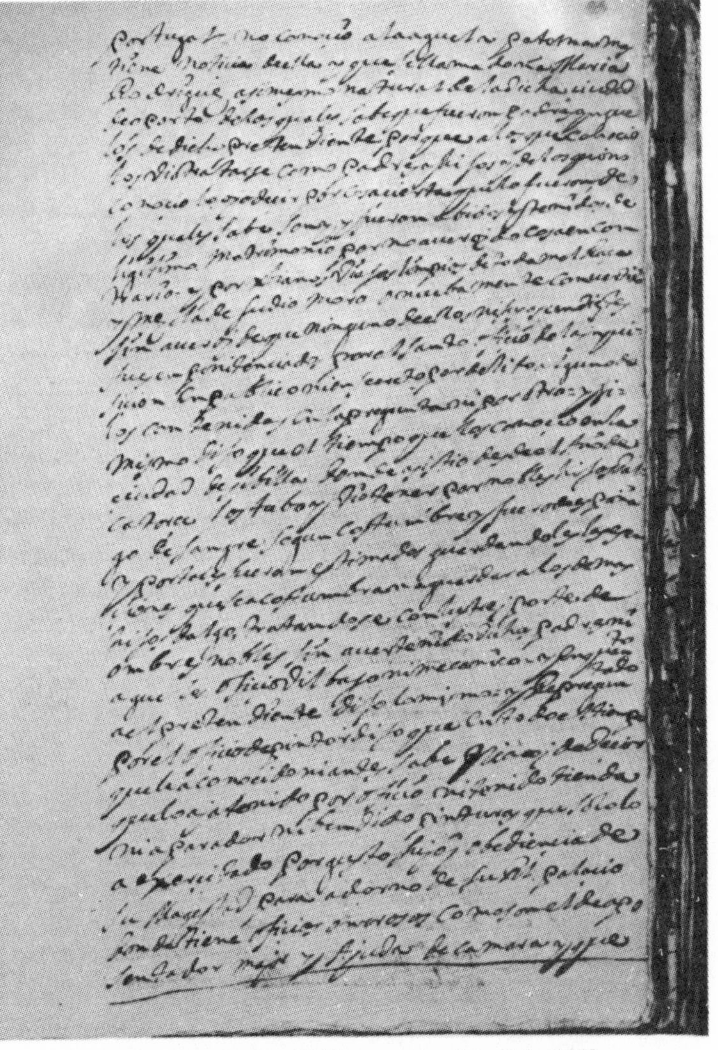

›Ariernachweis‹ von Velázquez aus dem Jahr 1658:
»... die Eltern waren alte Christen, rein von allen schlechten Rassen und von der Mischung mit Juden oder Mauren oder jüngst Übergetretenen«

Aber die in Spanien zu dieser Zeit noch lebenden Juden erinnerten sie an gewisse Riten und Gebräuche, und an denen hingen sie dann auch. Das wurde ihnen natürlich zum Verhängnis, zu einem Teufelskreis, aus dem es kein Entrinnen mehr gab. Familien wurden zerrissen. Um sich zu helfen und ihre Familien zu retten, wurden manche von ihnen Kollaborateure der Inquisition. Sehr trefflich schildert Fritz Heymann in seinem Buch »Der Chevalier von Geldern« die Situation in einem Satz: »Es geschah, daß von fünf Brüdern der eine als Minister befahl, der andere als Ketzer verbrannt wurde, ein dritter Bischof war, der vierte als Jude in der Fremde lebte und der letzte als Kommissar des Königs die Judenaustreibung beaufsichtigte.«

Der Kampf gegen die Juden, den die Kirche führte, gegen den Einfluß der Juden, »ihre Verstocktheit und ihren schlechten Charakter«, die Notwendigkeit ihrer Absonderung, erzeugte als Nebenerscheinung einen Blut-und-Boden-Mythos und förderte die Überheblichkeit der Spanier gegenüber den Juden, Mauren und überhaupt fremden Rassen. Unter dem Einfluß der Kirche begann man Gesetze der Reinheit zu propagieren. Als Reinheit betrachtete man nur das »reine Blut«. Die Inhaber des »reinen Blutes« installierten eine Art Herrenrasse, die über all jenen stand, die diese Reinheit nicht nachweisen konten. Man traute niemandem, weil er unter Umständen fremdes Blut in den Adern haben konnte. Alle waren verdächtig, und das fremde Blut wurde zum »mala sangre«, zum schlechten Blut, erklärt. Man verlangte von den Menschen Beweise, daß kein mala sangre in ihren Adern fließt, und so wurde die Limpieza de sangre, ein Blutzertifikat, geschaffen. Jahrhunderte später war es der Ariernachweis, der den deutschen Blut-und-Boden-Mythos schützen sollte und der zu einer Peitsche des Regimes gegen viele seiner Bürger wurde. Die Spanier träumten genau wie später Hitler von einer reinen Rasse. Auch hier kam es, wie bei Hitler, zu einer Ausrichtung gegen Norden, zum nördlichen Teil Spaniens, den Pyrenänen. Alles, was im Tal war, war unrein. Die »Reinen« zogen sich in die Berge zurück und bewahrten das Erbe.

Wer die spanische Geschichte studiert, würde die ganze Blasphemie dieses Begriffes der reinen Rasse schon auf den ersten Anhieb durchschauen. Sind doch die Spanier Mischlinge aus Römern, Kelten, Basken, Phöniziern, Vandalen, Westgoten, Iberern, Juden und Arabern. Ganz davon zu schweigen, daß in der Zeit der römischen Besetzung die Soldaten aus allen Teilen des Römischen Reiches stammten und Angehörige aller durch Rom unterdrückten Völker waren, daß sie sich ferner während ihres Aufenthaltes auf spanischem Boden mit der eingesessenen Bevölkerung vermischten. Dazu kommt, daß die Legionäre von ihren Feldzügen Sklavinnen als Beute mitbrachten, mit denen sie lebten und Kinder zeugten.

Im Spanien der Inquisitionszeit verdächtigte jeder jeden. Ganze Stöße von Hinweisen über Menschen mit unreinem Blut, die zu überwachen oder zu überprüfen waren, häuften sich in den Kanzleien der Inquisition. Die Jagd nach einer Limpieza de sangre dauerte Jahrhunderte. Immer wieder benötigte man diesen Ariernachweis. Als der berühmte Maler Velázquez eineinhalb Jahrhunderte nach der Vertreibung der Juden aus Spanien die Erlaubnis brauchte, um in Militärkasernen Soldaten und Ausrüstungen zu malen, wurde von ihm 1658 eine Limpieza de sangre verlangt. Sie ist erhalten geblieben und basiert auf Aussagen von Zeugen. Ich möchte aus dem Dokument einen Teil der Aussagen zitieren. Über die Eltern berichtete der Zeuge: »Er wußte von ihnen, daß sie einer legitimen Verbindung entstammten, weil er nichts Gegenteiliges gehört hatte, und daß sie alte Christen waren, rein von allen schlechten Rassen und von der Mischung mit Juden oder Mauren oder jüngst Übergetretenen. Er hat auch nichts davon gehört, daß einer von ihnen oder ihren Vorfahren wegen irgendeines Delikts, das in der Anfrage enthalten ist, oder wegen eines anderen von der Heiligen Inquisition bestraft worden wäre, weder öffentlich noch geheim.«

Die »reinen« Spanier, die Unverdächtigen, hatten eine mustergültige Limpieza de sangre bis in die siebente Generation. Konnte nun ein der Inquisition verdächtig erscheinender Christ den Nachweis nur bis in die fünfte Generation erbringen, dann war sein Blut auch schon unrein; sein Vater konnte die Blutreinheit nur bis in die vierte, der Großvater nur bis in die dritte Generation nachweisen. Fand sich ein Zeuge – und es fand sich meist einer –, der angab, den Großvater an Freitagen Fleisch essen gesehen zu haben, so beschuldigte man den Toten, jüdischen Gebräuchen gehuldigt zu haben. Die Inquisition wütete nicht nur auf jüdischen, sondern auch auf katholischen Friedhöfen. Die Gebeine des Großvaters wurden ausgegraben und gemeinsam mit dem Enkel, der in vielen Fällen seinen Großvater nicht einmal gekannt hatte und oft erst im Zuge der Nachforschungen zur Erlangung der Limpieza de sangre von der Existenz jüdischer Ururahnen erfuhr, auf dem Scheiterhaufen verbrannt.

»Bruder in Christo«, so sprachen die Folterknechte ihre Opfer, die Halbtoten, die Erniedrigten, die Gepeinigten an. Nach ihrer Verurteilung setzte man ihnen Mützen aus weißem Papier auf, die mit gelben und roten Flammenzungen bemalt waren. Auch das übrige Gewand trug mit Pinseln angebrachte Flammenzungen. In den Händen hielten die Verurteilten große brennende Wachskerzen. Man führte sie in einer Prozession zum Scheiterhaufen. Und weil die Kirche kein Blut vergießen darf, mußten die Verurteilten verbrannt werden. Dies geschah im Namen des Johannes-Evangeliums.

Johannes sagte: »Verdorrte Zweige sind vom Weinstock Jesu zu entfernen und zu verbrennen.« Das war für die Kirche die Rechtfertigung der Scheiterhaufen. Die Heuchelei war vielleicht das Unausstehlichste an der Inquisition.

Die Heuchelei der Inquisition war die Verbündete der

Macht. So hieß das Haus, in dem die Folterwerkzeuge untergebracht und die Foltern vorgenommen wurden, Casa Santa, das Heilige Haus. Für die Inquisition waren Folter und Gewalt mit der Zeit zur Routine geworden. Aber die Langeweile der Greuel ließ sich bekämpfen durch die Eskalation der Gewalt, die immer raffinierter wurde. Der schnelle Tod des Häftlings war dabei das Unerwünschte.

Die Inquisition war ein echter Rückfall ins Heidentum. Der Kult der Menschenopfer erstand wieder. Bis zur Einführung der Inquisition hat es weder in Europa noch in den übrigen damals bekannten Teilen der Welt eine Religion gegeben, die ihrem Gott Menschenopfer brachte. Nicht einmal Tieropfer gab es damals.

Die Inquisition schaltete nicht weniger als bis zur Christenverfolgung unter Kaiser Nero zurück. Aber wer war Nero? Ein Heide, der Christen foltern und von wilden Tieren zerfleischen ließ. Auf Neros Tod folgten über tausend Jahre des Fortschritts, denn die christliche Religion hat ja zumindest anfänglich den Fortschritt gebracht. Die Inquisition hat tausendmal so viele Opfer gefordert wie Kaiser Nero. Über ihn weiß jedes Kind in der Schule Bescheid. Die Christenverfolgung Neros gehört zum Geschichtsstoff jeder Schule. Aber von der Inquisition wissen dieselben Schulkinder fast gar nichts.

Die Methoden der Dominikaner, Scheinchristen, das heißt Marranen, zu finden, waren primitiv und raffiniert zugleich. Sie wußten, daß Juden an Samstagen keine warme Mahlzeit kochten und daß aus den Schornsteinen ihrer Häuser daher kein Rauch aufstieg. So stellten sie auf Türmen und hohen Häusern Beobachtungsposten auf, die jene Häuser zu registrieren hatten, deren Kamine am Samstag nicht rauchten. Wohnten in diesen Häusern getaufte Juden, so genügte diese Feststellung, sie der Ketzerei zu überführen. Es dauerte geraume Zeit, bis die Marranen hinter diese Taktik kamen und dafür sorgten, daß auch an Samstagen aus ihren Schornsteinen Rauch drang.

Die Tätigkeit der Inquisition war vom Erfolg einer großen Denunzierungswelle abhängig. Die Parole, die die Kirche an ihre Gläubigen ausgegeben hatte - »Seid wachsam« -, konnte Erfolg haben, wenn die Kirche, die Inquisition, genügend Helfer zu mobilisieren in der Lage war.

Im Auftrag der Dominikaner zogen Scharen von Denunzianten durch das Land. Sie bespitzelten die neuen Christen und verschafften sich Kontakt zu den Dienstboten, die sie aushorchten. Vor allem an Freitagabenden begehrten sie Zutritt zu den Häusern der Conversos. Ob Kerzen brannten, ob die Familie festlich gekleidet war, und noch viele andere Details standen auf den Listen, die den Denunzianten von der Kirche ausgehändigt wurden. Mit diesen Listen sollten die Vertrauten, wie die Denunzianten genannt wurden, die Gebräuche, durch die sich die Marranen verraten könnten, feststellen.

Daß die Menschheit keine Lehren aus der Geschichte zieht, ist nichts Neues. Eine einmal erfundene Gemeinheit - mag sie noch so grausam sein - wiederholt sich immer wieder. Das Denunziantentum, treuer Begleiter jedes totalitären Regimes, war in den Zeiten der Inquisition in voller Blüte. Aufgrund einer Vereinbarung zwischen Kirche und Staat waren Denunzianten steuerfrei. Das Ideal eines guten Katholiken war, ein Denunziant zu sein. Dieses Ideal fand eine Nachahmung sowohl im Nationalsozialismus wie auch unter kommunistischer Herrschaft. Um aber die Tätigkeit der Denunzianten zu erleichtern, schufen die Dominikaner über zwanzig Regeln, nach denen ein Jude zu erkennen sei. Sie betrafen die menschlichen Gewohnheiten, die Physiognomie, die Redewendungen.

Unter dem Einfluß der Kirche entstanden die »Nürnberger Gesetze« von damals, die Vermischung der Rassen als Rassenschändung unter drakonische Strafen stellten. Die Verordnung lautete wörtlich: »Keine Christin, sei sie verheiratet oder ledig, Hausfrau oder Freudenmädchen, darf es wagen, weder bei Tag noch bei Nacht, die Schwelle eines von Juden bewohnten Hauses zu betreten. Wenn eine verheiratete Frau ein Judenhaus betritt, zahlt sie vierhundert Maravedi Strafe; geht eine ledige Frau in ein Judenhaus, dann verliert sie das Kleid, das sie am Leibe hat; geht ein Freudenmädchen hinein, dann muß ihr das Gericht hundert Stockhiebe applizieren lassen, sie wird ferner aus ihrer Stadt, ihrem Dorf, ihrem Ort ausgewiesen.«

Zahlreiche Städte sahen noch viel strengere Strafen vor. Die Verbrennung am Scheiterhaufen wurde als Strafe für jeden Juden, der intime Beziehungen zu einer Christin unterhielt, ausgesprochen.

War es verwunderlich, daß Tausende von Juden und Christen Spanien fluchtartig verließen? Sie flohen nach Granada, nach Portugal, nach Frankreich und nach Rom. Die ersten, die flohen, waren die reichen Marranen und die reichen Juden.

Die Inquisition kümmerte sich vorerst nicht weiter um die Flüchtlinge, hatten sie doch einen Teil ihres Vermögens, der zwischen Kirche und Krone brüderlich geteilt wurde, zurückgelassen. Erst später bemühte man sich um die Auslieferung der geflohenen »Ketzer«. Die zurückgebliebenen Marranen waren nicht reich, und mit der Zeit wurden immer ärmere verhaftet. Einen Gewinn bedeuteten nur deren Häuser, die von der Inquisition verkauft wurden. Die große Rechnung mit dem Gold der Marranen ging nicht auf. Immerhin flossen der Kirche große Summen zu. Trotzdem bettelte man in den Kirchen für die Zwecke der Inquisition und stellte Büchsen für Geldspenden auf. Die Inquisition verschlang viel Geld, denn sie entwickelte sich zu einer ungeheuren Bürokratie, die zum Selbstzweck ausartete.

Bei der Aufteilung des Vermögens Verurteilter und Geächteter gab es natürlich laufend Reibereien zwischen Kirche und Krone. König Ferdinand hatte wegen der »gerechten« Vertei-

Banner der Inquisition
(Bildarchiv Österreichische Nationalbibliothek, Wien)

lung des beschlagnahmten Besitzes der Verurteilten immer wieder Schwierigkeiten mit der Inquisition. Entweder betrog er sie oder wurde von ihr betrogen. Das führte zu verschiedenen Skandalen, die auch außerhalb der Grenzen Spaniens bekannt wurden. Ganz Europa sprach davon, daß die Könige die Glaubensgerichte in Spanien nur deshalb eingeführt hätten, um sich am Vermögen der Verurteilten zu bereichern. Isabella und Ferdinand brandmarkten das als »Lügengerüchte«, konnten aber nichts Wirksames dagegen unternehmen. In einem Brief an den Papst baten sie um seine apostolische Hilfe gegen diese »Greuelpropaganda«. Doch dem Papst waren die einzelnen Praktiken der Inquisition zur Genüge bekannt. Und so wurde der Brief nicht beantwortet, was für jene Zeit recht ungewöhnlich war.

König Ferdinand hatte große Pläne. Er wollte zusammen mit Isabella vorerst Spanien einigen, anschließend Italien dem spanischen Reich einverleiben - Ferdinand war ja auch König von Sizilien -, dann Frankreich. Danach gedachte Ferdinand, sich auch mit dem türkischen Sultan zu messen. Für diese großen Eroberungspläne brauchte er riesige Geldsummen, und die sollten von Juden, Mauren, Marranen und widerspenstigen Adeligen kommen.

Lange vor der Krönung Ferdinands, nämlich im Jahre 1465, hatte es in Spanien Hitzköpfe gegeben, die unter dem billigen Vorwand des Patriotismus in den Cortes den Antrag einbrachten, das Vermögen der Juden zu konfiszieren, um damit den Kampf gegen die Mauren zu finanzieren. Derartige Vorschläge tauchten immer dann auf, wenn die Könige und Minister an die vaterländischen Gefühle der Bürger appellierten, weil sie die Steuern zu Kriegszwecken erhöhen wollten. Da fanden sich stets »Patrioten«, die den Kampf gegen die Ungläubigen im Namen Christi mit fremdem Geld führen wollten. Wie Valeriu Marcu in seinem 1934 erschienen Buch »Die Vertreibung der Juden aus Spanien« trefflich sagt: »Die stets Gehaßten hielten in ihren Händen das stets Geliebte.« Auch an diese Vorschläge, die schon fünfzehn Jahre vorher niemand ernstgenommen hatte, erinnerten die Dominikaner Ferdinand, als sie sich seines Jaworts zur Einführung der Inquisition versicherten. Ferdinand, König eines kleinen, armen Landes, glaubte sich dennoch als von Gott mit einer höheren Mission betraut. Dem Sieg über die Mauren und der Konsolidierung Spaniens gedachte er die Kriegserklärung an das nach dem Tode Ludwigs XI. geschwächte Frankreich folgen zu lassen. Bei Frankreich machte er jedoch nicht halt, er hatte auch Appetit auf Italien, denn sein Wunschtraum war die Neuordnung Europas unter der Ägide Spaniens. Ferdinands Leitmotiv war: »Zuerst gehört uns Spanien und dann die ganze Welt.«

Wenn er ausländische Delegationen empfing, hatte er stets zwei Schlagworte bereit: »Friede« und »Glaube«. Aber Frieden wollte er nicht, und sein Glaube war unchristlich.

In Aragonien konnte die Inquisition nur mit Einwilligung der Cortes eingeführt werden. Unter dem direkten Einfluß des spanischen Königspaars, das sich deswegen eigens nach Tarragona begab, kam es zu einer Verständigung. Kaum aber hatten die Inquisitoren, der Kanonikus Pedro Arbués und der Dominikaner Gaspar Juglar, ihre Tätigkeit begonnen, erhob sich starker Widerstand, der nach dem ersten Autodafé und nach dem Prozeß gegen einen der reichsten Männer Zaragozas, Leonardo oder Samuel de Eli, immer stärker wurde. Die Stände sandten dem König im Namen der Marranen eine Entschließung und baten ihn und die päpstliche Kurie, den Verfolgungen Einhalt zu gebieten. Sie erklärten sich bereit, dafür eine beträchtliche Summe zu zahlen. Ferdinand lehnte diese Bitte ab, die Inquisition verstärkte ihre Tätigkeit.

In ihrer Verzweiflung griffen die Marranen zum äußersten Mittel. Don Sancho de Paternoy, Großschatzmeister von Aragonien, der Vizekanzler Alfonso de la Caballeria, der seinen eigenen Sitz in der Synagoge zu Zaragoza hatte, Juan Pedro

Sanchez, Pedro de Almazan, Pedro Monfort, Juan de la Abadia, Mateo Ram, Garcia de Moros, Pedro de Vera und andere Leidensgefährten aus Zaragoza, Calatayud und Barbastro versammelten sich im Haus des Luis de Santangel, dem gleichnamigen Onkel des späteren Schatzmeisters in Aragon. Man beschloß, den Inquisitor aus dem Weg zu räumen. In der Nacht zum 15. September des Jahres 1485 wurde Pedro Arbués von Juan de Esperandeu und Vital Durango in der Metropolitankirche La Seo verwundet. Achtundvierzig Stunden später starb er. Als die Königin von der Ermordung des Inquisitors erfuhr, befahl sie, gegen alle Marranen des Landes mit schonungsloser Strenge vorzugehen und das Vermögen der Verurteilten einzuziehen. Über die Verschwörer erging ein schreckliches Strafgericht. Juan de Esperandeu, einer der reichsten Männer der Stadt, mußte mitansehen, wie sein Vater den Scheiterhaufen bestieg und verbrannt wurde. Er selbst wurde, nachdem man ihm die Hände abgeschlagen hatte, gemeinsam mit Vidal Durango am 30. Juni 1486 auf den Marktplatz geschleppt, gevierteilt und den Flammen übergeben. Auch Juan de la Abadia, der im Kerker Selbstmord zu begehen versucht hatte, wurde gemeinsam mit Mateo Ram, dem man die Hände abhackte, verbrannt. Drei Monate später wurden die Schwester Juan de la Abadias, der Ritter Pedro Munoz und Pedro Monfort, Generalvikar des Erzbistums Zaragoza, als Anhänger des Judentums den Flammen übergeben. Pedros Bruder, Jakob Monfort, wurde gemeinsam mit seiner Frau in Barcelona in effigie verbrannt. »In effigie« war eine Spitzfindigkeit der Inquisition. Da manche der Angeklagten außer Landes waren, wurden an ihrer Stelle Bilder von ihnen verbrannt. Der Großschatzmeister Sancho de Paternoy wurde auf Fürsprache seines Verwandten Gabriel Sanchez, königlicher Berater in Aragon, zu lebenslänglicher Kerkerhaft begnadigt. Die Mitverschwörer Garcia de Moros, Juan Ram, Juan Pedro Sanchez, Juan de Santangel und Luis de Santangel erlitten ebenfalls den Feuer-

IUGEMENT de L'INQUISITION dans la grande Place de MADRID.

Inquisitionstribunal in Anwesenheit des Königspaares
(Bildarchiv Österreichische Nationalbibliothek, Wien)

tod. Das Oberhaupt der Verschwörer, Pedro Sanchez, konnte nach Toulouse entkommen, wurde dort von aragonischen Studenten erkannt, verhaftet, bald aber aus der Haft entlassen. Gaspar De S. Cruz starb auf der Flucht. Beide wurden in Zaragoza in effigie verbrannt. Die übrigen Mitglieder der Familie Sanchez, der Kaufmann Bernard Sanchez und seine Frau Brianda, der gelehrte Alfonso Sanchez, Anton Perez und Garcia Lopez mußten ebenfalls den Scheiterhaufen besteigen. Die Inquisition verbreitete überall Furcht und Schrecken. Zahlreiche Marranen erlitten den Feuertod und wurden zu Märtyrern des Glaubens. Je grausamer sie verfolgt wurden, desto standhafter hielten sie an der Religion ihrer Väter fest. Dalman de Tolosa erklärte in aller Öffentlichkeit, er, seine Mutter, seine Brüder Gabriel und Louis und deren Frauen hätten trotz aller Nachstellungen die Gebote der jüdischen Religion eingehalten. Zu Beginn des 16. Jahrhunderts lebte ein Mitglied dieser Familie als »famoso mercador Catalan« in Neapel. Der reiche Jacob de Casafranca, eine Zeitlang Stellvertreter des Schatzmeisters von Katalonien, dessen Mutter als Jüdin im Gefängnis der Inquisition starb, legte das freimütige Bekenntnis ab, der Rabbiner von Gerona habe ihn mit koscherem Fleisch und allem Nötigen versorgt. Die Räte der Inquisition erklärten alle seine Nachkommen für »Judaizantes.«

So verstrickte sich die Kirche in Spanien in einen nationalistischen und rassistischen Mythos, und von hier führte ein direkter Weg zum Scheiterhaufen. Als man diesen anzündete, wurde vom geistlichen Chor ein »Tedeum laudamus« angestimmt. Welcher Gott wurde hier angesprochen? Es gibt ihn nicht, denn Christus ist nicht blutrünstig, es verlangt ihn nicht nach Menschenopfern. Als Verkünder des neuen Glaubens, vielmehr als Verfälscher der wahren Lehre Christi, traten die spanischen Dominikaner auf, die das Volk domini canes nannte, die Hunde des Herrn. Ihr Herr war die Inquisition, sie waren ihre Bluthunde. Unentwegt suchten sie nach Ketzern, die sie aus Palästen, aus Bürgerhäusern und aus der Juderia holten. Ihr unglücklichen Opfer trieben sie in die Keller der Inquisition und bewachten sie dort gemeinsam mit der Santa Hermandad. Von Tag zu Tag wuchs die Zahl der Gefängnisse der Inquisition. Dutzende von Klöstern richteten ihre Kellergewölbe als Kerker ein. Durch die ständig steigende Zahl von Verhaftungen wurde der Platzmangel immer empfindlicher. In manchen Gefängnissen waren derart viel Menschen, daß die Hälfte stehen mußten.

Die Opfer erfuhren erst in der Folterkammer, was man ihnen vorwarf; keiner kannte seinen Kläger oder seinen Richter. Keiner durfte sich verteidigen oder gar einen Anwalt konsultieren. Die Inquisitoren erwarteten lediglich ein Geständnis. Ob die zu Verurteilenden mit oder ohne Folter gefügig gemacht wurden, war völlig belanglos.

Die Organisation der spanischen Kirche war mustergültig. Sie war vor allem national. Beichtväter und Prediger beherrschten das Volk. Sie sorgten für eine vollkommene Absonderung der Juden. Der Zutritt zu den Ghettos war den Christen verboten, es durfte keine gemeinsamen Badehäuser für Juden und Christen geben. Kein Katholik durfte im Dienstverhältnis zu einem Juden stehen; dies in allen Sparten der Wirtschaft.

Jüdische Delegationen begaben sich zum Papst, der diese Rassengesetze verurteilte, aber das Wort des Papstes hatte in Spanien zu jener Zeit nur eine rein theoretische Bedeutung. Der Papst war weit und die spanische Kirche und ihre Inquisition sehr nahe.

Am Beispiel des Verhältnisses zwischen Judentum und Christentum zeigte sich, daß es die gemeinsame Wurzel war, die die Feindschaft erzeugt hatte. Die meisten Päpste respektierten diese gemeinsame Wurzel und gaben auch Erklärungen in diesem Sinne ab, die von der Universalität der Kirche Zeugnis ablegten. Das konnte in Spanien, wo die Kirche national, unabhängig und intolerant war, den Juden wenig nützen.

Die Haltung Roms zu den Juden war unterschiedlich. Vertriebene Juden wurden mit Erlaubnis des Papstes vom Ghetto in Rom aufgenommen. Von Zeit zu Zeit gaben die Päpste zum Beweis ihrer Toleranz Bullen zum Schutz der Juden aus. Immer wieder kam in der Geschichte des Mittelalters der Gegensatz zwischen dem toleranten Rom und der intoleranten Kirche in verschiedenen Ländern zum Ausdruck.

Nachdem die ersten Autodafés Schrecken im ganzen Land verbreitet hatten und der Kirche wie der Krone, besonders aber dem geldgierigen König Ferdinand, großen Gewinn brachten, hatten beide an der Vermehrung der Fälle ein großes Interesse. Um dies zu erreichen, versuchten die Inquisitoren eine »barmherzige« Tour. Sie ließen die Marranen wissen, daß alle, die sich »mit der Kirche versöhnen« möchten, es im Rahmen einer Gnadenfrist ohne große Folgen tun könnten, wobei sie ihre Sünden zugeben und auf einen Teil ihres Besitzes verzichten müßten. Im Vertrauen auf die Worte der Inquisitoren erschienen viele Marranen vor den Tribunalen, gaben die Judaisierung zu und bekannten Reue. Doch die Inquisitoren begnügten sich damit nicht und wollten aus ihnen Spitzel und Denunzianten machen, indem sie von ihnen Informationen über ihre judaisierenden Freunde und Verwandten verlangten. Wer dazu nicht in der Lage war oder sich weigerte, ging der Gnadenzusicherung verlustig und wurde Gefangener der Inquisition. Auf diese Weise erreichte die Angelegenheit eine gewaltige Eskalation.

Besonders die grausamen Praktiken des Tribunals in Sevilla hatten einen großen Widerhall, und die nach Rom geflüchteten Marranen haben durch die Informationen über die Untaten eine Intervention des Papstes hervorgerufen. Sixtus IV. tadelte die Praktiken, die den Tod so vieler Menschen herbeigeführt hatten, wobei die Überprüfung der Denunziation keine Rolle spielte. Drei Monate später sandte der Papst erneut eine Bulle, in der er offen davon sprach, daß »das Tribunal sich nicht von Glaubenseifer und von Sorge um das Seelenheil, sondern von Gewinnsucht« leiten lasse. Der Papst wollte die Änderung der Zusammensetzung der Inquisition. Ferdinand erblickte darin eine Einschränkung seiner Rechte und die Möglichkeit eines Verlustes des eingezogenen Vermögens der Marranen. Er wies die Bulle schroff zurück. Der Papst mußte weichen.

Die Wirkungssphäre der Inquisition wurde noch mehr ausgedehnt. Es wurde das Amt eines Großinquisitors geschaffen, und im September 1483 wurde mit der allgemeinen Leitung Thomas de Torquemada betraut. Mit seinem Namen ist die grauenvollste Zeit verknüpft. Die Situation für die Juden änderte sich schlagartig. Thomas de Torquemada war der Enkel einer getauften Jüdin, ein fanatischer Judenhasser, der von Anfang an konkrete Ziele verfolgte. Ihm ging es nicht nur um die Marranen, sondern noch mehr um die Juden. Seiner Überzeugung nach werde es in Spanien solange Marranen, geheime Juden, geben, als es noch Juden gibt. Die Juden hätten einen schlechten Einfluß auf die frisch Bekehrten. Das Ketzertum würde verschwinden, wenn die neuen Christen keine Gelegenheit hätten, durch die Juden an ihren alten Glauben erinnert zu werden und mit ihnen gemeinsam ihre Feste zu feiern.

Torquemada wußte, daß er verhaßt war. Er lebte in ständiger Todesangst. Ging er aus, war er stets von einer großen Schar begleitet, von fünfzig berittenen »Familiares« der Inquisition und von zweihundert Soldaten zu Fuß. Auf seinem Tisch stand - im Einklang mit dem damaligen Aberglauben - ein Einhorn, das ihn vor Vergiftung schützen sollte.

Thomas de Torquemada wird ein Slogan zugeschrieben, der zur Devise des Staates wurde: »Ein Volk, ein Reich, ein Glaube.« Der antijüdische Geist, der in diesem Slogan zur Geltung kommt, benimmt dem Juden das Recht, im Reiche Torquemadas zu leben. Die Juden vom spanischen Boden zu vertreiben, wurde sein oberstes Ziel, und um dieses zu erreichen, war ihm jedes Mittel recht.

Torquemada bewährte sich glänzend. Mit der Zeit gelang es ihm, Ferdinand und Isabella von dieser Notwendigkeit zu überzeugen, umso mehr als die beiden schon in der Frühzeit der Inquisition mit dem Gedanken an eine Austreibung gespielt hatten. Wie so mancher Judenhasser später glaubten sie, daß mit der Austreibung der Juden das Goldene Zeitalter für ihr Land anbrechen würde.

Bei Ferdinand und Isabella beobachten wir einen Charakterzug ihrer Zeit, wie er für das Mittelalter und dessen religiöse Auffassungen nicht ungewöhnlich war. Die eigene Frömmigkeit erlaubte ihnen einerseits die höchste Barmherzigkeit, andererseits auch die übelste Grausamkeit. Beides war miteinander eng verbunden, und sie und auch ihre Zeitgenossen sahen darin weder etwas Außergewöhnliches noch etwas Widersprüchliches.

Viele Marranen, die durch das Inquisitionsrecht bedroht waren, hatten ihr Vermögen vorsorglich ihren rein arischen Verwandten überschrieben. Als sie dann doch vor Gericht gestellt und zum Vermögensverfall verurteilt wurden, waren die Inquisitoren sehr enttäuscht. Doch bald fanden sie einen Ausweg. Es wurde ein Dekret erlassen, das alle Vermögensübertragungen, die nach dem Jahr 1478, das heißt nach der Einführung der Inquisition, erfolgt waren, für null und nichtig erklärte.

Mit der Zeit verstrickte sich der Großinquisitor Torquemada in blindwütigen Haß, der so weit ging, daß er nicht nur andersgläubige, sondern auch andersdenkende Menschen zu Ketzern stempelte, von denen manche hohes Ansehen in der Kirche genossen oder selbst hohe kirchliche Würdenträger waren. Das führte dazu, daß der Papst den Großinquisitor Torquemada nach einigen erfolglosen Ermahnungen exkommunizierte. Aber Torquemada blieb trotz der Exkommunikation Großinquisitor und führte im Namen der Sakramente, von denen er durch den Vertreter Christi auf Erden ausgeschlossen war, sein grausiges Werk weiter.

Das Schicksal der Juden und Marranen war seit dem Beginn der Inquisition besiegelt. Alles war nur noch eine Frage der Zeit. Der Horizont verdüsterte sich zusehends. Eine Hiobsbotschaft jagte die andere. Viele der Bedrohten wollten es nicht wahrhaben, wiegten sich in einem falschen Gefühl der Sicherheit und schöpften Hoffnung aufgrund ähnlicher Fälle aus früheren Verfolgungszeiten. Doch es fehlte die Sicherheit, daß sich auch jetzt wie damals eine Abwendung der Gefahr abzeichnete. Oder wiederholten sich die traurigen Ereignisse des Jahres 1391? Werden die Juden Spaniens, von denen ein Drittel bereits getauft ist, ausgetrieben? Bedroht waren alle: Juden wie Ungläubige, die der Macht der Kirche trotzten, einer Kirche, die in Spanien mehr Einfluß und Macht hatte als in anderen christlichen Ländern; Marranen, denen man mißtraute, die man bespitzelte, auf die man den Pöbel hetzte und deren Vermögen man aufteilen wollte. Mit dem Fortgang der Inquisition wurde es den Weitsichtigen unter den Juden und Conversos allmählich klar, daß sie sich in Spanien nicht würden halten können, wenn die Macht der Krone und der Kirche sich gegen sie verschworen hatte. Sie würden also das ewige jüdische Schicksal erleiden und den Wanderstab in die Hand nehmen. Viele reiche Juden und Marranen flüchteten, aber die große Masse blieb noch. Man erneuerte Verbindungen zu Bekannten und Verwandten im Ausland. Das aber konnte jeweils nur das Schicksal einzelner erleichtern, nicht die Lösung für die Masse sein. Es war die typische mit dem jüdischen Schicksal verbundene Situation: Die Bedrohung als ständiger Begleiter des Judentums. Alte jüdische Träume und Sehnsüchte nach einem Fleckchen Erde, auf dem sie frei von Verfolgung leben könnten, wurden wach. Diese Sehnsüchte begleiteten die Juden auf ihrer Wanderschaft, seitdem sie ihr Land verlassen hatten. Wie die Geschichte zeigt, waren sie verfolgt oder toleriert, aber nirgends wirklich zu Hause. Für Geld konnten sie sich ihre Freiheit erkaufen, was aber nie eine Regel war.

Bis zum 15. Jahrhundert lebten die Juden in Spanien wie auf einem Vulkan. War der Vulkan still, genossen sie Freiheiten wie in keinem anderen europäischen Staat. Lief aber der Krater von religiösen und nationalen Leidenschaften über, waren sie die ersten, die von der Lava des Hasses überrollt wurden. So lebten die Juden in Spanien zwischen zwei Polen, zwischen religiösem Fanatismus und religiöser Toleranz.

Die letzten Jahrzehnte des 15. Jahrhunderts waren Jahrzehnte im Fieber. Es war das Fieber der Entdeckungsreisen. Zu diesen haben spanische Juden, besonders die jüdischen Einwohner der Insel Mallorca, beigetragen. Ohne ihre Hilfe hätte es keine Entdeckungsreisen gegeben.

Auf der Iberischen Halbinsel war die Kartographie ein jüdisches Spezialgebiet. Es gab eigene Schulen für Kartographen. Meist standen sie unter Leitung jüdischer Gelehrter und brachten hervorragende Wissenschaftler hervor, die durch ihre Forschungsarbeit die damals noch so kleine Welt vergrößerten. Spanier und Portugiesen nannten sie Karten- oder Kompaßjuden. Die von ihnen angefertigten nautischen Instrumente, Land- und Seekarten waren in ganz Europa geschätzt und von Seefahrern sehr begehrt. Die Blütezeit der jüdischen Kartographie fiel ins 13. Jahrhundert. Ihr Zentrum war die Insel Mallorca, der Hauptsitz der nautischen Wissenschaften. Mestre Jaime oder Jafuda (Jehuda) Cresques, Sohn des Abraham Cresques aus Palma de Mallorca, leitete diese wissenschaftliche Schule. Die von den Juden verfertigten geographischen Karten wurden von Fürsten und Herrschern gekauft und oft an andere Regenten als Geschenke weitergegeben. Die jüdischen Kartographen wurden nach Portugal und in andere Länder der Seefahrt gerufen. Sie hatten immer wieder neu entdeckte Inseln und Landstriche einzuzeichnen. Alle wußten, daß die Karten unvollständig waren, daß die Vorstellung über die Welt von damals eine unvollkommene war und daß noch viele Ergänzungen der Karten notwendig sein würden.

Solange Spanien ohne Verfolgungen lebte, hatten die Juden den Ehrgeiz ihrer Könige unterstützt, Spanien zur ersten Seemacht Europas zu erheben und vor allem ihre schärfsten Konkurrenten, die Portugiesen, zu übertreffen. In der zweiten Hälfte des 13. Jahrhunderts, als Jehuda aus Valencia in Aragonien Ratgeber des Königs Jaime I. war, bemühte er sich um die spanische Flotte und rüstete sie auch aus. Jüdische Astronomen und Mathematiker erstellten die notwendigen Berechnungen für die Seefahrten. Kartographen lieferten die geographischen Unterlagen und jüdischen Instrumentenmacher die erforderlichen technischen Geräte.

Die Leistung der jüdischen Wissenschaftler in Mallorca bei

der karthographischen Neugestaltung der Welt, die zugleich eine wichtige Voraussetzung für die Entdeckungsfahrten der Seefahrer darstellte, ist noch nicht gebührend gewürdigt worden. Es ist ein abenteuerliches Kapitel jüdischer Geschichte und ein Beitrag jüdischen Fleißes und jüdischen Geistes jener Zeit für eine »Operation Neue Welt«, wie man es mit einem modernen Codenamen nennen könnte.

Als ich mich beim Studium verschiedener Quellen über die Kartographen befand, kam mir eine jüdische Anekdote aus dem Jahr 1938 ins Gedächtnis. In einem Wiener Reisebüro erkundigte sich nach dem Einmarsch Hitler ein Jude nach den Auswanderungsmöglichkeiten. Die Angestellte hatte den Globus vor sich und fuhr mit dem Finger von Land zu Land und sagte: »Auswanderung nach Palästina ist gesperrt, amerikanische Quote ist bereits vergriffen, Visum für England sehr schwer, für China, Paraguay, Uruguay und Brasilien braucht man finanzielle Garantien, Polen erlaubt auch polnischen Juden keine Wiedereinreise.« Und als sie den Globus mit ihren Fingern umrundet hatte, meinte sie abschließend: »Das wäre alles.« Der Jude deutete resignierend mit dem Zeigefinger auf den Globus und fragte: »Außer dem da haben Sie nichts?« Es ist eine typisch jüdische Anekdote. Der jüdische Humor ist dafür bekannt, daß ihn die Juden benützen, um ihre Leiden zu erleichtern, ihre Wunden zu heilen, indem sie Witze über sich selbst machen und sich selbst verspotten. Sie verspotten die Situation, die ihnen die Leiden bringt und die Wunden schlägt.

Wie oft in der jüdischen Geschichte standen wohl Juden vor einer Landkarte oder vor einem Globus und stellten sich die gleiche Frage wie der Mann in der Anekdote?

Beinahe jedes Abenteuer in der Geschichte der Menschheit begann mit dem Studium einer Landkarte. Jene, die in den engen Gäßchen der Juderien gefangen waren, erfaßte Glück, wenn sie einen Blick auf eine Landkarte werfen durften. Ihre Phantasie bevölkerte die unerforschten Gebiete und steigerte ihre Sehnsucht nach irgendeinem Land, in dem sie in Frieden und Freiheit leben konnten.

Schon damals wußte man in Spanien, obwohl nicht alle daran glaubten, daß die Erde eine Kugel ist und daß es noch viel Unbekanntes auf dieser Kugel gibt. An die Entdeckung dieses Unbekannten knüpften sich die Hoffnungen vieler verfolgter Menschen.

II. DIE HOFFNUNG

In den letzten Jahrzehnten des 15. Jahrhunderts - den Jahrzehnten der Entdeckungsreisen - begegnete den spanischen Juden ein reisender Abenteurer, Christoph Columbus, der ihre Sehnsüchte und ihren Glauben kannte. Da kommt nun ein Mann, der behauptet, den Wasserweg nach Indien zu kennen, und sucht Unterstützung. Der Name Indien hatte nicht nur für jüdische Kaufleute jener Zeit eine Bedeutung. Er eröffnete auch die Möglichkeit, mit den Anrainern dieses Landes in Kontakt zu kommen. Wer waren nun in den Augen der Juden und auch weiter nichtjüdischer Kreise die Anrainer dieses Indien?

Der Erzvater Jakob hatte zwölf Söhne: Ruben, Simeon, Levi, Juda, Isaschar, Sebulon, Dan, Naphtali, Gad, Ascher, Joseph und Benjamin. Die Nachkommen dieser Söhne bildeten die Stämme Israels und hatten auch auf dem Gebiet Palästinas untereinander klar umrissene Grenzen. Im Zuge der wechselvollen jüdischen Geschichte bildeten sich zwei Königreiche, eines im Norden und eines im Süden. Das südliche Königreich hieß Juda, war viel kleiner und bestand aus nur zwei Stämmen: Juda und Benjamin. Das Königreich im Norden hieß Israel und umfaßte die restlichen zehn Stämme.

Etwa siebenhundert Jahre vor der christlichen Zeitrechnung wurde Israel durch einen Feldzug der assyrischen Könige Tiglatpileser III. und Salmanassar V. zerschlagen, alles Land, mit Ausnahme der Hauptstadt Samaria, besetzt und seine Einwohner nach Babylonien deportiert. Nach dem Tode Salmanassars zog der neue König Sargon II. gegen Samaria, das sich drei Jahre hielt. Auch die am Leben gebliebenen Einwohner wurden von den Assyrern deportiert. In dem Buch der Könige wird berichtet, daß die Israeliten in die entfernten Gebiete des assyrischen Reiches verschleppt wurden, »nach Halach, an den Habor, an die Wasser Gosan und in die Städte der Meder.« Die an den Denkmälern in Mesopotamien erhalten gebliebenen assyrischen Keilinschriften über die Regierungszeit König Sargons geben uns ein Teilbild über die Zahl der Deportierten. Allein aus der Stadt Samaria wurden nach ihrer Eroberung 27290 Bewohner entführt. Die Gesamtzahl der Verschleppten aus dem Königreich der zehn Stämme ist nicht bekannt. Man kann annehmen, daß sie ein Vielfaches betragen hat.

Die leer gewordenen Gebiete des früheren Königreiches Israel werden mit heidnischen Assyrern, Babyloniern und Aramäern besiedelt. Diese vermischten sich mit den Überresten der Israeliten, nehmen viele jüdische Riten und Gebräuche an. Es entsteht ein neuer Volksstamm, die Samaritaner, die bis zum heutigen Tage in einer kleinen Zahl noch auf demselben Gebiete leben.

So kamen die Israeliten, die Nachkommen des Erzvaters Abraham waren, in das Ursprungsland, von dem er gekommen ist, zurück, nur kamen sie als Gefangene und Deportierte. Die Deportierten wanderten zum Teil ostwärts, zum Teil gingen sie in der Bevölkerung auf oder blieben ihrem Glauben treu. Auch das Königreich Juda erlitt dasselbe Schicksal, es wurde von den Assyrern erobert und seine Einwohner ebenso in die Gebiete zwischen Euphrat und Tigris gebracht. 150 Jahre später kehrten die Einwohner Judas aus dem babylonischen Exil nach Palästina zurück. Mit ihnen kam ein kleiner Teil der vorher Deportierten aus dem Königreich Israel, die ihrem Glauben treu geblieben waren.

Nicht nur die Juden, die damals in Spanien lebten, sondern auch alle heute lebenden, sind die Reste der zwei südlichen

Stämme. Die anderen zehn Stämme scheinen verschwunden und für das Judentum verlorengegangen zu sein.

Das jüdische Volk ist niemals ohne sein Land gewesen. Sie mochten Tausende von Kilometern von Palästina entfernt leben, ihr Land haben die Juden immer mit sich getragen. Es war in ihrer Sehnsucht und in ihrer Hoffnung; durch ihre Gebote und ihre Gebete erinnerten sie sich täglich an die alte Heimat, zu der sie stets eine Bindung aufrechterhalten haben. Trotz Tausender Jahre Trennung haben sie die Hoffnung auf eine Rückkehr in ihr Land nicht aufgegeben. Auch ihre verlorenen Brüder aus den zehn Stämmen haben sie nicht vergessen. Besonders lebhaft wurde die Erinnerung in den Zeiten der Verfolgung.

Damals klammerten sie sich an jedes Gerücht, jede Sage, an jede Legende, ganz unabhängig von deren Glaubwürdigkeit. Sie prüften nicht, was Wahrheit, was Legende, was Phantasie war, auch wenn es ihnen als Illusion erschien. Diese Illusion haben sie aufrechterhalten, um nicht seelisch zugrunde zu gehen. Besonders in den Zeiten der Bedrohung, als sie vor dem Nichts standen, dachten sie, daß vielleicht einmal der Tag komme, wo die verlorenen zehn Stämme aus dem Dunkel der Geschichte hervortreten und zur Realität werden. Dann werden sich vor den Verfolgten neue Tore öffnen, Tore zu Ländern, in denen die Juden nicht vorübergehende Gäste, sondern die Herren sind.

Ein bedrohtes Volk ohne Land, wie es die Juden waren, blickt sehnsüchtig in die Ferne, zu Ländern, von denen man nicht viel weiß und an die man sich voll Hoffnung klammert. Vielleicht leben dort Juden, die zur Zeit des ersten Tempels, zur Zeit der Könige, vertrieben oder als Gefangene mitgenommen worden sind.

Die Welt des 15. Jahrhunderts kannte man nur aus ungenauen Landkarten, aus Erzählungen von Matrosen und Handelsleuten in den Häfen. Danach gab es in den fernen Ländern, mit denen man noch keinen Kontakt hatte, die nur einzelne Personen von Zeit zu Zeit besucht haben, Juden, die frei lebten, dort zur herrschenden Klasse gehörten und diese Länder regierten. Die Kunde, daß es jüdische Fürstentümer gibt, ist nicht ausgestorben und hat auch das Mittelalter überlebt.

Jeder Mensch, der vor dem Problem der Emigration steht, hält Ausschau nach Verwandten. Das ist nicht nur bei Juden so. Dieser Trieb der Suche nach Verwandten ist den Emigranten aller Nationen zu allen Zeiten eigen gewesen. Die Juden, die seit zwei Jahrtausenden immer auf der Flucht, nach einer Flucht oder vor einer Flucht waren, besitzen diese Einstellung in höchstem Maße. Ein verfolgter Mensch braucht Illusionen und hofft immer, daß die Illusion vielleicht auch einmal Wirklichkeit werden kann. Er tut alles, um sie am Leben zu erhalten. Nicht immer waren Erzählungen über die Einwohner ferner Länder Illusionen. Es waren oft Mitteilungen, die angesehene Forscher oder Rabbiner ihren Gemeinden gemacht und dadurch den Juden den Schimmer einer Hoffnung gegeben haben. Zu diesen Legenden gehört auch die Legende über Länder und Königreiche, die von den zehn verlorenen Stämmen Israels in der weiten Welt gegründet worden seien und von Juden regiert würden. Wohin diese zehn Stämme Israels auf ihrer Wanderschaft gezogen sind, ob in die arabische Wüste oder über Syrien und den Irak nach Indien, bis nach China oder noch weiter, bleibt ein Geheimnis der Geschichte, das viele Forscher seit mehr als tausend Jahren erfolglos zu ergründen suchen. Zahlreiche Spekulationen haben ihre Spuren in der einschlägigen Literatur hinterlassen.

Man hat in jüngster Zeit, als der Staat Israel schon bestand, Juden aus Cochin in Indien, die Bnei Israel (die Kinder Israels), nach Israel gebracht, man hat Informationen über die gelben Juden in China erhalten und versucht, in diesen winzigen Gemeinden die Überreste der zehn Stämme zu finden. Es gab auch Gelehrte, welche die Meinung vertraten, daß Teile dieser zehn Stämme von Asien aus über die Beringsee nach Alaska und dann nach Nordamerika gekommen sind und die, lange bevor Columbus Amerika entdeckt hat, dort gelebt haben. Darüber wird in dieser Untersuchung noch die Rede sein.

Es sind leider nicht viele Dokumente erhalten geblieben, um die Sehnsucht der zwei Stämme Israels nach den verlorenen zehn Stämmen lückenlos nachweisen zu können. Die Zeugnise, die wir vom 9. Jahrhundert an besitzen, lassen aber die Schlußfolgerung zu, daß die Mitteilungen über die Suche nach den verlorenen Brüdern, auf Legenden oder auf Irrtümern damaliger Forscher beruhend, nicht erst im 9. Jahrhundert entstanden sind. Dieses Interesse hat auf seiten der Juden schon früher bestanden, und gewisse Aktionen, die wir vom 9. Jahrhundert an belegen können, waren schon damals auf einer jahrhundertealten Tradition aufgebaut.

Es ist daher erforderlich, dieses Problem etwas breiter zu behandeln, weil die Suche nach den Stämmen Israels heute erstens zu wenig bekannt ist und zweitens meiner Meinung nach mit den Begleiterscheinungen der Expedition von Columbus zusammenhängt.

Um das zu beweisen, muß zunächst dargestellt werden, was die Juden und Marranen damals von den zehn Stämmen wußten und welche Bedeutung sie ihrer Auffindung beigemessen haben.

Der Gedanke, daß es diese jüdischen Länder wirklich gäbe, hat die Juden immer beherrscht, seitdem sie aus Palästina vertrieben wurden, doch die ersten Versuche, mit ihnen Kontakt aufzunehmen, sind uns erst aus dem 9. Jahrhundert bekannt. Von der Vertreibung aus Palästina bis etwa zum 9. Jahrhundert liegen sehr wenige Aufzeichnungen über das Leben der Juden vor. Es gibt keine Chronik des Judentums dieser Zeit, sehr zum Unterschied zur Zeit um und vor Christi Geburt, aus der ausgiebige Quellen erhalten geblieben sind. Es kann aber als sicher angenommen werden, daß die Juden auch vor dem

10. Jahrhundert, als sie hauptsächlich in den Mittelmeerländern und Mitteleuropa lebten, Nachrichten über die zehn Stämme erhielten, und daß es auch schon damals jüdische Reisende gegeben hat, die Berichte verfaßt und den Glauben und die Hoffnung und damit auch Illusionen genährt haben.

Für die vorliegenden Untersuchungen ist einzig und allein das Wissen der Juden im 15. Jahrhundert in Spanien über die Länder maßgebend, in denen man die zehn Stämme Israels am Leben glaubte. Es soll keine Kritik an dem Glauben und Wissen der Juden jener Zeit in Spanien geübt und nicht untersucht werden, inwieweit dieser Glaube auf überprüfbaren Realitäten beruhte. Auch soll nicht untersucht werden, inwieweit Zeugen oder Schriftsteller, die darüber berichtet haben, glaubwürdig oder unglaubwürdig waren. Die Vorstellungen über die Stämme Israels sind zwischen dem 9. und 15. Jahrhunderts durch Dokumente belegbar. Sie wurden durch ähnliche Vorstellungen in der christlichen Bevölkerung genährt und bestärkt und waren daher für die Juden besonders in Spanien zu einer Realität geworden. Mit den Worten von heute dürfen wir es ruhig die Sensation des 9. Jahrhunderts für die Juden nennen, als eines Tages in Spanien ein Mann auftauchte, der sich Eldad had-Dani nennt und angab, ein Angehöriger des Stammes Dan zu sein, also ein Angehöriger einer der verlorengegangenen zehn Stämme Israels. In der Geschichtsschreibung wird dieser Mann Eldad der Danite genannt. Den spanischen Juden erschien er wie ein Abgesandter aus jenen fernen Ländern, der kam, um Nachrichten über die Juden der anderen Stämme zu sammeln. Es ist bekannt, daß er vorher in Ägypten, in Nordafrika, in Marokko, wahrscheinlich auch in Frankreich und Italien, gewesen ist. Jahrzehntelang bilden seine Erzählungen ein fesselndes Thema unter den spanischen Juden. Eldad ist einer der rätselhaftesten Juden des Mittelalters. Sicherlich war er es, der den Vorstellungen und Phantasien der Juden in den Mittelmeerländern neuen Auftrieb gegeben hat. Was er zu erzählen hat, klingt in den Ohren der Juden glaubwürdig, er wird bei Befragungen durch die Gelehrten nicht verlegen. Wie die damaligen Landkarten sind auch die geographischen Angaben über die Siedlungsbereiche der Stämme Dan, Naphtali, Gad und Ascher entsprechend den erdkundlichen Vorstellungen jener Zeit dürftig. Er berichtet, daß diese vier Stämme jenseits großer Flüsse in Abessinien ein Reich gegründet hätten, das sich Hawila nennt. Die anderen sechs Stämme seien in Asien geblieben. Danach war der Stamm Isaschar in der Nähe Persiens beheimatet, der Stamm Sebulon im Gebirge Paran, von wo aus er in der Gegend des Euphrat nomadisierte. Der Stamm Ruben war räuberisch veranlagt und machte die Straße von Mekka nach Bagdad unsicher. Der Stamm Ephraim wohnte in den Bergen des Nedschd unweit von Mekka. Der Stamm Simeon und die Hälfte des Stammes Manasse wohnten im Land Kardim. Auch Entfernungen gab der Danite an: Die Reise von Jerusalem ins Land Kardim dauert sechs Monate. Und das Königreich der Chasaren erwähnt er ebenfalls.

Rabbanen und Schriftgelehrten muß der Danite Rede und Antwort stehen. Sie fragen ihn, welche religiösen Gebräuche und Sitten des alten Israel die als verloren geltenden Stämme beibehalten haben. Die Juden jener Zeit pflegten nicht nach der rassischen Zugehörigkeit, sondern danach zu fragen, ob jene Stämme sich von der überlieferten Religion und von den jüdischen Riten entfernt hätten oder ob sie diese noch einhielten.

Noch im späten 19. Jahrhundert beschäftigten die Angaben des Daniten die jüdischen Gelehrten. Sie konnten sich kritischer mit seinen Angaben auseinandersetzen, denn es standen ihnen mehr Quellen für ihre Untersuchungen und für Vergleiche zur Verfügung als seinen Zeitgenossen. Für uns ist aber nicht das spätere, sondern das zeitgenössische Urteil maßgebend. Es waren nur vereinzelte Gelehrte, die sich zu den Erzählungen des Daniten geäußert haben. Zu ihnen gehörte

Abrahams ibn Esra. Im Laufe der Zeit entstand indessen eine ganze Danite-Literatur. Der Danite hatte durch seinen Erlebnisbericht viele Sehnsüchte der Juden geweckt und Gelehrte gezwungen, sich damit zu befassen. Er wurde aber auch von den Leuten, die sich seinen Erzählungen gegenüber skeptisch verhielten, keinesfalls als skrupelloser Schwindler eingestuft. Im Gegenteil, auch die kritischen Forscher sind davon ausgegangen, daß der Danite in seinen Berichten wirklich Erlebnisse mit den zu jener Zeit noch existierenden jüdischen Sekten im südlichen Arabien, in Äthiopien und anderen Teilen Asiens und Afrikas wiedergegeben hatte. Die von ihm beschriebenen Riten haben sich bei der jüdischen Sekte der Falascha in Abessinien bis zum heutigen Tag erhalten.

Zu jener Zeit lebten in Äthiopien die jüdischen Falascha, die eine bedeutende Rolle im Staatswesen spielten und der herrschende Stamm im Königreich Gondar waren. Die offizielle äthiopische Dynastie führte ihre Herkunft auf die Verbindung zwischen König Salomon und der Königin von Saba zurück, und der Herrscher, der Negus Negesti, der Kaiser, führt den Titel »der Löwe von Juda«. Jüdische und arabische Einwanderer kamen in früheren Zeiten über das Rote Meer in das Hochland Äthiopiens und siedelten sich an. Die jüdischen Siedler haben die Kontakte zum Judentum verloren und machten keinerlei Entwicklung der religiösen Strömungen mit. Allmählich entstanden christlich-jüdische Sekten mit den Glaubenselementen beider Religionen. Oft gab es Kämpfe um die Macht zwischen den jüdischen und christlichen Gemeinden.

Für unsere Untersuchung ist die Beschreibung der Länder von Bedeutung, von denen der Danite berichtet. Er nennt sie reich an Gold und an Naturschätzen und bezeichnet Porainoth und Parwaim als die Goldländer. Einige Jahrhunderte später finden wir dieselben Ausdrücke in den Bewerbungsschreiben von Columbus an die Könige von Portugal und Spanien. Was Columbus anzubieten hat, kam nicht nur den Juden bekannt vor, sondern auch den Christen, denn diese kannten die apokryphen Briefe des Priesters Johannes - einer legendären Herrschergestalt eines christlichen Reiches in Afrika. Daß Columbus sie auch kannte, steht außer Zweifel, denn in einer Randbemerkung in dem ihm gehörenden Buch »Imago mundi« vermerkte er in seiner Handschrift »Presbyter Johannes.«

Die apokryphen Briefe des Priesters Johannes aus dem 12. Jahrhundert an Kaiser Friedrich II. und an den Papst waren allen Intellektuellen bekannt. Man müßte diese Briefe als eine Art Gegenpropaganda auf die Berichte des Daniten werten, getragen von dem Wunsch zu beweisen, daß die Juden nirgends Herrscher sind, daß sie über sich stets ein christliches Oberhaupt haben. Gelehrte des 19. und auch des 20. Jahrhunderts wiesen nach, daß die Johannes-Briefe ohne die Berichte des Daniten nicht hätten entstehen können. Aufgrund von Textvergleichen kamen sie zu dem Ergebnis, daß Priester Johannes in seinen Briefen in den wichtigsten Passagen mit dem Daniten übereinstimmt. Die geographische Beschreibung in den apokryphen Briefen entspricht genau den Erzählungen des Daniten. Die zwei Jahrhunderte nach dem Daniten veröffentlichten Briefe aktualisierten bei den Juden noch einmal die Erzählungen des Daniten. Sie waren eine Bestätigung, daß der Danite recht hatte.

Natürlich waren solche Vorstellungen für die Juden immer aktuell, denn sie standen stets vor oder nach einer Periode der Verfolgung. Immer war ihr Dasein ungesichert. Nie konnte sie wissen, wie lange die Gunst des jeweiligen Herrschers dauern würde. Die erklärte Toleranz konnte jederzeit aufgehoben werden, oft kam die Nachricht von Diskriminierungen der Juden in anderen Ländern. Die Angst, daß diese sich auf das eigene Land ausdehnen könnten, gab der Sehnsucht nach Kontakten zu den verlorenen Stämmen stets neue Nahrung. Tag für Tag, Jahr für Jahr sprachen die Juden über dieses Thema. Immer wieder kam man darauf zurück, und die Seeleute waren es, die durch ihre Berichte von Ländern und Menschen angeblich jüdischer Art dafür sorgten, daß der Gesprächsstoff nie versiegte.

Beweis für den Wunsch der spanischen Juden, mit den verlorenen zehn Stämmen in Verbindung zu treten, ist die Botschaft des Chasdai Ibn Schaprut an Joseph, König der Chasaren. Chasdai Ibn Schaprut war der Außenminister des Kalifen Abdul Rahman III. in Córdoba. Er war das nur inoffiziell, denn in der zweiten Hälfte des 10. Jahrhunderts hatten die judenfeindlichen Stellen des Koran auf der Iberischen Halbinsel noch viel Wirksamkeit, was das gute Zusammenleben der Juden mit den Moslems dennoch nicht hinderte. Der Kalif Abdul Rahman III. schätzte Chasdai Ibn Schaprut sehr und überließ ihm außer dem diplomatischen Verkehr mit fremden, meist christlichen Fürstentümern und Königreichen auch die Agenden der Ministerien für Handel und Finanzen. Einen offiziellen Titel erhielt Chasdai nie, er war weder Wesir noch Kadip (Staatssekretär).

Chasdai Ibn Schaprut stammte aus einer angesehenen jüdischen Familie in Córdoba, dem Sitz des Kalifen, und beherrschte mehrere Sprachen, vor allem Latein, die damalige Diplomatensprache. Zu seinen Tätigkeiten gehörte es daher auch, die ausländischen Gesandten in Empfang zu nehmen und sie nach Vorbesprechungen beim Kalifen einzuführen. Chasdai Ibn Schaprut war nicht nur mit der Lage der Juden auf der Iberischen Halbinsel, sondern auch in all den Staaten, zu denen das Kalifat diplomatische Beziehungen unterhielt, vertraut. Er wußte, daß die Juden in einigen Staaten verfolgt, in anderen toleriert wurden, überall jedoch als Bürger zweiter Klasse galten, selbst wenn sie sich große Verdienste um den jeweiligen Herrscher erworben hatten.

Zwei Länder waren es, zu denen er besonders rege Verbindungen unterhielt: Byzanz und das Heilige Römische Reich Deutscher Nation. Der byzantinische Kaiser Konstantin VIII.

suchte damals diplomatische Verbindung zu dem mächtigen Kalifat von Córdoba, weil er sich durch andere Kalifate im Nahen und Mittleren Osten bedroht fühlte. Da auch der deutsche Kaiser Otto I. Kontakte zum Hof von Córdoba unterhielt, hatte Chasdai Ibn Schaprut die Möglichkeit, im byzantinischen wie im deutschen Reich zugunsten der Juden zu wirken. In den Erzählungen der Diplomaten über die mißliche Situation der Juden in den verschiedenen Ländern fielen immer wieder abfällige Bemerkungen über die Juden, die als Volk ohne Land gering geschätzt wurden. Es waren erst einige Jahrzehnte vergangen, seit Eldad had-Dani in Spanien aufgetaucht war. Chasdai Ibn Schaprut waren die Berichte des Daniten also genau bekannt, und als Mann der Tat versuchte er, ihnen nachzugehen. Durch den Gesandten des byzantinischen Kaisers erfuhr er vom Königreich der Chasaren an den Gestaden des Schwarzen Meers. Den Byzantinern war bekannt, daß dieses Reich ein jüdisches Königreich war, denn die jüdische Religion war die Staatsreligion der Chasaren.

Über den Ursprung der Chasaren wird noch heute gerätselt. Für die einen sind sie ein finnisch-ugrischer Stamm, verwandt mit Bulgaren, Awaren und Ungarn, für die andern ein Turkvolk. Nach dem Untergang des Hunnenreiches hatten sich die Chasaren an der asiatisch-europäischen Grenze, der Wolga und dem Kaspischen Meer, niedergelassen. Sie führten ununterbrochen Kriege gegen ihre Nachbarn. Die Perser suchten sich vor ihnen zu schützen, indem sie die Pässe des Kaukasus sperrten. Aber nach dem Zusammenbruch des persischen Reichs überschritten die Chasaren den Kaukasus, fielen in Armenien ein und eroberten die Krim. Diese Halbinsel trug noch lange Zeit danach den Namen Chesarien. Die Byzantiner zitterten vor den Chasaren und zahlten ihnen Tribut, um sie von Konstantinopel fernzuhalten. Bulgaren und Russen waren Vasallen der Chasaren; die Fürsten von Kiew zahlten ihnen ebenfalls jährlich Tribut. Mit ihren Nachbarn, den Arabern, befanden sich die Chasaren in dauerndem Kriegszustand.

Nachdem der byzantinische Kaiser Leo im Jahre 723 versucht hatte, alle Juden in seinem Reich zum Christentum zu bekehren, kamen zahlreiche jüdische Flüchtlinge, in der Hauptsache Kaufleute, Handwerker und Ärzte, ins Chasarenreich und siedelten sich dort an. Auch unter Kaiser Basilius gab es schwere Verfolgungen der Juden. Tod oder Taufe war die Parole. Die Juden flüchteten vom Balkan auf die Halbinsel Krim, wo schon zahlreiche Ansiedlungen der Juden im Land der Chasaren bestanden, so besonders in Tiflis, Kertsch und in der Gegend des heutigen Sewastopol auf der Krim. Friedlich lebten nebeneinander die Bekenner des Islam, des Christentums und des Judentums. Dieses große Land, das seine Ausdehnung vom Kaspischen Meer bis zum Dnjepr hatte, wies zahlreiche Orte mit einer jüdischen Bevölkerung auf, die eine wichtige Rolle im Staats- und Wirtschaftsleben gespielt haben.

In der Mitte des 8. Jahrhunderts haben die chasarische Dynastie unter Chagan Bulan und der gehobene Stand die jüdische Religion angenommen. Genaue Daten sind urkundlich nicht erhalten und können nur annähernd angenommen werden. Der arabische Historiker Massudi schreibt, daß das Land der Chasaren zur Zeit der Herrschaft des arabischen Kalifen Harun al Raschid jüdisch wurde. Damit ist die Zeit zwischen den Jahren 740 und 790 gemeint. Die Chasaren betrieben aufgrund der politischen Verhältnisse im Raume des Kaspischen Meers eine Expansion in Richtung Europa. Sie waren ein kriegerischer Stamm, der von den unterjochten Stämmen und Völkern zahlreiche Söldner rekrutierte. Je mehr sich das Land ausdehnte, um so mehr versetzte es die Nachbarn in Furcht und Schrecken.

Zuvor hatten der Kalif und der Kaiser von Byzanz den Versuch gemacht, die Chasaren zum Christentum beziehungsweise zum Islam zu bekehren. Bei den Chasaren hielt sich die

Überlieferung, Bulan habe sich, nachdem er alle drei Religionen kennengelernt habe, für die jüdische Religion entschieden, denn er habe wahrgenommen, daß die beiden anderen Religionen ihre Wurzel im Judentum haben. Bulans Nachfolger Obadia schuf ein Staatsgrundgesetz, demzufolge die regierenden Chagane der Chasaren jüdischer Konfession sein mußten. Er suchte Kontakte mit Juden in arabischen Ländern und nahm sich im übrigen vor, ein Muster an Duldsamkeit gegenüber den nichtjüdischen Bevölkerungsteilen zu werden. Unter den Chasaren gab es viele Moslems: so bestand das Militär hauptsächlich aus moslemischen Söldnern. Auf niemanden wurde Druck ausgeübt, die jüdische Religion anzunehmen. Der Oberste Gerichtshof bestand aus sieben Richtern, von denen zwei Juden waren, zwei Moslems, zwei Christen und einer Heide, der für Russen und Bulgaren zuständig war.

Als das Land jüdisch wurde, lag die Führung der Krieger in jüdischen Händen. Die kriegerische Tätigkeit der Chasaren führte zu einer Allianz zwischen den Slawen in Südrußland und dem byzantinischen Kaiserreich. Es kam zu einem Krieg. Beide Länder wurden von den Chasaren vom jüdischen Feldherrn Pessach geschlagen und zu Tributzahlungen verpflichtet, wobei besonders die Slawen in ein Vasallenverhältnis gezwungen wurden.

Als in der Mitte des 10. Jahrhunderts neue Judenverfolgungen in Byzanz unter dem Kaiser Romanus begannen, schickte der Chagan Joseph dem Kaiser eine Botschaft, in dem er bei Andauern der Judenverfolgungen Repressalien gegen die im Chasarenland lebenden christlichen Griechen androhte. Diese Drohung verfehlte ihre Wirkung nicht.

In ihren diplomatischen Noten mußten die Kaiser von Byzanz den Chasarenkönigen oftmals demütige Ehrerbietungen erweisen. Davon erfuhr Chasdai; er nützte jede Gelegenheit, um in seinen Diplomatengesprächen mehr über dieses jüdische Reich zu erfahren, über seine Herrscher und seine Bewohner. Nach langen Jahren konnte er sich ein deutlicheres Bild machen, das er der jüdischen Gemeinde von Córdoba nicht vorenthielt. Man glaubte ihm, denn er war hoch angesehen und hatte in der Gemeinde ein Richteramt inne. Chasdais Berichte machten den spanischen Juden ungeheuren Eindruck, sie glaubten sogleich an das jüdische Königreich der Chasaren, und in diesem Glauben gingen sie nicht fehl. Es war auch kein Wunder, daß sie daraufhin neuerlich von der Existenz der anderen jüdischen Königreiche überzeugt waren, von denen der Danite erzählt hatte. Chasdais Berichten zufolge war das Reich der Chasaren von Konstantionopel aus in fünfzehn Tagesreisen zu erreichen; der König der Chasaren führte den Titel Chagan und heiße Joseph; es gebe sogar Handelsbeziehungen zwischen Konstantinopel und dem Chasarenreich. So entschloß sich Chasdai, durch eine Botschaft Beziehungen zum Reich der Chasaren anzuknüpfen. Das schien ihm in der gegebenen politischen Situation um so wichtiger, als er verschiedenen Berichten zu entnehmen glaubte, daß die Chasaren ihren unterdrückten Glaubensbrüdern jenseits des Kaukasus durch politische Maßnahmen zu Hilfe gekommen seien. Außerdem glaubte er, gerade durch die Verbindung zum Chasarenreich demonstrieren zu können, daß es tatsächlich Länder gab, in denen die Juden nicht nur Gäste waren, sondern herrschten. Natürlich hätte dies eine gewaltige Steigerung des Ansehens der Juden auch im Westen bedeutet.

Chasdai Ibn Schaprut verfaßte also eine Botschaft an den Chagan Joseph und übergab sie einem seiner Freunde, Isaak ben Nathan, den er außerdem mit reichlichen Mitteln ausstattete. Als der Gesandte des Kalifen nach Konstantinopel abreiste, fuhr Chasdai Ibn Schapruts Sendbote mit Billigung Abdul Rahmans mit ihm. In einem Brief an den Kaiser von Byzanz wurde die Bitte ausgesprochen, dem Sendboten die Weiterreise ins Land der Chasaren zu ermöglichen.

Aus bisher nicht genügend beleuchteten Gründen wurde Isaak ben Nathan jedoch ein halbes Jahr in Konstantinopel zurückgehalten und dann nach Spanien zurückgeschickt. Man gab ihm einen Brief mit, in dem die Byzantiner Chasdai wissen ließen, daß sie seinen Sendboten der gefahrvollen Reise über das Schwarze Meer nicht aussetzen wollten. Vielleicht gab es aber einen anderen Grund für die Byzantiner, Isaak ben Nathan zurückzuschicken, da ihnen eine durch Chasdais Vermittlung zustande gekommene Verbindung zwischen dem Kalifat von Córdoba und ihrem Nachbarreich sicherlich nicht erwünscht war. Außerdem hatte der Kaiser kein Interesse, die Juden mit den Chasaren in Verbindung treten zu lassen.

Eldad had-Dani war es, der Spaniens Juden auf das Chasarenreich aufmerksam machte. Er erzählte von einem düsteren Gebirge, in dem zweieinhalb jüdische Stämme lebten, Nachkommen Abrahams aus den Stämmen Simeon und Manasse, von einem Königreich, dessen Macht so groß war, daß viele Völkerschaften ihm Tribut zahlen mußten. Es steht fest, daß der Bericht des Daniten dem »Außenminister« des Kalifen von Córdoba, Chasdai Ibn Schaprut bekannt war. Wieviel Eindruck er auf ihn gemacht hat, geht aus seinem Schreiben an den Chagan Joseph hervor. Darin heißt es: »Zur Zeit unserer Väter kam zu uns nach Spanien ein Mann vom Stamme Dan, der hebräisch sprach.« Mit diesem Mann kann nur Eldad had-Dani gemeint sein. Chasdai Ibn Schaprut sah sich in den Hoffnungen, die er in diese Mission gesetzt hatte, getäuscht. Kurz darauf jedoch, im Jahre 953, kam eine Gesandtschaft des slawonischen Königs Hunu nach Córdoba. Dieser Gesandtschaft gehörten auch zwei Juden an: Mar Saul und Mar Joseph. Offenbar wurden die Juden in dem slawonischen Reich an der Donau gut behandelt, sonst wäre es nicht möglich gewesen, daß Juden zu Mitgliedern einer offiziellen Delegation wurden. Diese beiden Juden berichteten, sie hätten Verbindungen zum

Chasarenreich; vor nicht allzu langer Zeit habe einer der ihren, Mar Amram, das Chasarenreich besucht und sei dort mit großen Ehren empfangen worden. Schließlich erboten sie sich, Chasdais Schreiben über die in Ungarn, Bulgarien und Rußland wohnenden Juden an den König der Chasaren weiterzuleiten.

Chasdai Ibn Schaprut gab ihnen einen in klassischem Hebräisch abgefaßten Brief mit. Die Abschrift dieses Briefes ist erhalten geblieben. Da er die damalige Situation der Juden in Spanien beschreibt, ist er eine historische Urkunde von unschätzbarem Wert. Chasdai war sich nicht darüber klar, welchem Stamm die Chasaren angehörten; daß er sie aber jedenfalls für einen der zehn Stämme Israels hielt, geht daraus hervor, daß er in seinem Brief von den Brüdern sprach, die im spanischen Exil leben. Er gab eine Beschreibung Spaniens, der Omajaden-Dynastie, der Bedingungen, unter denen die Juden lebten, betonte, sein Brief sei nicht Ausfluß der Neugierde, sondern der Dringlichkeit, zu erfahren, ob »Israel auf einem Fleck der Erde frei von Oberherren« sei. »Wüßte ich, daß dem so ist, so würde ich meine Ehren geringachten, meine Stellung aufgeben, meine Familie verlassen, würde wandern über Berg und Tal, zu Land und zu Wasser, bis ich mich vor meinem Könige vom Stamme Israel niederwerfen könnte, würde mich erfreuen an seiner Größe und seine Macht bewundern.« In seinem Brief bittet Chasdai um Auskunft, von welchem der zehn Stämme die Chasaren ihren Ursprung hätten, ob sie am Sabbat Krieg führten, ob die hebräische Sprache ihre Sprache sei und wann es ihrer Überzeugung nach zur Erlösung Israels kommen würde. Voll Trauer schildert er den Hohn und Spott, den er gleich allen anderen Juden täglich zu ertragen habe, wenn man ihnen sage: »Jedes Volk bildet ein geschlossenes Königreich, ihr aber seid ohne Selbständigkeit.«

Der jüdische Historiker Heinrich Graetz sagt im Jahre 1874 über diesen Brief: »So richtet der Vertreter der Juden im äußersten Westen Europas an den Juden auf dem Throne den Brudergruß.«

Natürlich gelangte Chasdais Schreiben nur auf Umwegen in die Hand des Chagan Joseph, des elften jüdisch-chasarischen Königs seit Obadia, jenem Chasarenfürsten, der die jüdische Religion angenommen hatte.

Der König der Chasaren, dessen Residenz sich auf einer Wolgainsel befand, beantwortete Chasdais Brief. Die Frage, ob Josephs aufgefundenes Antwortschreiben authentisch ist, bildet noch immer den Gegenstand eines Gelehrtenstreits. Die Mehrzahl der Forscher bezweifelt seine Authentizität jedoch nicht. Es soll im Auftrag des Chagan Joseph von einem jüdischen Gelehrten seines Reiches aufgesetzt worden sein, ebenfalls in hebräischer Sprache. Der Chagan ließ Chasdai darin mitteilen, daß die Chasaren nicht von den zehn Stämmen herkämen, sondern sich zum Judentum bekehrt hätten; ihre Stammesverwandten seien die Awaren, Usen, Tarnier, Bulgaren, Sawiren und andere Stämme, die früher im Skythenland gelebt und sich später an der Donau und in Ungarn angesiedelt hätten. Er nennt in seinem Brief alle Könige der Chasaren, die seit ihrer Bekehrung sämtlich hebräische Namen geführt haben: Chiskia, Menasse I., Chanukka, Isaak, Sebulon, Menasse II., Nissi, Menachem, Bejamin, Aaron; Aaron war Josephs Vater. Wie er ferner mitteilte, stand er mit Juden in Jerusalem und an den babylonischen Hochschulen in Verbindung. Mit einer Einladung an Chasdai Ibn Schaprut, ins Chasarenreich zu kommen, endet der Brief des Chagans.

Der Mystizismus unter den Sephardim hat tiefe Wurzeln geschlagen. Er war nicht nur eine Ablenkung von der traurigen Wirklichkeit und der Versuch, sich auf einer anderen Ebene zu bewegen. Deutlich schälten sich auch gewisse messianisch geformte Tendenzen heraus. In dem Brief Chasdai Ibn Schapruts kommt diese messianische Tendenz zum Ausdruck. Historiker, die sich mit der Korrespondenz zwischen Chasdai und dem König der Chasaren befassen, sehen diese messianische Tendenz in der Rolle, die die Existenz eines jüdischen Reiches darin spielt. Die Erwartungen, die durch diese erhoffte Existenz geweckt wurde, bewegen sich im selben messianischen Raum. Der Brief und die Antwort wurden Jahrhunderte später mehrmals kopiert, wobei die Abschreiber je nach der Lage der Gegenwart den Inhalt durch mystische Zutaten verzierten. Besonders im 12. Jahrhundert sind zahlreiche Kopien im Umlauf. Zusammen mit den Diskussionen zu diesem Thema formten sie die Vorstellungen der Juden über jüdische Staaten in der Tiefe Asiens, mit denen das Land der Chasaren Kontakte hatte. Sie sorgten für die Aktualität des Themas. Als dieser Brief des Königs abgefaßt wurde, herrschte noch Friede im Land der Chasaren. Einige Jahre darauf kam es zu kriegerischen Auseinandersetzungen mit dem russischen Großfürsten Swjatoslaw von Kiew, die vorher Untertan der Chasaren gewesen war. Weitere Kriege schwächten das Chasarenreich und führten schließlich zu seiner völligen Auslöschung. Die Chasaren flüchteten über das Kaspische Meer und den Kaukasus und gerieten in Gefangenschaft. Sie gingen in der Bevölkerung des Staates, der sie besiegte, auf.

Nach dem Zerfall des Chasarenreiches übersiedelten einige Mitglieder des herrschenden Geschlechtes nach Spanien und schlossen sich den jüdischen Gemeinden an. Der jüdische Historiker und Chronist Abraham ibn Daud berichtet, daß er Nachkommen dieser Chasaren im 12. Jahrhundert in Toledo begegnet ist und mit ihnen gesprochen hat. Man kann sich vorstellen, mit welcher Neugier und mit welchem Wissensdurst die Juden Spaniens den Erzählungen über die Chasaren lauschten und wie sie ihre Vorstellungen über die jüdischen Stämme in Asien erweiterten.

Alle diese Umstände hatten einen Einfluß nicht nur auf das Wissen, sondern auch auf die Phantasie des Volkes. Sie steigerten seine Sehnsucht nach Kontakten mit den Brüdern in der

Ferne, sie nährten die Hoffnung auf die Erfüllung ihrer Träume.

Um das Jahr 1100 zirkulieren in Spanien zahlreiche Kopien der Reiseberichte Abraham ibn Dauds. Außerdem kursieren Abschriften eines Briefes aus dem 10. Jahrhundert. Er wurde von einem Juden in Konstantionpel geschrieben. Das Schriftstück befaßt sich mit den Kriegen der byzantinischen Kaiser gegen die jüdischen Könige der Chasaren. Die Abschriften entfachen Diskussionen und philosophische Dialoge. Die Rabbiner von Barcelona, Yehuda Albarzeloni, führt mit anderen Gelehrten wissenschaftliche Diskussionen, und der Dichter Yehuda Halevi schreibt im Jahr 1140 das Buch »Kusari«. Es ist die Geschichte der Chasaren, ein Werk, das bald in zahlreichen Abschriften zirkuliert. Gedruckt wurde es erst 1506 in Konstantinopel. Wenn auch zu jener Zeit das Chasarenreich nicht mehr existierte, so trugen doch auch diese Schilderungen dazu bei, daß die Zuversicht der Juden neue Nahrung fand.

Wie urkundlich nachzuweisen ist, hatte die jüdische Gemeinde in Barcelona schon im 9. Jahrhundert Kontakte mit jüdischen Gemeinden in Asien. Es sind Briefe bekannt, die nach Babylonien an Rabbi Amram Gaon gerichtet waren und die eine Reihe von religiösen Fragen betroffen haben. Nachdem das starke Interesse der Sephardim an Kontakten mit den Brüdern in der Ferne bekannt ist, kann man als sicher annehmen, daß auch in anderen Briefen, die leider nicht erhalten geblieben sind, Fragen nach dem Verbleib von Juden in asiatischen Ländern aufgeworfen wurden. Allein das Wenige, das in Urkunden vorhanden ist, läßt den Schluß zu, daß ein reges Interesse an solchen Kontakten bestanden hat.

Dieses Interesse steigerte sich infolge der Verbreitung der kabbalistischen Lehren. In Sagen und Legenden, die vom Volke auch geglaubt wurden, tauchte das Chasarenreich stets aufs neue auf: Weit in Asien, jenseits des Sambation – eines reißenden Flusses an der Grenze zwischen Europa und Asien – regieren die zehn Stämme Königreiche.

Dieser Glaube pflanzte sich Jahrhunderte fort und gab der Phantasie des Volkes Raum. Er war die Quelle aller Hoffnungen auf eine Vereinigung mit den verlorenen Brüdern.

Für unsere Untersuchung sind die Motive des Chasdai Ibn Schaprut die wichtigsten. Es ist bezeichnend, daß ein jüdischer Würdenträger, der im Wohlstand lebt und sich der besten Beziehungen und der Freundschaft des regierenden Kalifen erfreut, auf alle Begünstigungen gerne verzichten will, um in einem jüdischen Land zu leben. Diese Sehnsucht beseelte selbstverständlich auch andere Juden, auch wenn sie nicht in einer solchen gehobenen Stellung wie Ibn Schaprut waren.

Warum sollte es Jahrhunderte später anders sein, als die Verfolgungen der Juden einander ablösten und die Bedrohung der ständige Begleiter ihres Lebens war? Auch wenn die Marranen, die Neuchristen, keinerlei Verbindungen zum Judentum mehr hatten und in ihrem neuen Milieu aufgehen wollten, hatten sie doch Interesse an der Entdeckung eines jüdischen Landes. Sie wußten, daß sie in den Augen ihrer Mitbürger durch eine solche Tatsache aufgewertet würden. Sie wollten und mußen nicht in ein solches Land auswandern, wären aber glücklich, wenn es existierte. Das galt erst recht für die Neuchristen, die noch verwandtschaftliche Bande zu Juden hatten, die von einer Austreibung bedroht waren. Sie ersehnten ein jüdisches Land, in dem ihre Verwandten unterkommen könnten. Vielleicht wären auch sie selbst oder ihre Nachkommen einmal gezwungen, an die Tore eines solchen jüdischen Landes zu klopfen.

Eine der wichtigsten Reisebescheibungen des 12. Jahrhunderts ist das Tagebuch des Rabbi Benjamin, Sohn des Jona, aus Tudela im Königreich Navarra, der im Jahre 1159 eine Reise duch Europa, Asien und Afrika antrat. Im Jahre 1173 kehrte er nach Spanien, und zwar nach Toledo, zurück. Dort verfaßte er seine Reisebeschreibung, dort starb er auch.

Dieses Reisetagebuch erregte nicht nur bei Juden große Aufmerksamkeit. Gleich nach seinem Erscheinen wurde es in mehrere Sprachen übersetzt. Es erweiterte das Blickfeld der Geographen und war in manchen Punkten eine Bestätigung der drei Jahrhunderte vorher erfolgten Erzählungen Eldad had-Danis.

Bei dieser Gelegenheit sind auch die Reisen des Venezianers Marco Polo im 13. Jahrhundert zu erwähnen. Er unternahm sie, um die Möglichkeiten des Welthandels zu erkunden, und gelangte bekanntlich bis nach China. Marco Polos Weltreise erfolgte erst nach den Reisen des Rabbi Benjamin von Tudela. In dem Bericht Marco Polos, den Columbus übrigens auch besaß, finden sich Bemerkungen über die Juden in Indien und China, die er auf seinem Weg angetroffen hat.

In allen Reiseberichten jener Zeit sind die Entfernungen in Tagesreisen angegeben, was natürlich eine gewisse Ungenauigkeit bedeutet. Rabbi Benjamin von Tudelas Beschreibung, beginnt mit seiner Reise durch eine Reihe spanischer Städte nach Barcelona, nach Frankreich, Italien, Korfu, über Griechenland, nach Konstantinopel. Er gelangt nach Armenien und Antiochien. Auf seiner ganzen Reise verzeichnet er durchgehend die Zahl der ansässigen Juden in den von ihm besuchten Städten. Er beschreibt, wie sie behandelt werden und womit sie sich beschäftigen. Er vermerkt jüdische Gelehrte und jüdische Handwerker. Er durchwandert den Libanon und Syrien, stößt auf die Drusenstämme, beschreibt ihr Leben und ihr Verhältnis zu den Juden. Er lernt viele Städte Palästinas kennen, Jerusalem, Nablus, und trifft am Berge Gerisim auf die Samariter. Dann begibt er sich nach Damaskus, in dem zu jener Zeit 3000 Juden gelebt haben, schließlich weiter ins Tigris-Gebirge, er gelangt bis an den Fuß des Ararat-Gebirges. Er zählt Städte auf, in denen nach der ihm erteilen Auskunft

Juden leben; so in Gezir ibn Omar 4000, in Groß Azur 7000. Von dort geht er nach Ninive und Rahaba, wo 2000 Juden leben. Dann kommt er ans Ufer des Euphrat, in die Stadt Gargesia mit 500 Juden, und zwei Tagesreisen weiter nach Aljuba und Pumpedita mit 2000 Juden; dort gibt es auch eine große Talmud-Schule. Von da geht es in fünf Tagesreisen weiter nach Harda, einer Stadt, in der 15000 Juden leben, nach Ogbera mit 10000 Juden, und schließlich zum Kalifen von Bagdad. Der ist ein großer Freund der Juden, er spricht Hebräisch und kann sogar Hebräisch schreiben. In Bagdad leben völlig unbehelligt 10000 Juden, darunter berühmte Rechtsgelehrte; sie unterhalten zehn Schulen oder Synhedrien mit zehn Vorständen. Außerdem gibt es 28 Syngogen, die mit buntfarbigen Säulen und mit gold- und silberbestickten Vorhängen geziert sind. Auf ihnen kann man in goldenen Buchstaben Verse aus den Psalmen lesen. Von Bagdad reist er nach Babylon, dort wohnten 20000 Juden. Nach 21 Tagen gelangt Rabbi Benjamin in das Land Tema, es wird von Juden, die sich Rehawiten nennen, bewohnt. Er erwähnt zwei große Städte, Tema und Telimas, in denen unter zwei Fürsten, Salomon und Annas, beide aus der Familie Davids, 100000 Juden leben. Sie trauern 40 Tage im Jahr in zerrissenen Gewändern über die Zerstörung Jerusalems und die Verbannung der Juden. Im ganzen bewohnen sie 40 Städte und 200 Dörfer. Er spricht auch von einer Hauptstadt, die Tanai heißt. Nach drei Tagesreisen kommt er in Haibar an, wo die von den assyrischen Königen verbannten jüdischen Stämme Ruben, Gad und ein Teil des Stammes Manasse leben. »Die Stadt Haibar selbst ist groß und wird von 50000 Juden bewohnt, worunter viele Gelehrte, noch mehr aber Krieger, die in Feindschaft mit den Einwohnern Babyloniens, der nördlichen Länder und des Jemen leben. Hier fängt Indien an. Von dem Gebiete der Juden bis zum Flusse Mira, der das Land Jemen durchfließt, sind es 25 Tagesreisen. Hier finden sich 3000 Juden, und von hier kam ich in sieben Tagesreisen nach Wassed mit 22000 Juden und von da nach Bassora mit 2000 Juden.«

Aus dem Land der Juden kommt Rabbi Benjamin nach Persien in die Stadt Susan, in der 7000 Juden leben, sie haben 14 Synagogen, auch das Grab des Propheten Daniel liegt dort. Es folgt eine Beschreibung Persiens und des persischen Sultans. Dessen Herrschaft erstreckt sich laut Rabbi Benjamin bis zur Stadt Samarkand, bis zum Fluß Gosan und zur Provinz Kaswin. Der Rabbi reist weiter nach Rudbar, wo 20000 Juden leben, und ins Gebirge, in dem andere Völker mit den Juden zusammenleben. Die Juden ziehen an ihrer Seite in den Krieg und sind dem König von Persien nicht untertan.

Der Reisende kommt nach Amaria mit 20000 Juden und von dort in das Land der Meder. Weiter geht es nach Dabahristan am Fluß Gosan - dort leben seinen Angaben nach 4000 Juden - und nach Schiras, einer Stadt mit 10000 Juden. Eines Tages liegt Samarkand vor ihm, die große Stadt an den Grenzen des Reichs mit nicht weniger als 50000 Juden. Von da wandert er in vier Tagen nach Tibet, einer Provinz, in deren benachbarten Wäldern das Moschustier gefunden wird, und in weiteren 28 Tagesreisen zu den Bergen von Kaswin am Flusse Gosan. Hier gibt es Juden, die ihm erzählen, daß vier Stämme Israels in die Städte des Landes Nissapor verbannt woden sind. Das Gebiet dieser Juden erstreckt sich über 20 Tagesreisen mit Städten und Dörfern im Gebirge. Es wird auf der anderen Seite vom Fluß Gosan begrenzt und gehorcht keinem fremden Herrscher, sondern dem Rabbi Joseph, einem Leviten. Sie haben Gelehrte, betreiben Landwirtschaft, führen Kriege mit dem Land Kusch, leben andererseits in Frieden mit den türkischen Landbewohnern, »welche den Wind verehren, die Wüste bewohnen, kein Brot essen, keinen Wein trinken, sondern nur rohes Fleisch verzehren.«

Der Reisende erzählt von Kriegen, die die Juden zusammen mit den Türken gegen die Perser geführt haben, und beschreibt ihre kriegerischen Fähigkeiten. Er erzählt von einer Insel Kisch im Indischen Ozean, die ein großer Umschlagplatz für den Handel mit Indien sei. Rabbi Benjamin berichtet: »Hier finden sich Handelsleute aus Indien und den benachbarten Inseln ein; hierher bringen auch die Bewohner Mesopotamiens, Jemens und Persiens alle Gewänder aus Seide und Purpur, Flachs, Hanf, Teppiche, Weizen, Gerste, Hirse, Hafer, alle Arten Lebensmittel und Hülsenfrüchte, um damit Handel zu treiben, wozu die Einwohner Indiens Gewürze aller Art bringen. Die Inselbewohner machen die Zwischenhändler und leben von den Gewinnen. Auch hier leben 500 Juden. Zur See kam ich in zehn Tagesreisen nach Katipa mit 5000 Juden.«

Er beschreibt seine Reise zu den Khandy-Inseln, »deren Einwohner Feueranbeter sind und Dugbin heißen, mit 23000 Juden. Die heidnischen Inselbewohner haben in ihrem Tempeln Priester, welche die größten Zauberkünstler sind, die es gibt.« Das Meer, das man durchschiffen muß, reicht seinem Bericht zufolge bis China. Der reisende Rabbi geht aber nicht nach Indien, sondern kehrt um und kommt nach Aden, wo er auch Juden antrifft, und schreibt: »Von da kam ich durch die Wüste Scheba in 20 Tagesreisen nach Assuan am Fluß Nil, der aus Äthiopien herabströmt.«

Von Ägypten aus (im Reisebericht sind zahlreiche Städte Ägyptens und die dort wohnenden Juden beschrieben) reist er nach Messina in Sizilien und über Italien, Deutschland, Frankreich nach Spanien zurück. Seine sensationellen Beschreibungen über so viele bisher unbekannte jüdische Gemeinden in Asien erregten unter den Juden großes Aufsehen und den Wunsch nach Kontakten mit den Juden Asiens. Er spornte andere jüdische Gelehrte, nicht nur aus Spanien, dazu an, sich aufzumachen und nach dem Schicksal der Juden in aller Welt zu forschen. In diesem Zusammenhang ist besonders Rabbi Petachia aus Regensburg zu erwähnen. Er begann seine Reise zwischen 1175 und 1180, als Rabbi Benjamin von Tudela nach

Toledo zuückkehrte, und suchte die Juden in Polen, Südrußland, der Krim, Persien und Georgien, Armenien, Syrien, Mesopotamien und Palästina auf. Seine Reiseerlebnisse schildert er in dem Buch »Sibbub olam« (Reise um die Welt). Die Reise-und Erlebnisberichte wurden durch die Juden populär gemacht, in mehrere Sprachen übersetzt und auch von ihren christlichen Nachbarn gelesen. Es herrschte daher die Meinung vor, daß in der Tiefe Asiens jüdische Stämme leben, die im Unterschied zu den europäischen Juden kriegerisch sind und ihre Nachbarn überfallen.

Als in der ersten Hälfte des 13. Jahrhunderts große Teile Europas durch die Tataren überrannt wurden und das christliche Europa sich bedroht fühlte, bildete auch das einen Anlaß für Judenverfolgungen vor allem in Deutschland. Es breitete sich die Meinung aus oder wurde von den Anstiftern der Judenpogrome absichtlich ausgestreut, die Tataren wären Nachkommen der verlorenen zehn Stämme Israels; das Judentum wolle also das christliche Abendland überrennen. Die Juden seien im Bündnis mit ihren Brüdern von den zehn Stämmen, um die Christen zu töten, so wie sie Jesus getötet hätten.

Die Absurdität dieses Gerüchtes braucht nicht analysiert und bewiesen zu werden. Ich führe es nur als Beweis dafür an, daß zu jener Zeit auch unter der christlichen Bevölkerung Legenden und Sagen über die verlorenen zehn Stämme verbreitet waren, und dies nicht in Form von Märchen, sondern als Wirklichkeit.

Marco Polos Reisebericht wurde in Spanien vom Sevillaner Converso Rodrigo de Santaela ins Kastilische übersetzt. Nun wurden auch für spanische Juden Japaner und Chinesen in irgendeinen Zusammenhang mit den zehn Stämmen gebracht. Später suchte man nach Übereinstimmungen jüdischer Riten mit dem Ritual der Schintoisten. Man betrieb physiognomische Studien, um gewisse Ähnlichkeiten herauszufinden. Man verglich Namen. So errechnete man, daß der erste namentlich

Japanische Darstellung des Einzuges der zehn Stämme Israels in Japan
(Aus dem Buch: Dr. A. van Deursen, Waar zijn de verstrooide stammen Israels gebleven?)

bekannte König von Japan Osei hieß und 730 vor Christus regierte. Der letzte König Israels war Hosea, der 722 vor Christus starb. Manche haben aus der Zeitdifferenz von acht Jahren gewisse Schlüsse gezogen. Man versuchte, die Ähnlichkeit noch herauszustreichen, indem man die Einteilung des Schintotempels mit der des jüdischen Tempels verglich und feststellte, daß beide in den heiligen Teil und in den allerheiligsten Teil aufgeteilt sind. Auch die vorgeschriebene Leinenkleidung und die Kopfbedeckung der Schintopriester entsprachen der Priesterkleidung im alten Israel. Man hat auf alten japanischen Stichen Darstellungen gefunden, von denen man glaubt, daß sie den Einzug der Israeliten in Japan darstellen. In diesen spekulativen Berichten versucht man auch, den Weg zu bestimmen, auf dem die Israeliten nach Japan gekommen sein sollen, nämlich vom asiatischen Festland über die Insel Sachalin. Die Spekulationen dauern bis zum heutigen Tag.

Während der Arbeit an diesem Buch erfuhr ich, daß in Japan im Jahre 1970 ein Buch unter dem Titel »Der Japaner und der Jude« erschienen ist. Es handelt sich um eine ethnische Studie, deren Autor sich Jesia Ben Dassan nennt. Der Name ist ein Pseudonym, dessen Träger in Amerika leben soll. Der Verleger des Buches, Schichi Hai Yamato, ist nicht bereit, die Identität des Autors preiszugeben, deutet jedoch an, es handle sich um einen amerikanischen Juden, der 1918 in Kobe, Japan, geboren sei. In dem Buch, das sich in Japan großer Beliebtheit erfreut, werden sowohl die Unterschiede zwischen Japanern und Juden als auch die beiden Völkern gemeinsamen Züge analysiert.

Das Buch »Der Japaner und der Jude« ist nicht von ungefähr entstanden. Schon seit langer Zeit haben japanische Forscher nach Verbindungen zu den verlorenen zehn Stämmen Israels gesucht. Die Forscher kommen aus der Priesterkaste der Schintoisten. Einige von ihnen sind zum Judentum übergetreten.

Der Schintopriester Temamitso Fuinomeya und andere, die vor einigen Jahren zum Judentum übergetreten sind, wählten hebräische Namen. Es ist daher kein Wunder, daß im Mittelalter noch viel mehr von den erwähnten Parallelen die Rede war als heute, um so mehr als man mit Recht annehmen kann, daß man in früheren Zeiten weniger kritisch war als heute.

Nach 1945, als Japan von den Amerikanern besetzt wurde, gab es unter den amerikanischen Soldaten Juden und daher auch einen Militärrabbiner. Dieser schloß Freundschaft mit dem Bruder des Kaisers Hirohito, dem Prinzen Mikassa, und erhielt die Erlaubnis, einen »heiligen Spiegel« zu sehen, der auf der Rückseite angeblich eine althebräische Aufschrift aus der Zeit des ersten Tempels im alten Palästina trägt.

Die bisher geschilderten Versuche der Juden, mit ihren als verloren geltenden Brüdern in Kontakt zu kommen, waren bestimmt nicht die einzigen; wir kennen sie, weil Aufzeichnungen und Berichte erhalten geblieben sind.

Es gilt die Umstände zu berücksichtigen, unter denen die Juden in jener Zeit lebten, die Schwierigkeiten der Reisen, die durch die zahlreichen Grenzen kleiner Herrschaftsbereiche, durch schlechte Wege und durch mangelhafte oder fehlende Transportmittel hervorgerufen wurden. Nicht zu vergessen die Sprachprobleme, das Fehlen von Karten, die unverläßlichen Wegführer mit ihren oft undurchschaubaren Absichten, die Piraten auf dem Meer und die Banditen und Räuber auf den Landwegen. Ein hochgestellter Mann wie Chasdai Ibn Schaprut brauchte sehr viel Zeit, um einen Brief von Spanien zur Halbinsel Krim zu befördern. Diese Entfernung ist eine kleine im Vergleich zur Reise nach Indien. Die Reise und Rückkehr des Rabbi Benjamin von Tudela mutet daher wie ein Wunder an.

Das, was Marco Polo in seinem Bericht beschreibt, gibt Einblick in die Gefahren, die auf einen Reisenden lauerten. Er mußte mit Ermordung, Beraubung oder Verkauf in die Sklaverei rechnen. Für einen Juden war das Reisen noch schwieriger als für einen Christen, kamen doch für ihn noch die jüdischen rituellen Speisegesetze hinzu, an die sich die Juden des Mittelalters sehr streng hielten.

Nach dem Berichten des Daniten und des Rabbi Benjamin von Tudela haben sich sicherlich einzelne Juden auf Reisen begeben, doch ist die Kunde von jenen, die beraubt und in die Sklaverei verkauft oder gar ermordet wurden, mit ihnen untergegangen. Was von jüdischen Reisenden blieb, sind zahlreiche Amulette gegen Krankheiten auf der Reise, gegen Piraten und Wegelagerer, gegen Banditen, Amulette, die den Juden von arabischen und anderen Straßenräubern abgenommen und, da sie aus Silber waren, zu einem Verkaufsobjekt wurden. Diese alten Reiseamulette befinden sich heute in Museen und Sammlungen.

Man darf annehmen, daß umgekehrt auch von den Juden Asiens Versuche unternommen wurden, zu den Juden nach Europa zu gelangen. Vermutlich ist es jenen Reisenden ähnlich ergangen. Vielleicht gab es sogar geglückte Unternehmen, von denen aber keine Kunde geblieben ist, da das wechselvolle Schicksal der Juden, das mit Bücherverbrennungen, Austreibungen, Plünderungen und Zwangstaufen verbunden war, das Archivieren von Berichten fast unmöglich machte.

Die Nachrichten, die zu jener Zeit zu den Juden drangen, kamen meist von christlicher Seite. Sie basierten auf Erzählungen von Seeleuten, die mit arabischen Kaufleuten in Berührung kamen und die aus heutiger Sicht wie Märchen aus Tausendundeiner Nacht anmuten, denn in den Hafenkneipen verstand man es, diese Nachrichten entsprechend auszuschmücken, um so mehr, als es keine Möglichkeit gab, diese Phantasieprodukte zu überprüfen.

Auch Columbus saß oft mit Seeleuten in Hafenwirtshäusern, um ihren nautischen Berichten und Erfahrungen von weiten Seereisen zu lauschen. Dabei hörte er von den »Goldländern« und ihren Einwohnern. Diese Erzählungen fanden später bei seinen Vorträgen über die beabsichtigte Reise nach Indien ihren Niederschlag.

All das sollte mit dem mangelnden Wissen und den nicht vorhandenen Überprüfungsmöglichkeiten jener Zeit aufgenommen, gemessen und betrachtet werden. Eine Reise, die heute risikolos - Highjacking ausgenommen - vier Stunden beansprucht, dauerte damals ein Jahr oder noch länger, und die Chance durchzukommen und heil zurückzukehren war geringer als eins zu hundert.

Heute wissen wir, daß schon zur Zeit Christi jüdische Kaufleute aus Persien und Indien Handelsniederlassungen in China, entlang des Gelben Flusses, im Yangtsedelta und auch auf der Insel Ceylon errichtet haben. Wir wissen, daß es in Vorderindien unter den zahlreichen kleinen Staaten einen Staat Anjuvanan gegeben hat, der eine größere jüdische Bevölkerung hatte und der vermutlich auch von Juden regiert wurde. Die ganze westindische Küste war ein Gebiet, in welches Juden vom persisch-arabischen Raum flüchteten. Es gab an der Malabarküste etwas wie jüdische Kolonien; die Juden entfalteten sogar unter der dortigen Bevölkerung eine Missionstätigkeit. Die spätere christliche Missionsarbeit der »Nestorianer« hatte einen von den Juden vorbereiteten günstigen Boden gefunden. So entstand auf dieser jüdischen Grundlage die syro-chaldäische Kirche auf indischem Boden. Bis zum 14. Jahrhundert gab es an der Malabarküste und an der Konkanküste im Westen Indiens größere jüdische Siedlungen. Benjamin von Tudela hatte zwar diese Landstriche nicht bereist, aber er deutet sie in seinem Bericht an.

Bis auf das 8. Jahrhundert geht das Vorhandensein einer jüdischen Gemeinde in Kaifeng zurück. Kaifeng ist eine der ältesten Städte Chinas und Hauptstadt der Provinz Honan. Aus dort aufgefundenen Dokumenten und Aufzeichnungen geht hervor, daß die Juden von Kaifeng im Jahr 1183 eine Synagoge gebaut hatten, die im Jahr 1488 renoviert wurde. Kaifeng war eine Stadt mit moslemischer Bevölkerung und mit guten Kontakten zum Westen. Es ist wahrscheinlich, daß eben zu jener Zeit durch Vermittlung der Moslems oder durch jüdische Kaufleute aus arabischen Ländern ein Kontakt mit Juden in Europa hergestellt wurde. Nachdem Juden untereinander immer Kontakt gesucht haben, schiene es verwunderlich, wenn das in diesem Fall nicht so gewesen wäre. Man darf daher annehmen, daß die Juden im Westen durch die Vermittlung arabischer Kaufleute über die jüdischen Einwohner Asiens unterrichtet wurden.

Es gab daher im 15. Jahrhundert genügend Beweise zur Stützung der weitverbreiteten Meinung über die Länder der zehn Stämme Israels in der Tiefe Asiens. Juden und Christen waren davon überzeugt.

Mitteilungen, die wir heute als Legenden mit einem Lächeln abtun, wurden zu jener Zeit als bare Münze betrachtet. Ihr Inhalt veranlaßte Könige und Regierungen zu praktischen Schritten in Form von Expeditionen.

Am 7. Mai 1487 traten Pero de Corvilha und Alfonso de Paiva auf Betreiben des portugiesischen Königs Johann II. eine Reise an, deren Ziel es war, das Reich des Priesters Johannes zu finden. Auch die Juden glaubten an das Reich des Priesters, denn sie waren nicht nur der Meinung, daß sein Name auf seine jüdische Abstammung hindeute, sondern hielten sich auch an Reiseberichte, in denen vom guten Zusammenleben jüdischer und christlicher Königreiche im ostafrikanischen Raum die Rede war. Die portugiesischen Kundschafter glaubten, das Reich des »Priesters Johannes aus Indien« in Äthiopien entdeckt zu haben.

Auch die Christen Spaniens und Portugals waren auf der Suche nach ihren verlorenen Brüdern. Die Grundlage bildeten Mitteilungen, die wir heute als eine reine Legende ansehen müssen.

Unter den Christen gab es zu jener Zeit die verbreitete Vorstellung, wonach die von den Mauren auf der Iberischen Halbinsel verfolgten Christen unter der Leitung von sieben Bischöfen über die Meere geflüchtet sind und in unbekannten Ländern sieben Städte gegründet haben. Dieser Vorstellung liegt eine Legende zugrunde. Sie besagt, daß die Westgoten, die im Jahr 711 von den Mauren in einer Schlacht dezimiert und faktisch von der Iberischen Habinsel vertrieben wurde, unter der Führung des Erzbischofs von Porto mit sechs anderen Bischöfen geflüchtet seien, um nicht von den Sarazenen getötet zu werden. Die Flucht ging in Richtung Westen auf sieben Schiffen über den Ozean. Nach schweren Stürmen landeten sie auf einer Insel und verbrannten ihre Schiffe, um eine Rückkehr unmöglich zu machen. Auf der großen Insel mitten im Weltmeer gründeten sie sieben wunderbare Städte. Die

Insel mit den Sieben Städten wurde von den Spaniern Antilla genannt.

Diese Legende war so weit verbreitet, daß sie noch 700 Jahre später geglaubt wurde. Auch der weltberühmte Kosmograph Martin Beheim zeichnet diese Insel weit westlich von Spanien - genauso wie es die Legende überliefert - auf den von ihm angefertigten Globus ein. Als der portugiesische König Johann II. im Jahr 1489 eine Lizenz für Entdeckungsreisen vergab, war in diesem Papier auch vermerkt, daß die Lizenznehmer versuchen sollten, das Reich der Sieben Städte zu finden. Auch der englische König hat im Jahr 1497 eine Expedition ausgerüstet, um einen Seeweg nach Brasilien zu suchen. Er befahl deren Leiter, dem in Bristol lebenden Venezianer John (Giovanni) Cabor, auch nach den Sieben Städten zu suche. Wie wir sehen, waren es nicht nur die Juden, die Erzählungen dieser Art als Wirklichkeit genommen haben.

Die Legende von den Sieben Städten war nicht die einzige. Zur Zeit des Columbus hatte man Verbindungen bis nach Island, und es gab zahlreiche Seeleute, die schon dort gewesen waren. Die Einwohner erzählten ihnen, daß die Normannen um das Jahr 1000 gegen Westen gefahren seien und Inseln entdeckt hätten. So entstanden die isländischen Sagas, die man sich später in kontinentalen Häfen erzählte; darunter die Saga vom grünen Land, das ein roter Erik, ein verbannter Normanne, entdeckt hat: Grönland.

Im 13. und 14. Jahrhundert entstanden in Spanien kabbalistische Bücher, aus denen das jüdische Volk Trost zog. In diesen Schriften wurden Berechnungen angestellt, wonach um das Jahr 1490 die messianische Erlösung der Juden erfolgen werde. Obwohl diese Deutungen von rabbinischen Autoritäten abgelehnt wurden, konnten sie beim Volke Widerhall finden. Urkundlich sind diese Deutungen erst in den rabbinischen Streitschriften des 16. Jahrhunderts, die als Polemiken gegen die Kabbalisten geschrieben wurden, erwähnt.

Die Sammlung der Verstreuten, die Liquidierung der Diaspora, ist ein Bestandteil der messianischen Erlösung, die nach einer Welle von Verfolgungen der Juden kommen sollte. Verstreut waren die Juden in aller Welt, ohne richtigen Kontakt untereinander, manche Gruppen dem jüdischen Volk als verlorengegangen betrachtet. Wenn aber Messias kommt – so sagt die Deutung –, dann ist das jüdische Volk als Ganzes vereint.

Es ist nicht bekannt, inwieweit die Juden, die um das Jahr 1490 in Spanien lebten, sich auf diese kabbalistischen Deutungen, die schon zwei Jahrhunderte alt waren, eingestellt haben. Zeiten der Verfolgung sind Brutstätten von Träumen und Hoffnungen. Sie erzeugen Ebenen, auf denen man sich frei von Unterdrückung bewegen kann. Zusammenfassend kann daher gesagt werden, daß die Juden Spaniens gegen Ende des 15. Jahrhunderts von der Existenz jüdischer Länder oder Staaten, die von Juden regiert waren, im asiatischen Raum überzeugt waren. Für diese Gewißheit gab es ein auf der Basis von Reiseberichten, Erzählungen und Überlieferungen fundiertes Wissen. Der Glaube an jüdische Länder war nicht ausschließlich bei den Juden vorhanden, sondern in gleichem Maße bei der christlichen Bevölkerung, unter der die Juden lebten. Während die Christen Expeditionsschiffe ausrüsteten, um das »Reich des Priesters Johannes« zu suchen oder mit den »Inseln der Sieben Städte« Kontakt aufzunehmen, hatten die Juden keinerlei Möglichkeit, mit ihren Brüdern in Asien in Verbindung zu treten. Sie konnten nur hoffen, daß im Zuge der Öffnung neuer Verkehrsrouten durch die Weltmeere auch diese Länder entdeckt werden. Eine solche Möglichkeit erhofften sich die Juden in Spanien. Sie waren überzeugt, daß früher oder später Berichte über Entdeckungsreisen ganz konkrete Mitteilungen über die jüdischen Länder enthalten würden. Informationen dieser Art würden ihnen in zweifacher Hinsicht nützen: Erstens könnten sie auf neue Zufluchtsorte hinweisen, zweitens würden die Juden in den Augen der Bevölkerung aufgewertet und an Ansehen gewinnen. Die Situation, in der sie sich in Spanien befanden, hatte beide Aspekte nötig. An dieser Aufwertung des Ansehens würden neben den Juden auch die von den Juden abstammenden neuen Christen teilhaben, ohne Unterschied, ob sie Conversos oder Marranen waren. Auch könnten die Herrscher solcher jüdischer Länder, mit denen christliche Könige bald in Handelsbeziehungen treten würden, zugnsten der Juden in den Ländern, in denen sie von Diskriminierung und Austreibung bedroht waren, intervenieren.

Waren doch die Juden Zeugen ähnlicher Interventionen von seiten der Kalifate zugunsten der moslemischen Bevölkerung in den christlichen Ländern. Man kann sich die Gefühle der Juden vorstellen, als sie von solchen Interventionen islamischer Herrscher Kenntnis erhielten. Sie hörten, daß diese sich an den Papst gewandt und angedroht hätten, die schlechte Behandlung ihrer Glaubensbrüder an den Christen in ihren Ländern zu vergelten. Die Päpste hatten solche Warnungen der Kalifen und Sultane stets an die spanischen Herrscher weitergeleitet, was natürlich in ganz Spanien bekannt war.

Wie ein Lauffeuer verbreitete sich unter den Juden die Kunde von einer Delegation aus Palästina, die 1490 zur Königin Isabella gekommen war. Es war gerade zu jener Zeit, als die Vorbereitungen zum Kampf gegen die letzte Festung der Mauren auf spanischem Boden im Gange war. Der Sultan hatte diese Delegation auf Bitten der bedrohten Mauren zusammengesetzt und nach Spanien geschickt. Sie bestand aus katholischen Mönchen der Jerusalemer Klöster und sollte Isabella darlegen, daß der Sultan nicht bereit sei, die schlechte Behandlung der Mauren weiter hinzunehmen, und daß er Gegenmaßnahmen gegen die in Palästina und Syrien lebenden Christen treffen würde. Das machte auf Isabella einen gewaltigen Eindruck. Sie bat die Mönche, den Kalifen zu beruhigen und ihn auf die »tolerante Behandlung« der Mauren in Spanien hinzuweisen. Außerdem versprach sie den Mönchen tausend Dukaten jährlich für die Betreuung des Heiligen Grabes und gab ihnen einen von ihrer Hand gewebten Schleier, damit man ihn an der Heiligen Stätte anbringe. Das war nicht die erste Intervention dieser Art zugunsten der moslemischen Glaubensbrüder, die unter christlichen Herrschern in europäischen Ländern diskriminiert wurden.

In ihren kühnsten Träumen und Hoffnungen wagten auch die Juden an derartige Interventionen mit Androhung von Gegenmaßnahmen zum Schutz verfolgter Juden in christlichen Ländern zu denken, sobald man einmal Kontakt zu den Ländern der zehn Stämme hergestellt hätte.

III. DER MANN IM ZWIELICHT

Wer war der Mann, der es verstanden hatte, die Hoffnungen der Juden und Marranen zu wecken? Wer war der Mann, der genau wußte, daß die Ausführungen seiner Pläne zum Teil von jenen abhing, denen Verfolgung und Austreibung bevorstanden, und auch von jenen, die zwar noch nicht unmittelbar bedroht waren, aber immerhin vor dem Ungewissen standen?

Hunderte von Büchern wurden über ihn verfaßt. Es gibt keinen zweiten Mann in der Geschichte, der so bekannt ist wie er. Keiner ist so umstritten wie er, seine Geburt, sein Charakter, sein Lebenslauf und seine Leistung. Seit Jahrhunderten tobt der Streit der Gelehrten um seine Herkunft. Seit Jahrhunderten wimmelt es von Fälschungen, unbewiesenen Behauptungen und von Personen, deren Absicht es ist, die Wahrheit nicht ans Licht kommen zu lassen.

Befaßt man sich mit der Geschichte der Juden Spaniens, so stößt man unvermeidlich auf den Namen Columbus. Ein Teil seiner Geschichte ist auch ein Teil der Geschichte der Juden jener Zeit, unabhängig davon, ob Columbus Jude, Marrane oder ob er überhaupt jüdischer Abstammung war. Seine Pläne berührten Hoffnungen der Juden und wurden daher von ihnen unterstützt.

Nach der Lektüre von Büchern verschiedener Autoren über Columbus und seine Entdeckungsreisen war es für mich richtig und wichtig, nach Spanien zu reisen, um mir dort in der Biblioteca Colombina in Sevilla Bücher anzusehen, die im Besitze des Entdeckers waren und die zum Teil auch seine

Randbemerkungen trugen. Diese Randbemerkungen und die Auswahl seiner Bücher schienen mir notwendige Behelfe zur Erforschung seiner Person und seiner Absichten zu sein. Ich wollte mir einen Überblick über die Geisteswelt schaffen, in der sich der Entdecker Amerikas bewegte. Ich wollte auch die Briefe Columbus' an seinen Sohn Diego sehen, auf denen ein geheimnisvolles Zeichen angebracht ist, das vielleicht zu einer Abrundung des Bildes dieses überaus interessanten Menschen beitragen konnte.

Die Biblioteca Colombina ist an die Kathedrale – eine einstige Moschee – angeschlossen. Sie entstand durch eine Schenkung Fernando Colons, des unehelichen Sohnes von Columbus. Fernando hatte eine umfangreiche Bibliothek mit zwölftausend Bänden, zum Teil sehr wertvollen Büchern, zusammengetragen. Darunter befanden sich auch Bücher, die das Eigentum seines Vaters gewesen waren. Fernando war ein sehr gebildeter Mann, und da er geistlichen Berufes war, hatte er seine große Bibliothek den Dominikanern des Klosters San Pablo in Sevilla vermacht. In mehreren Sälen, in Glasschränken beiderseits der Wände, ist Band um Band eingereiht, und in der Mitte stehen Vitrinen, in denen sich die Bücher befinden, die das Eigentum von Columbus waren.

Ein eigenartiges Gefühl ergriff mich, als ich mit Erlaubnis des Bibliothekars Buch um Buch aus der Vitrine nahm, alles Bücher, die seinerzeit Studienobjekte von Columbus waren. Ich möchte hier als erstes das »Buch der Prophezeiungen« nennen. Columbus hat es zum Teil eigenhändig abgeschrieben. Er zitiert es oft, sowohl in seinem Tagebuch wie auch in seinen Briefen und – wie sein Biograph Las Casas berichtet – auch in Gesprächen. Den Propheten Jesaja hat Columbus besonders verehrt. Wichtig war ihm auch das Buch des Kardinals Pedro d'Ailly über die Welt »Imago mundi«, ein Buch von Plutarch, herausgegeben in Sevilla 1491, das Buch von Plinius über die Naturgeschichte (mit Randbemerkungen von Columbus in Spanisch, Portugiesisch und einer einzigen Eintragung in Italienisch), ein Buch von Marco Polo »Der consultidinibus et conditionibus orientalum regionum«, weiter die Tragödien von Seneca, ein Studienbuch von San Antonino de Florencia, und Alberto Magnos Buch »Filosofia natural.« Dann wieder ein Buch mit sehr vielen Randbemerkungen, die Geschichte des Papstes Pius II., schließlich ein Buch über Navigation, »Almanaque de navegación«, und ein Buch von Abraham Zacuto. Die meisten dieser Bücher hatte Columbus noch vor der Zeit seiner Entdeckungsreisen erworben. Die Historiker meinen, daß es sich bei den Büchern in der Biblioteca Colombina bloß um einen Teil seiner Bücher handelt und daß er weitaus mehr Bücher besaß, als allgemein bekannt ist.

Zum 400. Jahrestag der Entdeckung Amerikas wurde vom italienischen Unterrichtsministerium ein umfangreiches Werk von zwölf Bänden unter dem Titel »Raccolta di Documenti e Studi« herausgegeben, in dem alle Dokumente und Eintragungen in den Büchern Columbus' zusammengefaßt waren.

Das Bild, das sich die Welt heute von Columbus macht, ist entweder von Italienern oder von Spaniern geformt. Man weiß von ihm, daß er ein zäher Kämpfer um die Verwirklichung einer Idee war, daß er oft in Not gelebt, aber von seiner Idee nie abgelassen hat, daß er sich in mehreren Ländern aufhielt und eigentlich nirgends zu Hause war. Was weiß man über die Geisteswelt, in der er sich bewegte? Darüber können nur die aufgefundenen Bücher, seine Briefe und seine Randbemerkungen in den Büchern Aufschluß geben. Diese Marginalien waren ja für niemand anderen bestimmt als für ihn selbst, als eine Art Stütze seines Gedächtnisses, wobei er oft graziös einen Zeigefinger hinzeichnete, um sich selbst auf irgendeinen Satz, auf dem er noch einmal zurückkommen wollte, aufmerksam zu machen.

Ich hatte ein ausgiebiges Gespräch mit Professor de la Peña, dem früheren Direktor des Archivs de las Indias in Sevilla. Wir waren uns einig, daß Columbus ein ungewöhnlicher Mensch war und daß man ihn vor allem aus der Warte seiner Zeit betrachten muß. Ich kam auf die Bücher in der Vitrine zu sprechen und fragte, ob das die Geisteswelt eines Seemannes jener Zeit war. Professor de la Peña erzählte von einer Untersuchung, die amerikanische Marinesachverständige aufgrund von Aufzeichnungen von Columbus und der Instrumente, die er während der Reise benützt hat, durchgeführt hatten. Es ging bei dieser Untersuchung einzig und allein um die nautische Seite des Unternehmens. Die Untersuchung ergab, daß er in sehr begabter Seemann war.

Bevor ich nach Spanien fuhr, hatte ich eine Menge Columbus-Literatur in verschiedenen Sprachen gelesen. All das, woran ich mich erinnern konnte, und auch die Notizen, die ich mit mir führte, schienen mir unbefriedigend, und ich war mir im klaren, daß Columbus noch viele Rätsel aufgeben wird, bis der Welt in Gesamtbild von ihm – wenn überhaupt – zur Verfügung stehen wird. Die Schwierigkeit einer objektiven Darstellung der Person des Columbus und der Vorgeschichte seiner Entdeckungen steigert sich von Jahrzehnt zu Jahrzehnt. Diese Schwierigkeit basiert auf chauvinistischen Ressentiments, die auf eine kritische Auseinandersetzung verzichten zu können glauben.

Dokumente haben genau wie Menschen ihre Schicksale. Nachdem sie aber Menschen überleben, erstreckt sich ihr Schicksal über weitaus längere Zeiträume. An dieses Schicksal wird man vor allem erinnert, wenn man die Geschichte der Dokumente von und über Columbus studiert. Nur ein Teil des Familienarchivs ist erhalten geblieben. Kein Wunder, da es im Lauf der Zeit durch so viele Hände ging und durch Kontintente wanderte. Nach dem Tod des Sohnes Diego im Jahre 1526 übernahmen dessen Gemahlin, Maria von Toledo, und ihr Sohn Luis Colon die Familienkorrespondenz. Sie übersiedelten 1544 nach den Indischen Landen, wo sie Vizekönigin war, und nahmen das Archiv mit. Dort befand sich zu dieser Zeit Bischof Las Casas, der Einsicht in die Dokumente nahm und die Geschichte des Entdeckers niederschrieb. Schon fünf Jahre später, nach dem Tod Marias von Toledo, gehen die Dokumente nach Spanien zurück und kommen in die Obhut der Mönche des Klosters von Las Cuevas. Bald beginnt ein Streit um die Dokumente, zieht sich hin bis ins 17. Jahrhundet. Muno Colon von Portugal, einer der Nachkommen von Columbus, bekommt das Erbe aufgrund einer richterlichen Entscheidung zugesprochen. Es handelt sich dabei aber nur um einen Teil, da sich ein anderer Teil der Dokumente von Las Cuevas im Besitz der Familie des Herzogs von Alba befand. Diego Colon heiatete eine Nichte des Herzogs von Alba, die auch mit dem König Ferdinand verwandt war. Der Herzog von Alba, der eine marranische Großmutter hatte, trug sich in die Geschichte mit blutigen Lettern als williges Werkzeug der Inquisition in den Niederlanden ein. Die Familie Alba behielt die Dokumente bis 1790, dann kamen sie in den Besitz eines anderen Zweiges der Familie, nämlich der Colon-Artegon und der Avila und wurden vom zwölften Herzog von Veragua in bereits stark verkleinertem Umfang geerbt: Es waren nur die Briefe Colons an seinen Sohn Diego dabei. Diese Wanderung der Familienkorrespondenz ist beispielhaft und beweist, daß das Familienarchiv in seiner Gesamtheit nicht erhalten geblieben ist. Es ist auch bekannt, daß es zahlreiche Fälschungen von Archivstücken gibt. Den Fälschern ging es um eine andere Darstellung des Lebens des Entdeckers und seiner Reisen. Anläßlich der Vornahme von Fälschungen wurden wahrscheinlich die Originale vernichtet.

Ein spanischer Marineoffizier namens Navarrete hat im Jahr 1791 in den Archiven des Klosters San Esteban und eines Nachkommen von Columbus, des Herzogs von Veragua, einen Teil der Briefe und Berichte, die aus der Hand des Columbus stammen, aufgefunden. Auf diese Weise gelangten sie zur Kenntnis der Öffentlichkeit.

Auch das Tagebuch von Columbus ist im Original nicht erhalten geblieben. Ende des vorigen Jahrhunderts wurde eine Abschrift, die von Bischof Las Casas wahrscheinlich aufgrund des Originals angefertigt wurde, gefunden.

Es gibt auch kein authentisches Bildnis des Entdeckers von Amerika. Zwar sind zahlreiche Bilder vorhanden, die Jahrzehnte oder Jahrhunderte nach seinem Tod entstanden sind, sie weisen aber untereinander keinerlei Ähnlichkeit auf. Ein einziges Bild, das als ältestes angesehen werden kann und von dem man glaubt, daß der Maler eventuell Columbus noch persönlich gesehen hat, zeigt Columbus als einen Menschen mit gewissen semitischen Zügen, sowohl in seinem Gesichtsausdruck wie um Mundpartie und Nase. Dieses Bild befindet sich in der Galerie der Uffizien in Florenz. Aber niemand kann sich dafür verbürgen, daß dieses Bild auch wirklich Columbus darstellt. Ähnlich, vielleicht nicht ganz so verworren, verhält es sich mit der Herkunft des großen Entdeckers. Seine Herkunft ist durch viele Widersprüche gekennzeichnet, die vor allem von Columbus selbst und von seiner Familie verursacht worden sind. Viele Forscher, die einmal eine Meinung über die Herkunft des Entdeckers abgegeben haben, sind nicht bereit, sie zu revidieren.

Gleich nach dem Tode seines Vaters äußerte sich sein Sohn, Fernando Colon, dazu. Er sagte, er habe Verwandte der Familie in Genua und in der Umgebung von Genua gesucht, aber keine gefunden. Aber diese Erklärung ist schon eine Parteinahme. Denn sofort nach dem Tode des Columbus begann die Rivalität zweier Nationen - Spanien und Italien - um einen großen Sohn. Fernando wollte mit seiner Erklärung die spanische These stützen, aber die Forscher messen ihr allgemein keine besondere Bedeutung bei.

Trägt man alles zusammen, was bisher über die Herkunft

von Columbus veröffentlicht wurde, so steht man vor einem verwirrenden Puzzlespiel, das noch niemand befriedigt lösen konnte. Viele Kräfte waren bemüht, das Bild der Herkunft zu verdunkeln und auch Forscher auf falsche Fährten zu locken. Vor allem Columbus selbst hat die Welt und zum Teil seine Familie im unklaren halten wollen, was ihm auch gelungen ist. Um dieses Bild aufzuhellen, muß man sich zunächst fragen, warum Columbus ungern oder überhaupt nicht über seine Herkunft gesprochen hat. Und weil seinen wenigen schriftlichen Aufzeichnungen praktisch nichts Klärendes entnommen werden kann, ist es sehr mühsam, sich aus einzelnen Textstellen in Briefen ein Bild zu machen - ein Bild, das niemals Vollständigkeit beanspruchen kann.

Die Angaben von Columbus stehen in krassem Widerspruch zu offiziellen italienischen Urkunden sowie zu den spanischen Kombinationen über seine Herkunft. Nicht nur über die Stadt, sondern auch über die Provinz, aus der er stammen soll, gibt es noch immer Meinungsverschiedenheiten. Während die Italiener sich auf Genua und Savona konzentrieren, tippen manche spanische Forscher auf Estremadura, manche auf Galicien, Katalonien, Kastilien und auf die Insel Mallorca. Immer wieder tauchen neue Kombinationen auf.

Das Todesdatum steht eindeutig fest: 20. Mai 1506, in Valladolid. Das Geburtsdatum kann um das Jahr 1451 angenommen werden, wenn wir uns auf die italienische Version festlegen. Nach den wechselvollen Angaben von Columbus selbst bei verschiedenen Gelegenheiten variiert sein Geburtsdatum zwischen 1447 und 1453. Nach präzieren Aussagen, die Columbus in Gerichtsakten gemacht hat, glaubt man, daß er zwischen dem 25. August und dem 31. Oktober 1451 geboren wurde. Was wissen wir noch mit Sicherheit? Daß er etwa im Alter von 25 Jahren in Lissabon auftaucht, wobei die Frage, wie er dorthin gekommen ist, nicht eindeutig geklärt ist, zumal auch hier die Angaben des Columbus von manchem angezweifelt werden.

Es gibt nämlich Forscher, die bezweifeln, daß er nach einer Schlacht schwimmend das Land erreichte. Was hier erzählt wird, ist ein ganzer Abenteuerroman aus jener Zeit: Seegefecht mit den Piraten, Feuer auf dem Schiff, auf dem sich Columbus befindet, Versenkung des Schiffes, dann die Schwimmpartie ans Land, wo er von Genuesen, die in Lissabon lebten, gelabt und bewirtet wurde. Diese Darstellung wird von seinem Sohn Fernando in der Geschichte, die er über seinen Vater schreibt, wiedergegeben und findet sich auch gleichlautend bei seinem Biographen Bischof de las Casas. Für diese Geschichte gibt es keinerlei Unterlagen als nur die eine, daß es zu jener Zeit tatsächlich eine Schlacht in dieser Gegend gegeben hat. Fast alle Forscher tun sie als Aufschneiderei ab. Wie immer sich das Ganze abgespielt haben mag, für den weiteren Lebenslauf hat es keine besondere Bedeutung. Dann wissen wir, daß er im Jahr 1478 in Portugal Felipa Moniz heiratet, daß ihm im Jahr 1479 oder 1480 sein Sohn Diego geboren wird und daß er sich etwa bis zu seinem 32. Lebensjahr in Portugal erfolglos bemüht, die königliche Junta, die den König in Entdeckungsreisen berät, für seine Pläne zu gewinnen. Im Jahr 1485 sehen wir ihn in Kastilien zuerst im Kloster La Rabida und dann bei verschiedenen wichtigen Persönlichkeiten antichambrieren, bis endlich Anfang 1492 die Katholischen Könige Ferdinand und Isabella die Zustimmung für die Entdeckungsreise geben.

Von diesem Augenblick an ist alles urkundenmäßig belegbar bis zu seinem Tode. Dazwischen hatte er außereheliche Beziehungen zu einer Frau in Kastilien; diese Verbindung entsprang der Sohn Fernando. Columbus' Frau Felipa Moniz ist ein Jahr nach der Geburt des Sohnes Diego verstorben.

Das ist ein ganz kurzer Lebenslauf dieses Mannes, aber die Welt, die ihm Großes verdankt, will mehr wissen als einige nackte Daten. Hier beginnen schon die Schwierigkeiten.

Die italienischen Urkunden über die Abstammung von Columbus, wenn sie tatsächlich echt sind, was wiederum von spanischer Seite bezweifelt wird, besagen, daß er aus sehr kleinen Verhältnissen stammt. Sein Vater soll ein Turmwächter in Genua und später Weber in Savona gewesen sein. Die Familie brachte sich durch ihrer Hände Arbeit recht und schlecht durch. In italienischen Archiven fand man eine Reihe von Urkunden, die auf diese Familie zutreffen, ferner notarielle Urkunden über die Miete eines Wohnhauses aus dem Besitze der Kirche in Genua, Urkunden über den Abschluß von Untermieten, über verschiedene Strafzahlungen und auch Bürgschaftserklärungen. In eine solchen Bürgschaftserklärung figuriert ein Sohn Christophoro Colombo, 18jährig, mit dem Beruf eines Webers. Wir wissen weiter, daß die Familie von Genua in die kleine Stadt Savona zog, wo sie das Weberhandwerk betrieb und sich auch zeitweise mit dem Schankgewerbe befaßte. All das ist durch eindeutige Urkunden belegbar.

Wir sehen also, daß es sich bei der italienischen Familie Colombo um Menschen aus kleinen Verhältnissen handelte. Dann drängt sich allerdings die Frage auf, welche Studienmöglichkeiten ein junger Mann aus so einem Hause damals hatte, dessen Beruf noch als 18jähriger mit Wollweber angegeben wird und der sich schon mit 25 Jahren in Portugal befindet.

Der junge Mann hat ausgiebige nautische Kenntnisse, geht in Portugal dem Beruf eines Landkartenzeichners oder Kartographen nach und verdient damit zeitweise sein Brot. Wer seine Bücher in die Hand nimmt und die Randbemerkungen liest, sieht, daß dieser Mann Latein und Spanisch ausgezeichnet beherrschte, daß er auch Portugiesisch konnte und selbstverständlich Italienisch, obwohl er nur selten von dieser Sprache Gebrauch machte. Die handschriftlichen Randbemerkungen in seinen Büchern beweisen zudem, daß er sich in Geschichte, Geographie, Religion und religiösen Schriften gut auskannte. Wenn er beim Studium eines Buches eine Randbemerkung macht, benützt er dazu sein zur betreffenden Materie bereits vorhandenes Wissen. Es erhebt sich daher die Frage, wann er dieses Wissen erworben hat.

Die Studienmöglichkeiten von damals kann man mit den heutigen nicht vergleichen. Er hätte dieses Wissen in einem Kloster unter Mönchen erwerben können, hätte er zum Beispiel den Priesterberuf erwählt. Aber dem war nicht so. Im Lichte der italienischen Urkunden muß er sich schon in jungem Alter sein Brot durch handwerkliche Arbeit verdienen. Natürlich hätte es auch die Möglichkeit gegeben, daß die Eltern einem jungen begabten Sohn eine Ausbildung finanziert hätten, was mit Schulbesuch, Schulhilfen, privaten Lehrern und dergleichen verbunden gewesen wäre. Es ist schwer zu glauben, daß seine Eltern, so wie wir sie aus den italienischen Urkunden kennen, dazu finanziell in der Lage gewesen waren, auch unter der Voraussetzung, daß sie eine solche Absicht überhaupt gehabt hätten. Schon die Art seines Auftretens läßt schwerlich die Vermutung aufkommen, daß er nichts anderes als der Sohn ebendieser kleinen Leute war, der nur einen elementaren Unterricht genossen hatte.

Columbus selbst durchkreuzt uns weitere Gedanken zu diesem Thema, indem er angibt, schon im Alter von 14 Jahren auf See gegangen zu sein. Das Leben eines Schiffsjungen zu jener Zeit war auch nicht dazu angetan, sich in Sprachen und Geisteswissenschaften zu bilden, besonders wenn man keine entsprechende Vorbildung hatte. Es ist klar, daß wir es mit einem wißbegierigen Jungen zu tun haben, und es zeigt sich auch später, daß Columbus ein nautisches Wissen und viel praktische Seemannskenntnisse besessen hat. Ein Beweis, daß er die Jahre auf dem Schiff gut genützt und nicht umsonst verbracht hat.

Wenn man der italienischen Version weiter folgt, fällt auf, daß Columbus seine italienische Muttersprache fast nie benützt hat. Sogar mit seiner Bank St. Giorgio in Genua korrespondierte er nicht, wie normalerweise zu erwarten wäre, in Italienisch, sondern in kastilischer Sprache. Mehrmals bezeichnete er in seinen Schriften das Kastilische als seine Muttersprache. Aber das konnte auch eines seiner Verdunkelungsmanöver sein. Spanier behaupten, Columbus habe sich niemals der italienischen Sprache bedient. Andererseits gibt es eine Überlieferung, daß Columbus während seiner Entdekkungsreisen, wenn er mit den Leistungen der Mannschaft unzufrieden war und in Wut geriet, zur ialienischen Sprache Zuflucht nahm, indem er die Mannschaft auf italienisch beschimpfte und eine Reihe italienischer Flüche verwendete. Es ist eine Erfahrungstatsache, daß man in die Muttersprache verfällt, wenn man sich den Zorn von der Seele reden will. Zeugen seiner Zeit erzählen indessen, daß er sehr gut Kastilisch mit einem portugiesischen Akzent gesprochen habe.

Bleiben wir weiter bei der italienischen Version betreffend die Bildung Columbus', so stoßen wir auf die Behauptung, daß er sich aus einem wissensdurstigen Knaben zum Autodidakten entwickelt habe. Immerhin bewegt sich dieser Wissensdurst auf den Gebieten der Mathematik, der Astronomie und der lateinischen Sprache, die nur in gewissen Kreisen bekannt war. Es ist schwer anzunehmen, daß Columbus alle diese seine Kenntnisse in den Wanderjahren erworben hat, er hätte sie in den Wanderjahren bestenfalls vervollständigen können. Es wird daher ein privates Studium vermutet. Wer hat aber die Lehrer, die den Knaben unterrichtet haben sollen, bezahlt? Bücher waren zu jener Zeit nicht gerade billig. War er etwa eine Art Werkstudent, der sich seine Studien durch seine Arbeit bezahlt hat? Es ist kaum anzunehmen, daß seine Familie diese Studien bezahlt hat. Aus allen Urkunden, die in Italien aufgefunden worden sind und die über seinen Vater Domenico Colombo und seine Kinder und überhaupt über die Familie aussagen, geht nichts hervor, das eine solche Annahme rechtfertigen würde. Es geht daraus allerdings auch nicht hervor, daß eine solche Annahme auszuschließen ist. Dazu ist noch zu bemerken, daß man Geometrie, Arithmetik, Astronomie

Es temperancia tiento y manera.
que todos contino devemos tener
en nunca temptar dezir ni hazer
cosa que deva no ser hazedera
es esta la larga y estrecha carrera.
A do de contino virtud es hallada.
Sin ser cometida ni ser salteada
del medio ni del que dalle dentera

Ein Blatt aus dem Buch der Prophezeiungen Jeremias'.
Abgeschrieben von Columbus
(Biblioteca Colombina, Sevilla)

nicht ohne Hilfe oder wenigstens ohne Anleitung erlernen kann.

Als Jahre nach dem Tod des Entdeckers sein Sohn Fernando Colon über seinen Vater schreibt, weiß er, daß die Welt die Frage stellen wird, wo sein Vater, der Admiral der Ozeane, sich dieses Wissen in Arithmetik, Geometrie und Astronomie, die damals Astrologie hieß, erworben hat. Und da sagt er schlicht, sein Vater Cristobal Colon hätte an der Universität in Pavia studiert. So kommt durch Fenando Colon ein anderer Teil Italiens, nämlich die Lombardei, als Aufenthaltsort in Betracht. Viele Forscher haben diese Angabe Fernando Colons als ein Märchen oder als eine Verlegenheitsantwort abgetan. Seit Beginn des 19. Jahrhunderts haben sich Mailand, Piacenza und Modena Kämpfe geliefert, weil sie nachweisen wollten, daß Columbus nicht in Genua, sondern in ihrer Stadt geboren worden sei. Einen Aufenthalt in der Lombardei hat Columbus zwar einmal erwähnt, doch sprach er niemals von Studien an der Universität in Pavia. Für diese Studien gibt es überhaupt keinerlei Urkunden und keinerlei Hinweise. Wäre diese Sache kein Märchen oder keine Verlegenheitsantwort seines Sohnes, hätte Columbus, der mit so vielen Wissenschaftlern zu tun hatte, die seine Pläne prüften, diese seine Studien bestimmt erwähnt, um sich in den Augen der Gelehrten aufzuwerten. Das hat er aber niemals getan.

In den Randbemerkungen in seinen Büchern läßt Columbus erkennen, daß er die Bibel, die Propheten und vieles andere mehr aus der eigenen Welt des Judentums kennt. Wo hat er dieses Wissen über das Judentum erworben? In dem Buch, das in seinem Besitz war und heute in einer Vitrine in der Biblioteca Colombina in Sevilla ausgestellt ist – es handelt sich um das Buch »Die allgemeine Geschichte des gelehrten Papstes Pius II.« –, verriet Columbus, daß ihm die jüdische Zeitrechnung bekannt ist. Aus einer Randbemerkung ersehen wir den Zeitpunkt der Eintragung, nämlich das Jahr 1481. Er überträgt die-

. Jsayas . c . 22 . 30

Et erit in die illa. vocabo servũ meũ Elyachim filiũ helchie: et induã illũ tunica tua: et cingulo tuo confortabo eũ: et potestatẽ tuã dabo in manu eius. Et erit q̃si pater habitantibus ierusalem, et domui iuda. Et dabo clavẽ domus david sup humerũ eius. et aperiet: et nõ erit qui claudat: et claudet: et nõ erit qui aperiat. Et figã illũ paxillũ in loco fideli. et erit in soliũ glie domui patris sui. Et suspendã sup eũ oẽm gliã domus patris eius. vasorum diversa genera. oẽ vas parvulũ a vasis craterarum usq; ad oẽ vas musicorum. In die illa dicit dñs exercituũ auferet paxillus qui fixus fuerat in loco fideli: et frangetur, et cadet: et peribit quod pependerat in eo. quia dñs locutus est.

. Jsa . 55 .

Omnes sitientes venite ad aquas: et qui nõ habetis argentũ: properate, emite, et comedite. etc. Inclinate aurem vestram: et venite ad me. audite: et vivet anima vestra. et feriam vobiscũ pactũ sempiternũ, misericordias david fideles. // Ecce testem populis dedi eum: ducẽ ac preceptorẽ gentibus. // Ecce gentẽ quã nesciebas vocabis: et gentes que nõ cognoverunt te: ad te current propter dñm deũ tuũ: et sc̃m israel q̃ glificavit te. Et erit dominus nominatus in signũ eternũ quod nõ auferetur.

Aus dem Buch der Prophezeiung Jesajas'.
Abgeschrieben von Columbus
(Biblioteca Colombina, Sevilla)

ses Jahr gleich nach dem jüdischen Kalender auf das Jahr 5241. So alt wäre die Welt nach der jüdischen Zeitrechnung damals gewesen, wobei Columbus von der Erschaffung der Welt ausgeht, weiter anführt, daß Adam 130 Jahre alt geworden und die Zerstörung des zweiten Tempels vor 1413 Jahren erfolgt sei. Es ist nicht nur diese Eintragung, es sind viele, viele andere, die beweisen, daß er sowohl die jüdische Geschichte gut kannte als auch sich eingehend mit dem Judentum befaßte. Wann hat er alle diese Kenntnisse erworben? Noch eine zweite Frage: Welche christliche Seemann jener Zeit, sollte er Kapitän oder Admiral gewesen sein, hatte solches Wissen? Es sei mir erlaubt, ein Zitat anzuführen. Der Satz befindet sich in einem Brief von Columbus an den Erzieher des Prinzen Johann. Er lautet: »Ich bin ein Knecht desselben Herrn, der David in diesen Stand erhob.« Dieser Satz gibt zu denken.

In einem anderen Buch findet sich seine Randbemerkung: »Gog Magog«. In der Prophezeiung des Ezechiel über das Kommen des Messias wird gesagt: Der Erlöser wird kommen, wenn der dämonische Herrscher Gog im Lande Magog ein mächtiges Reich errichten wird. Ist diese Eintragung nicht wie ein Symbol für jene Zeit? Am ehesten hätte sie ein Jude machen können, denn für die Juden war der Dämon Gog bereits damals in Spanien da. Da nicht alles, was Columbus niedergeschrieben hat, erhalten geblieben ist, kann man nur vermuten, daß es noch mehrere Stellen geben könnte, etwa in Dokumenten, die verlorengegangen sind.

Im Bordbuch der ersten Reise sind zwei bedeutsame Eintragungen vom 22. und 23. September 1492 enthalten. Die Reise zog sich hin, kein Land war in Sicht, die Matrosen murrten und waren einer Meuterei sehr nahe. Der Wind ließ nach, und die Matrosen waren überzeugt, daß sie sich in einer Zone befänden, in der es überhaupt keine Winde gäbe, und daß sie nicht mehr nach Spanien zurückkehren könnten. Da erhob sich – es war gerade die Zeit der Äquatorialstürme – in der Ferne ein Orkan. Die Matrosen beruhigten sich, und Columbus schrieb in sein Tagebuch: »Das hochgehende Meer kam mir aber gut zustatten, es war in Zeichen, wie es so noch nie erschienen war, seitdem die Juden von Ägypten auszogen und gegen Moses murrten, der sie aus der Gefangenschaft befreit hatte.«

Wegen dieses Zitats versetzt Columbus die Welt in Staunen. Columbus' Art zu reagieren gleicht auffallend der typisch jüdischen Kombinationsgabe, auf Situationen mit Zitaten oder mit Geschichten aus der Bibel und heiligen Schriften zu antworten, um die Sachlage zu illustrieren. Columbus verwendet sehr viele solcher Zitate aus der Bibel, aus den Propheten und anderen Büchern, die seine Kenntnisse des Judentums und seiner Schriften unter Beweis stellen. Um einer Beurteilung gerecht zu werden, darf man kein Zitat als etwas Gesondertes analysieren, man müßte all das, was erhalten geblieben ist, zusammen einer gemeinsamen Beurteilung unterziehen. Nur so könnte man den vielen Rätseln, die uns Columbus aufgibt, näherkommen. Sie geben ein Bild von der geistigen Welt, in der Columbus gelebt hat.

Unzählige Forscher haben alle diese Randbemerkungen gelesen, haben wie Fritz Streicher in seinen »Spanischen Studien« noch in den dreißiger Jahren dieses Jahrhunderts eine gründliche Analyse aller seiner Briefe und der Randbemerkungen in den Büchern vorgenommen, vor allem in sprachlicher Hinsicht. Man schrieb lange Aufsätze darüber, wie Columbus den einen oder anderen Buchstaben einmal so und einmal anders schreibt. Man befaßte sich mit der Interpunktion, der Größe der Sätze, die er bildet, man versuchte, sein Latein und sein Spanisch zu analysieren, um daraus Schlüsse zu ziehen, aus welcher Gegend Spaniens er stammen könnte, aber keiner stellte die Frage und beantwortete sie zufriedenstellend, wo er all dieses Wissen erworben hat.

Viele Forscher schreckten vor der Annahme zurück, Columbus, um den sich zwei große Völker streiten, könnte – Gott behüte - Jude oder jüdischer Abstammung gewesen sein, was natürlich vieles, was bisher zu diesem Thema erschienen ist, über den Haufen geworfen hätte. Manche dieser Forscher sind bereit, jeden Kompromiß anzunehmen, wenn man nur eine etwaige jüdische Abstammung aus dem Spiel lassen würde. In der neuesten Zeit mehren sich aber die Neigungen, die Frage einer jüdischen Abstammung nicht so ohne weiteres zu verwerfen, denn es gibt sehr, sehr vieles, was dafür spricht. Dadurch würde manches beantwortet werden, das bisher nicht beantwortet werden konnte.

Aber wie in vielen anderen Wissenschaften gibt es nur wenige Gelehrte, die in der Sache Columbus einmal eine Meinung vertreten haben und später aufgrund neuer Beurteilungen von ihr abgingen. Wer einmal einen Standpunkt eingenommen hat, hält an ihm starrsinnig wie an einem Dogma fest. Und so blieb die Forschung über das Leben und die Abstammung dieses großen Mannes mit winzigen Ausnahmen in zwei Lager geteilt, die sich bekämpfen und gegenseitig verwirren.

Es gibt nämlich viel zu viele Episoden im Leben des Entdeckers, die zu dieser Verwirrung beitragen. Nehmen wir ein Beispiel: Es handelt sich um die schon erwähnte Teilnahme Columbus' an einer Schlacht am Kap Vincente, wo er gegen die genuesische Flotte gekämpft haben soll und dann nach Portugal gekommen sei. Die Gegner der italienischen Version glauben einen Beweis gegen diese Interpretation zu haben und folgern: Columbus, der selber Genuese und Italiener war, konnte doch unmöglich gegen die Flotte seiner Heimat kämpfen. Auf diesen Einwand haben wiederum die Italiener keinerlei Antwort. Es gibt aber noch mehr solcher Episoden, auf die die eine oder andere Seite die Antwort schuldig geblieben ist oder auf die die Antwort schon auf den ersten Anhieb nicht befriedigt. Genua hält aber eisern daran fest, daß Columbus Sohn dieser Stadt war. Um es auch augenscheinlich zu machen, wurde das Haus, das vor der Porta San Andrea liegt, nämlich die Casa dell' Olivella, zum Geburtshaus bestimmt, weil die Genuesen annehmen, daß er in jenem Haus seine Kindheit verbracht hat. Seit dem Jahre 1887 ziert das Haus eine Tafel mit der Inschrift: »Nulla domus titulo dignior hac. Paternis in aedibus Christophorus Columbus pueritiam primamque juventam transegit.« Das Haus der Kindheit und der Jugend Columbus', gleichzeitig sein Vaterhaus, steht nunmehr für die Italiener zweifelsfrei in Genua.

Was wenden nun die Spanier ein? Columbus' Autographie und seine Briefe sind in einem sehr flüssigen Spanisch geschrieben. Columbus hatte im Alter von 25 Jahren Italien verlassen, lebte dann in Portugal, und als er in seine »zweite« Heimat Spanien gekommen war, bediente er sich des »Castellano«, das er wie eine Muttersprache beherrschte. Das ist vor allem an den Randbemerkungen in seinen Büchern zu sehen. Für die Spanier scheint das ein genügender Beweis zu sein, um so mehr, als die italienische Überlieferung punkto Bildung des Columbus zahlreiche Lücken und unüberbrückbare Mängel aufweist.

Zur Zeit der Expedition von Columbus war der Papst ein Spanier, Alexander VI. aus dem spanischen Hause Borgia. Es war der Papst, der die Neue Welt, deren Entdeckung von Columbus begonnen und von den Spaniern und Portugiesen fortgesetzt wurde, in eine portugiesische und eine spanische Zone aufteilte. In der von ihm erlassenen Bulle spricht er von Columbus als von einem geliebten Sohn, einem ehrenhaften, besonders vertrauenswürdigen und einer so großen Aufgabe gewachsenen Mann. Diese päpstliche Bulle bildet die Grundlage für einen Staatsvertrag zwischen Spanien und Portugal vom 7. Juni 1494. Die Teilungszone zwischen Portugal und Spanien bildete der 46. westliche Grad. Eine der Folgen dieses Vertrages ist, daß man in Brasilien Portugiesisch spricht. Natürlich änderte sich dann später vieles, und aufgrund der politischen Ereignisse wurde die Landkarte des entdeckten Amerika ganz anders gestaltet.

Aber die hohe Meinung, die ein Zeitgenosse des Columbus, eben Papst Alexander VI., über ihn in einer Bulle ausspricht, wird noch zu einem späteren Zeitpunkt in diesem Buch zitiert werden, weil sie einige hundert Jahre später vom Vatikan nicht mehr geteilt wird.

Sowohl die spanische wie auch die italienische Öffentlichkeit lehnen entschieden die Identität des Italieners Cristoforo Colombo mit der des Spaniers Cristobal Colon ab. Die Sache wurde zu einer nationalen Prestigefrage. Als ich mit einem italienischen Historiker darüber sprach und ihm meine Vorstellungen eröffnete, sagte er kurz: »Egal, auf was Sie kommen, wichtig ist, daß Columbus kein Spanier wird.« Ähnliches im entgegengesetzten Sinn sagte mir ein geachteter Spanier. So versteift sind die Fronten.

Während die Italiener sich auf Genua als Geburtsort konzentrieren, nachdem die Ansprüche anderer italienischer Städte gefallen sind, wissen die Spanier nichts Ebenbürtiges zu bieten. Sie glauben, daß durch die Aufzählung der schwachen Stellen der italienischen Version diese zu Fall gebracht werde, daher stehe automatisch eine spanische Herkunft des Cristobal Colon als unbestreitbare Tatsache fest. Sie kannten die Schwäche ihrer Position: Italiener präsentieren Eltern, Geschwister, das Haus und so manches Detail. Bei den Spaniern fehlen alle solchen Einzelheiten, denn keine der Städte kann mit Personaldaten oder Familienherkunft aufwarten. Sie stützen sich nur auf Bemerkungen von Columbus oder versuchen, Details aus seinen Briefen in ihrem Sinne auszulegen.

Gegen Ende des 19. Jahrhunderts können die Spanier endlich auch mit Familienunterlagen aufwarten. Es scheint, daß nun eine Wende eingetreten ist und die Italiener in ihrem Anspruch auf die Person des Columbus zurückgedrängt werden.

Die Akten aus Pontevedra kamen ans Tageslicht. Sie wurden vom spanischen Historiker Don Colso Garcia de la Riega entdeckt und im Jahr 1898 veröffentlicht. Die Akten, die aus dem 15. Jahrhundert stammen sollen, bestätigen, daß in der Küstenstadt Galiciens, Pontevedra, ein Domingo Colon, ein Bartholomeo Colon und eine Blanca Colon ansässig gewesen waren. Auch eine Familie Fonterossa wird in den Akten genannt. Diese Fonterossas sollen Juden gewesen sein und den amtlichen Aufzeichnungen nach in einer Ortschaft vier Meilen von Genua gewohnt haben. Die Akten betrafen aber nicht nur geschäftliche Verbindungen zwischen den Colons und den Fonterossas, sondern besagten auch, daß Domingo Colon eine Susanne Fonterossa geheiratet hatte. Außerdem war die in Tarragona im Jahr 1489 auf dem Scheiterhaufen verbrannte Familie Colon nachweisbar mit den Fonterossas verschwägert. Dies könnte wiederum die These, daß die Fonterossas Juden waren, untermauern. Die Vornamen der Colons - Domingo, Bartholomeo und Blanca - sind identisch mit den Namen des Vaters, des Bruders und der Schwester Christobal Colons; die Mutter Cristobal Colons hieß Susanne und war eine geborene Fonterossa.

Der Aktenfund war am Ende des vergangenen Jahrhunderts die große Sensation. Die Dokumente wurden von Sachverständigen untersucht und für echt befunden. Die Gelehrten hatten jede bekannte Einzelheit aus dem Leben Colons untersucht, um Zusammenhänge mit Pontevedra festzustellen, und kamen zu äußerst interessanten Ergebnissen. Bei der Namensgebung in den neuentdeckten Ländern Amerikas hatte Columbus Ortsnamen aus der Umgebung von Pontevedra verwendet: Punte de la Galera, Punte Lanzada, Porto Santo und San Salvador. Die Akten von Pontevedra waren ein Kompromiß in jeder Richtung. Sie konnten für die jüdische Herkunft Columbus' zeugen, wiesen zugleich aber auf die Herkunft seiner Mutter aus der Umgebung Genuas hin.

Die große Sensation platzte, als die 23 Urkunden aus Pontevedra von der Real Academia de la Historia in Madrid einer Untersuchung unterzogen wurden. Es stellte sich heraus, daß diese Dokumente wenn nicht zur Gänze falsch, so doch zumindest zum Teil verfälscht waren. In einem Gutachten vom 19. Oktober 1928 wurden sie von berühmten spanischen Historikern verworfen. Heute spricht niemand mehr von den Akten aus Pontevedra. Gelehrte, die darauf angesprochen werden, machen abweisende Handbewegungen und deuten auf Falsifikate hin.

Nach den tristen Erfahrungen mit den Dokumenten aus Pontevedra tauchte zwei Jahre nach dem Edikt der Königlichen Akademie, die die Pontevedra-Affäre verdammt hatte, ein neues Dokument auf. Dieses soll sich in Reproduktion in der Bibliothek der Universität in Barcelona befinden. Das Original dieses Dokumentes, das angeblich vom Grafen Giovanni dei Borromei im Jahre 1494 - also zu einer Zeit, als Columbus noch in Spanien weilte und seine dritte Expedition vorbereitete - niedergeschrieben wurde, ist in der Casa dei Borromei, dem Familiensitz des Grafen, gefunden worden.

Dieses Papier mit der geheimen Mitteilung des Grafen befand sich im Einband eines Buches aus dem Besitz des Grafen.

Die Mitteilung lautet:

»Ich, Giovanni dei Borromei, habe mich verpflichtet, die Wahrheit, die ich als Geheimnis von Signor Peter di Angliera erfahren habe, niemals weiterzugeben, aber damit die Erinnerung daran erhalten bleibt, gestehe ich der Geschichte die Tatsache, daß Cristóbal Colón mallorquinischer und nicht ligurischer Herkunft ist. Und der genannte Peter di Angliera fügtehinzu, daß der Ratschlag, dies aus politischen und religiösen Gründen zu tun, um die Hilfe der Schiffe des spanischen Königs zu erhalten, Juan Colón zu dieser Täuschung geführt habe. Und weiter will ich sagen, daß Colom und Colón gleichbedeutend sind, da entdeckt wurde, daß in Genua ein Cristóbal Colombo Canajola, Sohn von Domingo und Susana Fontanarossa, lebt, der mit dem Westindien-Seefahrer nicht verwechselt werden sollte. Bergamo, im Jahre des Herrn 1494.«

Dieses Schriftstück sollte die Herkunft Columbus' aus Mallorca stützen, doch spanische Gelehrte kommen nach den Erfahrungen der Akten von Pontevedra sehr ungern darauf zurück.

Schon glaubte man Ende des vorigen Jahrhunderts, die Streitfragen wären nunmehr der Klärung nahe. Um so größer war dann 1928 die Enttäuschung. Die Zweifel, die schon immer auf allen Seiten bestanden hatten, wurden nicht ausgeräumt. Im Gegenteil, die Standpunkte verhärteten sich, die Gelehrten suchten schwache Stellen bei den Thesen ihrer Gegner und waren nicht bereit, ihre eigenen auf schwache Stellen hin zu untersuchen.

Die Italiener weisen natürlich auf Aussagen hin, die den Beweis erbringen sollen, daß Columbus in Spanien als Ausländer galt. Eine Fülle solcher Aussagen befinden sich in den Prozeßakten des Sohnes von Columbus, Diego, gegen den spanischen Fiskus, als dieser die im Vertrag zwischen Columbus und den Katholischen Königen enthaltenen Begünstigungen eingeklagt hat, weil die Könige nicht bereit waren, diese Begünstigungen zu erfüllen. Das Gericht lehnte die Klage Diegos mit dem Hinweis ab, der König hätte solche Privilegien nur Einheimischen erteilen können, nicht aber Ausländern, die noch keine zehn Jahre in Spanien ansässig waren. Im Zuge dieses Prozesses sagten eine Reihe von Personen aus, die Columbus persönlich gekannt haben und die bezeugten, daß er Spanisch mit ausländischem Akzent gesprochen habe. Sie wiesen darauf hin, daß Columbus mehrmals Erklärungen abgegeben habe, aus denen hervorging, daß er Spanien nicht als seine Heimat betrachte. Auch Bischof Las Casas erzählt in der Historia de las Indias von den Widerständen, die Columbus und sein Bruder Bartholomeo bei der spanischen Mannschaft im neuentdekken »Westindien« zu bewältigen hatten, und führt das darauf zurück, daß sie in den Augen der Spanier Ausländer waren. Eine Reihe von Zeitgenossen beschrieb Columbus als Genuesen, und auch der erhalten gebliebene Brief des Magistrates von San Giorgio in Genua, der an Columbus persönlich gerichtet ist, nennt ihn in der Anrede »Clarissime amantissimeque concivis«. Er wird also als Mitbürger angesprochen. Die Italiener weisen außerdem darauf hin, daß die Spanier sich bei ihrer These auf Urkunden stützen, die keine Originale sind und die eigentlich nur Abschriften von Abschriften darstellen.

Gewissermaßen als Kompromiß zwischen der spanischen und der italienischen Auffassung taucht im Buch von Salvador de Madariaga über Columbus eine neue Version auf, indem Madariaga erklärt, »die Colombos waren spanische Juden, die in Genua ansässig geworden waren.« Er meint, daß sie im 14. Jahrundert, also etwa hundert Jahre bevor Columbus in Spanien auftaucht, nach Genua gekommen sind. Madariaga stellt es so dar, als wäre ein Nachkomme dieser spanischen Juden, die sich zum Christentum bekannten, über Portugal nach Spanien zurückgekehrt. Diese These ist äußerst interessant, und Madariaga belegt sie indirekt mit einer Reihe von Details, die dazu passen könnten, nämlich die Verwandlung des Namens Colon in Colomb und dann wieder in Colon. Seine Theorie beantwortet aber eine Frage nicht. Und um diese Frage zu stellen, muß man vorerst etwas mehr darüber sagen.

Im Jahre 1391 gab es grauenhafte Verfolgungen der Juden in Spanien. Viele wurden gezwungen, sich zu bekehren. Andere flüchteten, um ihr nacktes Leben zu retten. Die Juden in Sevilla, etwa ein Viertel der Einwohner dieser Stadt, in der sie hohe Positionen sowohl im Staate wie auch im Magistrat einnahmen, mußten ihren Wohnort verlassen. Es gab nachher eine gewaltige wirtschaftliche Krise in ganz Spanien, da sich die Schlüsselstellungen zumeist in den Händen der vertriebenen Juden oder Marranen befunden hatten. Interessanterweise kamen als Nachfolger der Juden italienische Kaufleute aus

Genua nach Sevilla und ließen sich im verwaisten Judenviertel nieder. Wenn das stimmen sollte, was Madariaga meint, dann wären die spanisch-jüdischen Colons infolge der Diskriminierung der Juden außer Landes nach Italien gegangen. Das liegt natürlich im Bereich des Möglichen, da italienische Fürsten damals sehr gerne die in Spanien verfolgten Juden aufgenommen haben. Es erhebt sich allerdings die Frage, wieso ein Nachkomme dieser einst verfolgten spanischen Juden nach Spanien zurückkehrt, und zwar ausgerechnet in einer Zeit, in der in Spanien die Inquisition wütet. Es gibt keine bekannten analogen Fälle, auf die man sich hier berufen könnte; Columbus handelte genauso wie der oder wie jener, dessen Vorfahren einst als Juden emigrieren mußten. Denn während Columbus in Spanien lebt, wird die Verfolgung der bekehrten Juden vorbereitet und die Austreibung der ungetauften Juden geplant. Ein umfangreiches Denunziantentum greift um sich, wobei der Eifer der Kirche bei der Suche nach geheimen Juden oder nach Scheinbekehrten wahre Orgien auslöst.

Wieder drängt sich eine Frage auf: Wieso kehren Nachkommen Verfolgter in einer Zeit der Verfolgung wieder zurück? Madariaga beantwortet diese Frage nicht. Es ist immerhin bezeichnend für das ganze Buch von Madariaga, mit welcher Hartnäckigkeit er sehr im Gegensatz zu allen anderen italienischen, spanischen und sonstigen Forschern an der jüdischen Abstammung Columbus' festhält. Madariaga folgert: Wenn man zur Annahme gelangt, daß die Abstammung von Columbus zu spanischen Juden führt, ist vieles im Lebenslauf des großen Entdeckers logischer, deutlicher und besser erklärbar.

Wenn wir die Meinung Madariagas als die richtige annehmen, bleibt zwar Genua als Geburtsort möglich, sie ist aber schwer mit der Familie in Einklang zu bringen, die die Italiener als jene Columbus' ausgeben.

Lassen wir den Bischof Las Casas, den Biographen von Columbus, zu Wort kommen, der einige Jahrzehnte nach dem

Tode des Entdeckers Zugang zu den Originaldokumenten und auch die Gelegenheit hatte, darüber mit Zeitgenossen zu sprechen und in die Familienarchive Einsicht zu nehmen. Neuere Forschungen, vor allem ein vor einigen Jahren in der Pariser Nationalbibliothek aufgefundener Brief von etwa 390 Marranen aus Sevilla an die Königin von Kastilien aus dem Jahr 1510, geben uns den Hinweis, daß möglicherweise Bischof Las Casas selbst von Marranen abstammte. Er war aus Sevilla, und es gab immerhin einige Marranenfamilien desselben Namens. Die Schwierigkeiten, denen Las Casas nach seiner Rückkehr aus Westindien in Spanien ausgesetzt war, deuten darauf hin, daß das stimmen konnte. Dann muß man allerdings auch die Darstellung, die Las Casas von Columbus gibt, mit einem gewissen Vorbehalt aufnehmen.

Columbus war trotz aller Versuche, seine Vergangenheit zu verschleiern, zu verdunkeln und die Fragenden zu verwirren, in seinen Schriften, die nur für ihn oder seine engste Familie bestimmt waren, oft unvorsichtig. Er gebrauchte manche Redewendungen, die gerade zu jener Zeit falsch ausgelegt werden konnten. Columbus war aber, als sein Biograph sich mit ihm befaßte, bereits tot. Ihm konnte eine Darstellung nicht mehr schaden, wohl aber seinen Nachkommen, die dauernd Prozesse gegen die spanischen Könige wegen der Zusagen führten, die diese Columbus vor der Entdeckung Amerikas gemacht hatten. Es besteht daher die Möglichkeit, daß Las Casas in seiner Sorge um die Nachkommen von Columbus so manches weggelassen hat, um sie nicht zu belasten. Ich meine, daß man eine solche Möglichkeit nicht ausschließen sollte, wenn man annimmt, daß Las Casas selbst zu den Bekehrten gehört hatte. Diese Annahme gewinnt mehr und mehr an Bedeutung.

In der Lebensdarstellung Columbus' schildert Las Casas einige Einzelheiten, die von großer Bedeutung sind, weil sie gewissermaßen eine gemeinsame italienisch-spanische Version, wie sie Madariaga vorschwebt, untermauern könnten. Las Casas sagt, daß die Eltern und die Großeltern Columbus' in der Lombardei lebten, verarmten und von dort weiterzogen und daß Columbus in Spanien zu seinem ursprünglichen Namen Colon zurückgekehrt ist, wobei Las Casas die Namensänderung in Colombo dazwischen andeutet. Der Name Colombo wird dann abgekürzt in Colom und später geändert in Colon. Colon wäre also der ursprüngliche Name, den seine Eltern oder Großeltern abgelegt haben, um sich einen italienisch klingenden Namen, Colombo, zuzulegen. Der Entdecker aber kehrte zum Ur-Namen Colon zurück.

Madariaga befaßt sich auch mit dem Ur-Namen Colon, und auf der Suche nach jüdischen Colons führt er in den Anmerkungen seines Buches drei Juden mit dem Namen Colon an, die zwischen dem 16. und 18. Jahrhundert in der Lombardei gelebt haben.

Schon vor mehreren Jahren, als ich das Buch Madariagas überhaupt noch nicht kannte, bin ich bei meinen Untersuchungen auf viele andere Colons gestoßen, die in der Lombardei gelebt haben, und zwar zu der Zeit, zu der nach Las Casas die Eltern oder Großeltern dort gelebt haben könnten. Ich bin aber nicht davon ausgegangen, die Colons könnten spanische Juden sein, die nach Italien ausgewandert sind. Ich hielt mich vielmehr an die altbekannte Tatsache, daß die Juden im Mittelalter gewöhnlich Namen nach den Städten benützt haben, aus denen sie gekommen sind, oder daß ihnen solche Namen gegeben wurden. Die Colons in der Lombardei, von denen Madariaga - ohne sie näher zu beschreiben - spricht, sind wahrscheinlich mit den Familien identisch, die ich gefunden habe.

Rabbi Josef ben Salomo Colon war in Chambéry in Savoyen geboren. Nach der Austreibung der Juden aus Savoyen kommt er nach Mestre bei Venedig. Er wurde Rabbiner in Mantova und Bologna, später in Pavia. Er ist der bedeutendste Talmudist seiner Zeit. Seine Schüler kommen aus vielen europäischen Ländern. Als anerkannter rabbinischer Gelehrter zeichnet er sich besonders dadurch aus, daß er die Verbundenheit der Juden untereinander - ohne Rücksicht darauf, in welchem Land sie leben - immer wieder predigt und versucht, diese in Praxis umzusetzen. Er war es, der den jüdischen Gemeinden der Lombardei in Zeiten der Verfolgung der Juden eine Steuer auferlegte, wenn es darum ging, Verfolgte in anderen Gemeinden oder gar in anderen Ländern zu retten oder sie, wenn sie in Gefangenschaft waren, loszukaufen. Er starb im Jahre 1480. Aber es gab schon vorher Colons in der Lombardei. So im 13. Jahrhundert einen Rabbi Josef Colon, im 15. Jahrhundert einen Arzt Josef Colon. Soweit ich feststellen konnte, kamen diese Familien aus dem deutsch-französischen Raum nach Italien. Zur gleichen Zeit lebten in Piemont jüdische Familien Colombo. Im örtlichen Dialekt werden die Colombos Colon genannt. Der deutsch-französische Raum, aus dem die Colons nach Italien kamen, war die Stadt Köln am Rhein.

Köln am Rhein, eine der ältesten Städte Europas, weist eine weit zurückreichende jüdische Tradition auf. Die Stadt wurde vor fast 2000 Jahren als römische Festung gegründet und Colonia Agrippina genannt. Da der Ort an einem Handelsweg verkehrstechnisch günstig gelegen war, kamen phönizische und jüdische Händler hierher, um sich innerhalb der Festung anzusiedeln. Mit der Zeit ließ man beim Namen der Festung das Beiwort Agrippina weg, es blieb nur noch Colonia. Dieses Colonia wurde ein Anziehungspunkt für Juden und zu einer der ältesten jüdischen Gemeinden Europas. Im Mittelalter kamen Angehörige aller rheinischen jüdischen Gemeinden dorthin zu den Märkten. In heute noch existierenden Dokumenten, in denen Teile der Geschichte der Colonia Agrippina in lateinischer Sprache enthalten sind, findet man Anordnungen aus dem 14. Jahrhundert, die sich mit den dortigen Juden befassen.

Ich führe diese Möglichkeit als Beweis dafür an, daß es auch Colons gegeben hat, die in Italien gelebt haben und nicht aus Spanien, sondern aus Deutschland gekommen sind. Ob von diesen Colons ein direker Weg zum Entdecker Amerikas führt, müßte erst durch größere Nachforschungen untersucht werden. Sollte es sich bewahrheiten, dann ist die jüdische Geisteswelt, in der sich Columbus bewegt hat, erklärt.

Der Name Columbus als Name eines Juden kommt auch im Mittelalter in Frankreich vor. Im Jahr 1250 wurde in Carcassonne ein Petrus Columbus, der den französischen Namen Pierre Colomb führte, vor Gericht gestellt. Er war ein getaufter Jude und mußte sich wegen der Beschuldigung, in geheimer Weise die Vorschriften und Riten der jüdischen Religion ausgeübt zu haben, verantworten. Natürlich finden wir unter den aus Spanien vertriebenen Juden auch in anderen Ländern Juden mit dem Namen Colon, zum Beispiel sephardische Juden in Amsterdam. Besonders berühmt, auch außerhalb Hollands, war Jacob Colon, der in der Mitte des 17. Jahrunderts einen großen Seeatlas schuf. Er wurde von den Seeleuten als wichtiger nautischer Behelf mit Zufriedenheit aufgenommen.

In Katalonien war der Name Colon ziemlich häufig, auch unter den sogenannten bekehrten Juden. Die Inquisition befaßte sich, wie aus den Akten hervorgeht, mit einer marranischen Familie Colon, die am Scheiterhaufen verbrannt wurde. Noch während Columbus von Hof zu Hof zog, um Befürworter für seine Seereise zu finden, wurden am 18. Juli 1489 in Tarragona der Marrane Andreas Colon, dessen Frau Blanca und Schwiegermutter Franziska Colon im Büßergewand auf dem Scheiterhaufen verbrannt. Sie alle bekannten, ihr Christentum sei nur ein Lippenbekenntnis gewesen, sie seien im tiefsten Herzen der jüdischen Religion treu geblieben.

Noch vor der Einführung der Inquisition – es handelte sich wahrscheinlich um einen der frühesten Prozesse gegen eine Conversofamilie – war der Prozeß in Valencia im Jahr 1461. Vor einem Tribunal mußten sich Thomé Colom, seine Frau Eleonora und der junge Juan Colom, denen vorgeworfen worden war, daß sie eine Tote nach den Praktiken des jüdischen Ritus gewaschen, angekleidet und beerdigt hätten, verantworten. Es handelte sich um die Mutter der Eleonora Colom, Clara, die im Hause Thomé Coloms wohnte und dort verstorben war.

Manchen Forschern ist es aufgefallen, daß Columbus seine Religion auffallend oft hervorgehoben hat. Er benahm sich ähnlich wie die Marranen zu jener Zeit. Auch sie mußten ihr Christentum öffentlich zur Schau tragen und ihren christlichen Glauben bei jeder sich bietenden Gelegenheit betonen. Ebenso auffallend ist sein ausgeprägter Familiensinn. Er will nicht nur seine Söhne, sondern auch die Nachkommen versorgen, finanziell und mit Ehrenämtern. Manche hielten das für typisch italienisch, aber diese Eigenschaft ist auch bei vielen Juden anzutreffen.

Aus den hinterlassenen Schriften Columbus' geht hervor, daß die ersten Impulse zu seinen Entdeckungsfahrten nicht von wissenschaftlichen Überlegungen ausgingen, sondern von der Interpretation der Weissagungen des Propheten Jesaja. Dieser wurde von Columbus besonders verehrt. In den Abschriften des Buches der Prophezeiungen, die Columbus zum Teil eigenhändig vorgenommen hat, wird dem Propheten Jesaja sehr viel Raum gewidmet. In seinen Gesprächen und in seinen Briefen beruft er sich immer wieder auf die Weisagungen des Jesaja. Wiederholt zitiert er zwei Verse:

»Die Inseln harren auf mich, und die Schiffe im Meer von längst her, daß sie deine Kinder von ferne herzubringen, samt ihrem Silber und Gold« (60, 9). Und: »Denn siehe, ich will einen neuen Himmel und eine neue Erde schaffen« (65, 17).

Als ihm dann die Entdeckungsfahrt geglückt ist, sieht er darin eine Bestätigung der Prophezeiungen des Jesaja. Die Propheten und die Bibel ergänzen sein Wissen. Natürlich war die Bildung des Columbus nicht ohne Lücken. Interessanterweise – und das stimmt einen merkwürdig – las er die Schriften jüdischer Gelehrter, um diese Bildungslücken zu schließen. Unter anderem studiert er den Untergang des alten jüdischen Staates aus der Chronik des Josephus Flavius über den »Jüdischen Krieg«, das Werk Abraham ibn Esras, »Die Nativitatibus«, und das 4. Buch Esra. Auch das Buch des jüdischen Renegaten, des ehemaligen Rabbi Samuel ibn Abbas aus Marokko, über Messias studiert er und schreibt einige Kapitel dieses Werkes ab. Man fragt sich, warum Columbus die Argumente eines Abtrünnigen interessierten. Zu jener Zeit war das Studium jüdischer Schriften für einen Christen ungewöhnlich. Überdies galten ja die Hauptinteressen Columbus' einem ganz anderen Gebiet, nämlich dem der Seefahrt und der nautischen Wissenschaft.

Man sollte auch einige Gedanken darüber verlieren, wie sich Columbus als Katholik zu seinem Glauben bekennt. War er ein Converso, ein echt Bekehrter und kein Scheinchrist, dann ist die Deutung leichter. Es ist eine Tatsache, daß er das Alte Testament genau kannte und daß vieles daraus in seinen Gedankengängen Niederschlag fand. So schreibt er in einem Brief an den Erzieher des Prinzen Johann, er sei stolz auf die Beziehung zum Gott des Hauses David. In den Bedingungen, die Columbus den Königen stellt, kämpft er hartnäckig um das Recht, den Titel »Don« zu führen. Diese Hartnäckigkeit wollen manche Forscher darauf zurückführen, daß nach einem Gesetz des Königs Johann II., gegeben am 2. Januar 1412 in Valladolid, es den Juden verboten war, den Titel »Don« zu führen.

Als Columbus im Mai 1493 geadelt wird, bekommt er ein Wappen, in dem ein Turm und ein Löwe zu sehen sind. Madariaga hält dies für eine große Ehrung, weil es auch im königlichen Wappen von Kastilien und Leon vorkommt.

Sein Wissen über das Judentum, seine Anmerkungen im Buch der Prophezeiungen, das er wie besessen studiert hat, und auch das Buch Esra, das er so oft zitiert, waren nicht nur Bestandteil seines Wissens, sondern auch seines Glaubens. Für viele ehrlich Bekehrte war Christus ein Erneuerer der jüdi-

+ 14

Dize a un este mismo propheta en el cap. 8. / Esto dise el señor de las huestes. / Verná gentes muchas de muchos lugares (e dira el uno a su vezino. Vamos (e busquemos al señor en bien. / E en my señor estas prophecias complidas son. (e cumplese oy a los nros ojos. / Ca señor claramente vees como todos los pueblos: et todas las lenguas leen los libros de la ley (e de los prophetas: et el psalterio. (e desechados ya los ydolos. en q ninguno dellos cree por la doctrina de moysen y de aaron. q creieron a aql iusto del qual dize el propheta abacuch e el ca. 3. Saliste señor en salud del tu pueblo co el tu xpo.

· zacharie. 8.

· abacuch. 3.

· Ide Rabi Samuel. cap. 17.

Temo me señor q dios benefector bivifico et dio iuda a estas gentes por la su fe. (e el nos mato a nos co la incredulidat (e dureza. segund q dise por la boca de isaias en el cap. lxv. Onde dise assy. / Esto dise el señor. por q vos llame (e no me respondistes. los mys siervos comeran (e vos fambrearedes. catad q los mys siervos beveran (e vos peresceredes de sed. los mys siervos se alegraran en alegria de coraçon (e vos seredes confondidos e amargura de vro coraço. E matar te ha dios o israel (e llamara sus siervos por otro nobre. En el qual nobre bendizira aql dios q es bendicho sobre la tierra. Amen

E nos vemos las perdiciones deste nobre bendicho de dios sobre la faz de la tierra. (e vemos q a nos dexamo en captiverio por todo el mundo (e por las quatro partes del ya son mas de mill años. / Et claramente paresce nos el proposito de la ira de dios no para castigar mas para destruir. E aquste es el matamiento co el qual amenazo dios q nos mataria. / Et a questas gentes las quales dios llama syervos suyos rescebieron ya lo q dios prometio en la ley: ante de la muerte del nro primero nobre: segund la orden de las palabras q son dichas por isaias. / Et la fambre (e la sed q nos padescemos no es de pan. mas es de las orationes q es segidad de las nras aias (e fambre

· Isaie. 65.

· Isaie.

Schrift des Rabbi Samuel. Abgeschrieben von Columbus
(Biblioteca Colombina, Sevilla)

schen Religion, von dem die Umwandlung des Judaismus in den »wahren Glauben« ausging. Für den bekehrten Juden fußte der »wahre Glaube« auf der jüdischen Religion. Einem bekehrten Heiden war das natürlich unbekannt. Für einen bekehrten Juden führte ein direkter Weg vom Berge Sinai zum christlichen Glauben. Sollte Columbus ein Bekehrter gewesen sein oder von bekehrten Juden abstammen, so finden wir diesen direkten Weg bei ihm bestätigt. Von diesem Gesichtspunkt aus kann man auch seinen Tatendrang nach der Befreiung Jerusalems aus den Händen der Moslems verstehen, eine Idee, mit der sich Columbus nach seinen Reisen und kurz vor seinem Tode befaßte.

Ich möchte hier an ein Zeichen erinnern, mit dem sich in den dreißiger Jahren ein amerikanisch-jüdischer Gelehrter, Maurice David, beschäftigt und der die Wissenschaft auf dieses Zeichen aufmerksam gemacht hat. Er sah darin ein hebräisches Zeichen, nämlich eine Segnung, zusammengezogen in zwei Buchstaben Beth und Hei, was »Baruch Haschem« (»Gelobt sei der Herr«) bedeutet.

Maurice David fand es in einem Brief von Columbus an seinen Sohn Diego vom 29. Dezember 1504. Er meint, daß dieses Zeichen ausgerechnet im Brief an den Sohn Diego, der aus der Ehe mit Felipa Moniz entstammte, die wahrscheinlich marranischer Herkunft war, eine Bedeutung für diese Abstammung hat. Dieses Zeichen, das ich auf zwölf Briefen Colons gefunden habe, ist auch anderen Forschern aufgefallen, die es vorerst als ein Zeichen des Archivars betrachtet haben. Es handelt sich dabei um die Briefe vom 21. November 1504, 28. November 1504, 3. Dezember 1504, 13. Dezember 1504, 18. Dezember 1504, 21. Dezember 1504, 24. Dezember 1504, 5. Februar 1505, 18. Februar 1505, 24. Februar 1505 und zwei Briefe ohne ersichtliches Datum. Der deutsche Columbus-Forscher Fritz Streicher, der auch in Spanien unter den Gelehrten einen guten Namen hat, spricht davon im Sammelband »Spanische Forderun-

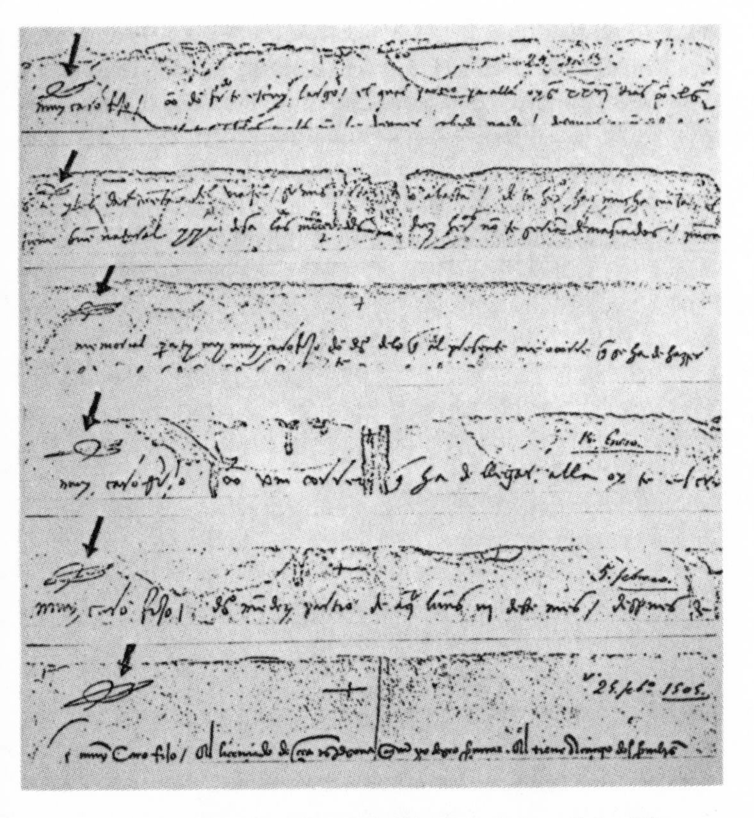

Ausschnitte aus den Briefen Columbus' an seinen Sohn Diego
mit dem geheimnisvollen Zeichen
(Biblioteca Colombina, Sevilla)

gen« im Jahr 1928 und sagt: »In sämtlichen Briefen an Diego seit 21. November 1504 beobachtet man in der linken oberen Ecke von Colons Hand gezogen einen Schnörkel, dessen Bedeutung, weil nur in den Diego-Briefen auftretend, wohl als väterliches vertraulich-süßes Rekognitionszeichen gedeutet werden darf.« Andere Forscher sind der Meinung, daß es sich hier um ein Zeichen des Archivars aus Veragua handeln könnte, und messen ihm keine Bedeutung zu. Fritz Streicher, der sich mit der Handschrift Colons befaßt hat, der jeden Punkt, jeden Beistrich und jeden Schnörkel in seiner Schrift zu deuten versuchte, sieht darin ein Vertrauenszeichen. Streicher und auch anderen Forschern ging es darum, aus der Schrift Colons herauszulesen, inwieweit seine Kenntnise des Spanischen (Katalanischen) auf seine Herkunft hindeuten. Fritz Streicher lehnt die Möglichkeit einer jüdischen Abstammung Columbus' entschieden ab, meint aber, daß dieses Zeichen etwas zwischen Vater und Sohn Abgesprochenes bedeuten könnte.

Auch Madariaga kommt, von Maurice David darauf aufmerksam gemacht, auf dieses Zeichen zu sprechen, hält es aber, da sich auf den Briefen auch ein Kreuz befindet, für ein nichthebräisches Zeichen. Dieses Kreuz findet sich aber auf allen Briefen jener Zeit. Es bedeutet »Im Namen Gottes«, und wer es gerade in Spanien auf Briefen nicht angebracht hatte, machte sich verdächtig. Es war ja das Typische des Marranentums, daß sie sich nach außenhin als hundertprozentige, man möchte fast sagen hundertfünzigprozentige Christen gaben, im engsten Familienkreis hingegen niemals ihre Herkunft und ihre Bindungen zum alten Stamm, aus dem sie gekommen waren, leugneten. Sie heirateten meistens untereinander, um das, was sie noch mit dem Judentum verband, wenn möglich nicht zu verwässern. Das Anbringen beider Zeichen im vertrauten persönlichen Kreis, für niemand Außenstehenden bestimmt, entspricht dem Charakter des Marranentums. Es war typisch für diese Leute, daß sie am Sonntag in die Kirche gingen und ihre christliche Religion zur Schau trugen, anderseits aber heimlich die Vorschriften der jüdischen Religion ausübten, auch unter der ständig drohenden Gefahr, entdeckt zu werden. Immerhin hat auch Madariaga diesem Zeichen Bedeutung beigemessen und vermutet, es sei vielleicht eine Art Mahnzeichen des Vaters an den Sohn oder eine Familientradition.

Wenn Columbus Bekehrter oder Marrane war, dann zeigte

5. febrero

muy caro fijo / Diego Mendez partio de aqui lunes 3 deste mes / despues de
partido fable con Amerigo Vespuchy portador desta el qual va alla
llamado sobre cosas de navegacion / el siempre tuvo deseo de me hazer
plazer / es mucho honbre de bien / la fortuna le ha sido contraria como
a otros muchos / sus trabajos no le an aprovechado tanto como la razon
requiere / el va por mio y en mucho deseo de hazer cosa que redunde
a mi bien si a sus manos esta / yo no se de aqui en que yo le emponga
que a mi aproveche / porque no se que sea lo que alla le quieren / el va
determinado de hazer por mi todo lo que a el fuere posible / ved
alla en que puede aprovechar y trabajad por ello que el lo hara todo
y fablara y lo porna en obra / y sea todo secretamente porque no se
aya del sospecha / yo todo lo que se aya podido dezir que toque en esto
se lo he dicho / y informado de la paga que a mi se a hecho y se haze
esta carta sea para el señor adelantado tanbien porque el vea en que
puede aprovechar y le avise dello / crea S. A. que sus navios fueron
en lo mejor de las Indias y mas rico / y si queda algo por saber mas
de lo dicho / yo lo satisfare alla por palabra / porque es inposible dezir por escrito / Nuestro Señor te haya en su santa guarda / fecha en Sevilla
a 5 de febrero

tu padre que te ama
mas que a si /

.S.
X M Y
XPO FERENS

Patronato 295

Brief an Diego vom 5.2.1505

er der Welt mit ihrem mörderischen Königen, Inquisitoren und Autodafés, einem schützend vorgehaltenen Schiboleth gleich, das Zeichen des Kreuzes, aber sich selbst und seinem Sohn sagt er in der Sprache der Väter: »Gelobt sei der Herr . . .« An dieser Familientradition war den Marranen sehr gelegen, und sie waren bestrebt, sie nicht in Vergessenheit geraten zu lassen.

Als ich in Sevilla war und mir im Archiv de las Indias einen solchen Originalbrief vorlegen ließ – es war der Brief vom 5. Februar 1505 –, fand ich die Vermutung Maurice Davids bestätigt. Während der ganze Brief Columbus' in lateinischen Buchstaben von links nach rechts geschrieben ist, geht dieser Schnörkel, wie man im Hebräischen schreibt, von rechts nach links. Auch wäre zu beachten, daß das Zeichen genauso wie in den Briefen frommer Juden über dem ersten Wort des Briefes angebracht ist. Nachdem das erste Wort in einem Brief mit lateinischen Buchstaben nicht wie im Hebräischen auf der rechten Seite, sondern auf der linken Seite ist, befindet sich das Zeichen oberhalb des ersten Wortes auf der linken Seite und dies genau an derselben Stelle in allen Briefen.

Sollte das bloß ein Vertrauenszeichen zwischen Vater und Sohn sein, wie Fritz Streicher meint, dann wäre es logischer, wenn einer, der nur von links nach rechts schreibt, auch diesen Schnörkel in dieselbe Richtung macht und nicht auf einmal die Richtung ändert. Noch mehr beeindruckte mich ein Brief von Columbus an Diego mit demselben Zeichen vom 25. Februar 1505. Dieser Brief ist nicht in der Handschrift von Columbus. Den Brief an seinen Sohn hatte er irgend jemandem diktiert. Wir dürfen nicht vergessen, daß Columbus oft krank war und an Gicht gelitten hat, so daß er manchmal durch seine Schmerzen am Schreiben gehindert war. In diesem Brief finden wir seine eigenhändige Unterschrift und oben – man sieht es deutlich – dasselbe Zeichen. Es ist dieselbe Hand, von der die Unterschrift und dieses Zeichen stammt, es kann unmöglich ein Archivarzeichen oder etwas aus fremder Hand sein.

Brief von Columbus an seinen Sohn Diego vom 25.2.1505; Inhalt des Briefes ist nicht aus der Hand von Columbus, nur das Zeichen links oben und die Unterschrift (Biblioteca Colombina, Sevilla)

Ich sah mir diese Briefe gemeinsam mit Professor de la Peña an. Er war von Anfang an sehr skeptisch, als wir den Brief vom 5. Februar betrachtet haben. Aber beim Studium des Briefes vom 25. Februar wich seine Skepsis, nachdem ich ihm die möglichen Schnörkelformen des Baruch Haschem vorgezeichnet hatte. Auch er wies so wie Madariaga auf das Zeichen des Kreuzes hin. Ich sagte ihm das, was ich mir schon früher dabei gedacht habe: Sollte es sich wirklich um ein Beth Hei handeln, dann ist es ohne Zweifel ein Zeichen der marranischen Tradition, ein Zeichen an den Sohn Diego: Vergiß nicht, woher Du kommst. Das Kreuz ist ein Tribut an die Religion, die Du hast, aber im Kreise Deiner Familie gib das Zeichen Beth Hei, damit sie wissen, von wo sie abstammen. Natürlich ist das Zeichen Beth Hei nicht so deutlich, daß es jeder sofort lesen könnte, das würde der marranischen Tradition widersprechen, denn die Marranen haben ihre jüdische Herkunft nie offen zur Schau getragen. Das Zeichen mußte daher für einen Außenstehenden, der die Bedeutung des Beth Hei nicht kannte, nicht auf den ersten Blick erkennbar sein, es konnte vielmehr in Form eines Schnörkels getarnt sein. Professor de la

Peña war von meinen Darlegungen sehr beeindruckt, ich kann aber nicht behaupten, daß er ganz überzeugt davon war. Der Hinweis von Maurice David war in Spanien völlig unbekannt. Die spanischen Forscher wußten nur von der Deutung Fritz Streichers.

Die Briefe an seinen Sohn Diego, die in der linken oberen Ecke das geheime Zeichen zeigen, das wie die hebräische Segnung »Baruch-Haschem« aussieht, tragen noch eine eigenartige Unterschrift, die die Form eines Dreiecks hat.

An dieser Unterschrift wird ständig herumgerätselt, ohne daß eine eindeutige und allgemein anerkannte Lösung gefunden worden wäre.

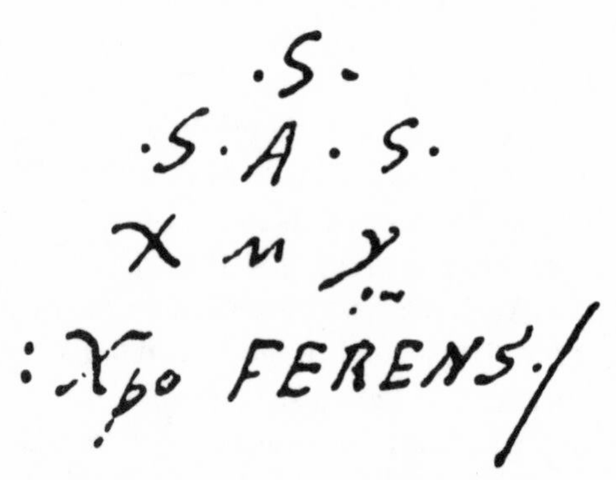

Unterschrift auf den Briefen des Columbus an seinen Sohn Diego die das Zeichen Beth Hei enthalten

Die Verfechter der These der jüdischen Abstammung von Columbus nehmen diese Unterschrift natürlich aufs Korn, um den darin enthaltenen Buchstaben eine hebräische Deutung zu geben.

S
SAS
XMY

Dem Geiste jener Zeit entsprechend, mußte es sich um eine religiöse Aussage handeln. In dieser Richtung gehen auch die Deutungen. So meinen manche Forscher zu lesen: Sanctus, Sanctus Adonai Sanctus. Oder auch:

	Shaday	
Shaday	Adonai	Shaday
Chesed	Moleh	Yehova

(Herr, Herr Gott Herr, Gott spendet Erbarmen; hebräisch gelesen von rechts nach links.)

So deuteten es jüdische Forscher, die in die Buchstaben hebräische Worte hineinkomponierten.

Während von jüdischer Seite nur eine Deutung bekannt ist, gibt es von christlicher Seite mehrere, von denen ich nachstehend drei wiedergebe:

	Servus	
Sum	Altissimi	Salvatoris
Xriste	Maria	Yesu
	Servidor	
Sus	Altezas	Sacras
Xristo	Maria	Ysabel
Salvo		
Sanctum	Altissimum	Sepulcrum
Xriste	Maria	Yesus

Das Zeichen Beth Hei kommt nur auf jenen Briefen des Columbus an seinen Sohn Diego vor, die seine Unterschrift in Form des Dreiecks haben; wobei die Unterschrift selber, Xpo Ferens, in das Dreieck hineingesetzt ist.

Der Doppelpunkt vor dem Xpo nennt sich auf spanisch »colon« und wird von Forschern als ein Zeichen anstelle des Familiennamens Colon angesehen. Xpo ist die Abkürzung für Cristo; über das Wort Ferens gehen die Deutungen sehr stark auseinander. Man versucht hier Interpretationen sowohl aus dem Lateinischen als auch aus dem Hebräischen zu geben und stützt sich darauf, daß Columbus es vermieden hat, seinen christlichen Vornamen Cristobal oder Christophorus ganz auszuschreiben. Aber diese Spekulationen führen sehr weit und haben keine große Überzeugungskaft.

Die anderen Briefe an Diego, in denen in der Unterschrift zwar das Dreieck enthalten ist, die aber am Ende mit El Almirante (Der Admiral) gezeichnet sind, enthalten das Beth Hei nicht. Diese Briefe haben nicht mehr den vertraulichen Charakter, und Diego konnte sie wahrscheinlich auch anderen Leuten vorzeigen.

Unterschrift auf den Briefen des Columbus an seinen Sohn Diego
die das Zeichen Beth Hei nicht enthalten

Manche jüdische Forscher führen an, daß die Anordnung der Unterschrift in Form eines Dreiecks an die Grabinschriften auf alten jüdischen Friedhöfen in Spanien und Südfrankreich erinnert. Ob das von Columbus auch so gemeint war, läßt sich nicht beweisen.

Natürlich gibt es Forscher, die in dieser Unterschrift im Dreieck mehr ein Ornament als ein Monogramm sehen. Immerhin müssen wir berücksichtigen, daß Columbus in seiner

Majoratsurkunde, die auch als Testament angesehen werden kann, mit Datum vom 22. Februar 1498, seinen Nachkommen befiehlt, die Dreiecksanordnung der Zeichen als Unterschrift zu verwenden, wobei er genauestens die Rangordnung der Buchstaben angibt. Interessanterweise beginnt er mit der Rangordnung der Buchstaben nicht von oben nach unten, sondern von unten nach oben.

Es besteht kein Zweifel, daß die Deutung dieser Unterschrift die Forscher immer beschäftigen wird. Es bleibt eines der vielen Rätsel, die uns Columbus aufgibt.

Der Vorname Christophorus - der Träger Christi - wurde zahlreichen Neukonvertierten gegeben. Manche Forscher bezogen den Vornamen Columbus in die Orbite dieser Bräuche. Die Spekulationen gehen weiter. Man weist darauf hin, daß Colombo - die Taube - als Symbol des Heiligen Geistes in der katholischen Kirche auf den Taufakt hinweist, wie es bei den Neofiten üblich war.

Derselbe Peter di Angliera, der in der Mitteilung des Grafen Giovanni dei Borromei vorkommt und auch als Peter Martyr bekannt ist, berichtet, daß Francisco de Bobadilla, der Nachfolger von Columbus in den Indischen Landen, im Jahr 1499 Ferdinand und Isabella Briefe von Columbus übergab, die dieser an seinen Bruder Bartholomé in einer »unbekannten Schrift« gerichtet hatte. Es ist nicht bekannt, daß Columbus oder sein Bruder Bartholomé nichtlateinische Schriften beherrschten. Also konnte er sich, wenn die Mitteilung, die Peter Martyr wiedergibt, wahr sein sollte, nur um Briefe handeln, die in einem Code verfaßt waren, oder gibt es vielleicht eine andere Deutung? Madariaga meint, daß die Familie Colon, die von Conversos abstammte, wahrscheinlich das hebräische Alphabet kannte und die Mitteilung, von der Peter Martyr spricht, zwar in kastilischer Sprache, aber in hebräischen Schriftzeichen abgefaßt war. Dazu Madariaga abschließend: »Für eine verfolgte Rasse bedeutet es ohnehin einen beträchtlichen Vorteil, eine solche natürliche Chiffre zu besitzen, die jenseits der Rassengrenzen so gut wie unbekannt ist.«

Leider sind diese Briefe von Columbus an seinen Bruder Bartholomé nicht erhalten geblieben. Da Bobadilla einer der schärfsten Gegner des Columbus war, ist es schwer, die Glaubwürdigkeit dieser Mitteilung über die »unbekannte Schrift« nur auf ihn zu stützen.

Verschiedene Forscher haben versucht, Columbus, der in jedem Land ein Ausländer war, eine Art Vaterlandslosigkeit anzukreiden. Was dabei auffällt, ist, daß Columbus sich überall wie ein Gejagter benommen hat und kein Verständnis für engere Staatsgrenzen hatte. Vielleicht war er ein Kosmopolit jener Zeit, der sich nicht an einen Staat gebunden fühlte und der seine Entdeckung, die darauf abzielte, weiße Flecken auf der Landkarte auszufüllen, jedem Land und damit allen Menschen zur Verfügung stehen wollte.

Das Bild des Entdeckers variiert sehr stark, besonders seit der Mitte des vergangenen Jahrhunderts. Nicht umsonst wird das 19. Jahrhundert das Jahrhundert der Heldentöter genannt. Wie dem auch sei, wir haben einen fanatischen Menschen vor uns, der trotz aller Schwierigkeiten nicht bereit ist, seine Ideen aufzugeben. Aber noch etwas sticht bei Columbus hervor: Er hat sich zu keiner Zeit Rechenschaft über die Bedeutung seiner Entdeckungen gegeben. Er hat seine Pläne ausgeführt, ohne sich bewußt zu werden, was er tatsächlich vollbrachte. Seine Phantasie, die die Triebfelder seiner Handlungen war und die ihm sein Beharrungsvermögen gegenüber den Großen seiner Zeit verlieh, wird ihm in den Augen mancher Schriftsteller zum Verhängnis; für sie ist er eine Art Don Quijote. Man vergißt sehr schnell, daß man es mit einem Menschen zu tun hat, der – aus welchem Grund immer – versucht, seine Identität zu verbergen. Auf präzise Fragen mußte er plausible Antworten geben, dazu brauchte man in seiner Situation viel Phantasie. Da die Überprüfungsmöglichkeiten damals zum Unterschied von heute sehr bescheiden waren, nützte Columbus das natürlich aus und ließ seiner Phantasie freien Lauf.

Bei seinem Lebensbild wäre noch die sogenannte »Goldgier« zu erwähnen. In den Briefen an die Katholischen Könige und auch in den Randbemerkungen in seinen Büchern ist oft von Gold die Rede. Gelehrte glauben, darin etwas Jüdisches zu sehen, indem sie mit dem Gedanken spekulieren, sein besonderes Verhältnis zum Gold könnte einen jüdischen Charakterzug bedeuten, denn ein Jude oder Mensch jüdischer Abstammung ist Angehöriger eines Volkes, das sich immer vor oder nach einer Flucht befand. Daher das Interesse für bewegliches Gut, das man auf die Flucht mitnehmen kann und das womöglich nicht allzu groß ist. Ein Angehöriger eines Volkes, das seit Jahrhunderten immer auf der Flucht ist, hat schon von Kindheit an Verständnis für dieses Metall, das überall in der Welt seinen Wert hat. Diese Überlegungen können richtig oder falsch sein, man müßte dann aber auch allen jenen, die zur gleichen Zeit - und es gab ihrer nicht wenige - vom Goldrausch besessen waren, eine jüdische Abstammung anheften.

Aus den Dutzenden von Büchern diverser Autoren, die aus ebenso verschiedenen Gesichtspunkten zu ganz verschiedenen Zeiten über ihn geschrieben wurden, schälte sich in meinen Augen eine Gestalt heraus, die aber - aus dem Blick unserer Zeit - vom bisherigen Bild, das uns die verschiedenen Bücher vermitteln, abweicht. Begegnete ich doch in der Zeit der Verfolgung Menschen, die eifrigst bemüht waren, ihre Herkunft und Vergangenheit zu verdunkeln, zu verbergen, zu verstecken; Menschen, die eine Frage befürchteten und verlegen wurden, wenn sie ihnen gestellt wurde: die Frage, wer sie eigentlich sind und woher sie kommen. Sie trumpften auf, sie lenkten ab, sie machten einen großen Bogen um die Antwort. Diese Menschen sahen oder witterten in jeder derartigen Frage eine Falle, in die sie nicht hineintappen wollten. Daher bedienten sie sich einer Verschleierungstaktik.

Columbus ist ein Heimatloser, der von Land zu Land zieht, der nirgends zu Hause ist und der, als seine Pläne scheitern, nicht zurück in seine Heimatstadt Genua geht, wo er doch Familie hat, vorausgesetzt, daß er tatsächlich aus Genua stammt. Auch fällt auf, daß er seinen Bruder Bartholomé mit den Plänen nach England schickt, als er sich Absagen in Portugal und in Spanien holt, anstatt sie seiner Heimatstadt Genua anzubieten, wo doch die Genuesen in der Schiffahrt zu Hause sind.

Aus einer Reaktion auf einen Brief des portugiesischen Königs wissen wir, daß Columbus Gründe hatte, nicht nach Portugal zurückzukehren, das er unter bisher ungeklärten Umständen verlassen hatte, obwohl ihm der König sicheres Geleit und Straffreiheit gewährte. Hatte er ähnliche Gründe, als er keine Anstalten traf, nach Genua zurückzukehren? Ist es seine Teilnahme am Kampf gegen die genuesische Flotte an den Gestaden Portugals, oder gehört diese Teilnahme zu den vielen Fabeln, die der Entdecker Amerikas, um auf die Menschen Eindruck zu machen, von sich gibt? Seine Herkunft verursachte anscheinend bei ihm einen Minderwertigkeitskomplex, denn wie anders soll man seine Erklärung verstehen, die er abgab, als er nach der Rückkehr von seiner geglückten Reise in Spanien hoch dekoriert und mit Titeln und Würden überhäuft wurde: »Ich bin nicht der einzige Admiral in meiner Familie.«

Was aber an seinem Bild bleibt, ist die Unsicherheit, die er durch ein draufgängerisches Auftreten zu unterdrücken sucht. Wie gesagt: Das Bild eines Gehetzten, eines Heimatlosen, eines Menschen, der Ungewißheit über sein Herkommen erzeugt.

Auch die Gebeine des Entdeckers fanden keine Ruhe. Genauso wie die Dokumente, die Briefe und die Urkunden, die im Besitz des Entdeckers waren, auf Reisen von Kontinent zu Kontinent gingen, verhielt es sich auch mit seinem Leichnam. Zuerst wurde Columbus im Franziskanerkloster zu Valladolid beigesetzt. Aber schon einige Jahre später wird er in das Kartäuserkloster zu Las Cuevas überführt. Dort betreut Pater Gorricio das Grab, ein persönlicher Freund von Columbus, mit dem er engsten Kontakt bis zu seinem Tode hatte. Nach dem Tod von Diego Colon, dem Sohn von Columbus, werden die Gebeine von Columbus 1536 mit dem Leichnam von Diego nach Santo Domingo gebracht und dort in der Capilla mayor beigesetzt. Im Jahr 1795 wird die Insel San Domingo von den Spaniern aufgrund eines Vertrages den Franzosen übergeben. Jetzt wandern die Überreste des Columbus nach Havanna auf Kuba. Als Spanien im Jahr 1898 den Krieg gegen die Vereinigten Staaten verloren hat und die westindischen Inseln abtreten muß, werden die Gebeine des Entdeckers von Havanna nach Sevilla gebracht, wo sie sich noch heute in der Kathedrale befinden. Um die Rätsel um Columbus noch zu vermehren, sei vermerkt, daß man im Jahr 1877 im Dom von San Domingo beim Öffnen einer Grabkammer einen Sarg entdeckt hat, den manche Forscher bis zum heutigen Tag für den Sarg mit den echten Gebeinen von Columbus halten.

Ich sagte mir, vergiß die Differenz von 450 Jahren, betrachte ihn aus der Zeit seiner unmittelbaren Vergangenheit, die bei manchen unserer Zeitgenossen noch Gegenwart zu sein scheint. Vergleiche ihn mit den Menschen, denen du begegnest, vielleicht bekommst du ein Bild, das du akzeptierst. So sah ich ihn in zerlumpter Kleidung, seinen kleinen Sohn an der Hand führend, an die Pforte des Klosters La Rabida klopfen und um Einlaß bitten. Wie oft in der Geschichte der letzten Zeit haben sich solche Bilder wiederholt. Gehetzte Menschen, die ihre Vergangenheit verleugneten, ohne Gegenwart, die sich gegen sie verschworen hatte, und ohne Zukunft, an die zu denken ihnen schizophren vorkam - außer einer für den Selbsterhaltungstrieb notwendigen Selbsttäuschung -, standen vor Toren wie dem des Klosters mit dem Letzten, was ihnen blieb, ihrem einzigen Kind, und begehrten Einlaß. Fürchtete sich Columbus auch vor einer Gegenwart, die ihn zu überrollen drohte, einer Gegenwart, die sich nicht nur gegen ihn, sondern auch gegen viele seinesgleichen verschworen hatte?

Für die Beleuchtung der Motive der Unterstützung ist es nicht von ausschlaggebender Bedeutung, ob Columbus Jude, jüdischer oder marranischer Abstammung war. Es ist für diese Untersuchung, weshalb Juden und Marranen das Vorhaben Columbus' unterstützt haben, auch ohne Belang, ob Columbus Spanier oder Italiener war. Wenn ich von allen diesen Verdunkelungen und Verschleierungen, die entweder von Columbus selbst oder von seiner Familie vorgenommen wurden, berichte, will ich dem Leser vor Augen führen, daß ein derartiges Verhalten immer dann charakteristisch war und noch immer ist, wenn Menschen gejagt und gehetzt werden. Ich bin Juden begegnet, die sich, um ihr Leben zu retten, als Arier ausgegeben haben und denen daran gelegen war, ihre Herkunft zu verbergen. Sie trugen an sichtbaren Stellen große Kreuze und stellten ihre Religiosität durch Kirchenbesuche sowie durch eine Überbetonung ihrer Frömmigkeit zur Schau. Nach alldem, was ich mir im Laufe der Jahre an Wissen über den großen Entdecker angeeignet habe, kam er mir genauso wie die Menschen vor, denen ich während der Zeit des Leidens persönlich begegnet bin.

Seit der Mitte des vergangenen Jahrhunderts hat man sich in verschiedenen Kreisen um die Selig- und Heiligsprechung des Columbus bemüht. Den Grund dafür sah man darin, daß Columbus durch seine Entdeckung Millionen Menschen für das Christentum gewonnen hat. Die Aktion ging von dem französischen Grafen Roselle de Lorique aus. Im Jahr 1866 ersuchte Papst Pius IX. den Erzbischof von Bordeaux, Kardinal Donnet, das kirchlich vorgeschriebene Verfahren einzuleiten. Auch das Konzil des Jahres 1870 befaßte sich mit der Angelegenheit. Der Staat Kolumbien hat zum 400 Jahrestag der Entdeckung Amerikas 1892 die Bitte um Heiligsprechung unterstützt. Die Päpste Pius IX. und Leo XIII. standen diesem Plan sehr positiv gegenüber. Das Heilige Offizium befaßte sich mit allen Urkunden über Columbus, die in den Vatikanischen Archiven vorhanden sind, und das führte zu einem ablehnenden Bescheid. Als Motiv gab man Makel im Privatleben von Columbus an.

Die Makel im Privatleben von Columbus können nicht die einzige Ursache für diese Ablehnung sein. Wahrscheinlich wurde dieser Grund nur vorgeschoben. Ich wollte darüber etwas mehr erfahren. Auf eine Anfrage teilte man mir in Rom mit, daß die Akten über Columbus, die sich im Vatikan befinden, nicht zugänglich seien. Wenn man die Ablehnung der Seligsprechung mit den Lobesworten in der päpstlichen Bulle aus dem Jahr 1494 vergleicht, muß einen das nachdenklich stimmen. Das private Leben von Columbus hat sich vom privaten Leben so mancher hoher kirchlicher Würdenträger jener Zeit nicht viel unterschieden, die nicht nur offiziell Geliebte, sondern auch uneheliche Kinder hatten und diese in kirchliche Positionen brachten. Es wurde geduldet, und sie haben ihr kirchliches Amt deswegen nicht verloren.

Können denn nicht andere Gründe für die Entscheidung des Vatikans maßgebend sein? Gründe, die möglicherweise auf Dokumenten basieren, die der heutigen Forschung nicht zur Verfügung stehen und die zu einem besseren Verständnis der Person des Columbus und zu einer Beantwortung vieler Fragen führen könnten, die sich jedem aufdrängen, der sich mit Columbus befaßt, und auf die es bisher keine befriedigende Antwort gibt.

In dem Streit zwischen zwei Nationen, die seit Jahrhunderten darum kämpfen, daß der große Entdecker ihrem Volk angehört hat, will und kann ich weder der einen noch der anderen Seite recht geben. Ich greife nur die Argumente auf, die beide Seiten ins Treffen führen. Sollte Columbus tatsächlich Spanier gewesen sein, so spricht manches für seine marranische Abstammung, obwohl die italienische Herkunft keineswegs eine jüdische ausschließen würde. Dieser Streit kann und wird niemals mittels der bisher zur Verfügung stehenden Dokumente entschieden werden. Was vorhanden ist, ist durch Hunderte von Forschern und Wissenschaftlern fein abgewogen und unter die Lupe genommen worden. Sollten sich aber eines Tages die geheimen Archive des Vatikans öffnen, sind nicht allein andere Interpretationen denkbar, es könnten neue Tatsachen ans Licht gefördert werden.

IV. FÜNF VOR ZWÖLF

Die Pläne des jungen Columbus, einen Wasserweg nach Indien zu finden, nahmen erst während eines Aufenthaltes in Portugal allmählich Gestalt an. Portugal bot dazu große Möglichkeiten. Er machte sich mit dem damaligen Wissen über Indien vertraut, lauschte den Reiseberichten der Handelsleute in den Häfen über Indien, über die Wege dorthin, über die Bevölkerung Indiens, über die der Nachbarstaaten. Er besaß, wie wir wissen, das Buch von Marco Polo über dessen Reise nach China. Auch dort findet man vieles über Land und Leute. Es war daher unausbleiblich, daß er die Legenden jener Zeit, denen man damals Glauben schenkte, kannte - unter anderem auch die Legende über die Länder der in der Tiefe Asiens verlorenen zehn Stämme Israels. Seine Eintragungen in den Büchern zeigen, daß er über eine ähnliche, damit in Zusammenhang stehende Legende über das Reich des Presbyters Johannes (der über Juden regieren sollte), Bescheid wußte. Es besteht kein Zweifel, daß er die Reiseberichte des Rabbi Benjamin von Tudela kannte und noch vieles andere, das zu jener Zeit zu diesem Thema unter Juden und Christen im Gespräch war.

Die großen Traditionen der portugiesischen Seefahrt, die im damaligen Europa und darüberhinaus bis zum heutigen Tag als einmalige Leistungen dastehen, gehen auf Heinrich den Seefahrer zurück. Sie wurden von König Alfons V. und, als dieser 1481 verstarb, von König Johann II. fortgesetzt. Portugal wurde die führende Seemacht des europäischen Kontinents, und seine Schiffe kreuzten auf allen damals bekannten Weltmeeren. Der König hatte einen wissenschaftlichen Beirat, der ihn in allen Problemen der Seefahrt und auch der Entdekkungsreisen beriet. Von Zeit zu Zeit erteilte der König Befugnisse und Konzessionen für Reisen auf der Suche nach unbekannten, aber angeblich bewohnten Ländern. Die Richtung der Entdeckungsfahrten der Portugiesen war der Süden, die westliche Küste Afrikas. Nach den Seefahrern kamen die Kaufleute, und so wuchs das Vermögen des portugiesischen Reiches. Als Columbus nach Portugal kam, schien ihm das das Zukunftsland zu sein, doch war er mit der südlichen Richtung der portugiesischen Seefahrt als Zukunftsrichtung nicht einverstanden. Der Handel mit dem Osten war für die damalige Welt durch Araber und Türken versperrt. Die Waren, die man aus Indien und anderen asiatischen Ländern bezog, vor allem Textilien und Gewürze, betrachteten die Moslems als ihre Domäne und tätigten erhebliche Aufschläge auf die Preise. Die laufenden kriegerischen Auseinandersetzungen mit den moslemischen Völkern blockierten den Handel zeitweise völlig. Es war daher das Bestreben der Portugiesen, als führende Handelsnation einen Seeweg nach Indien zu suchen, um den Zwischenhandel der Türken und Araber auszuschalten. Sie glaubten, diesen Weg zu finden, wenn es ihnen gelingen würde, Afrika zu umsegeln. Für den Handel und die Seefahrt Portugals war das die Zukunft. Ein neuer Handelsweg nach Indien würde sich ihnen eröffnen, und der ganze Handel des Abendlandes mit Waren aus diesem Land wäre mehr oder weniger ein portugiesisches Monopol. Davon sprach man überall in Portugal, als Columbus dorthin kam.

Er war von Anfang an Gegner der portugiesischen, nach Süden weisenden Pläne. Er glaubte, man würde sicherer in die Indischen Lande gelangen, wenn man in Richtung Westen segelte. Doch der Westen war für die Seefahrer eine Fahrt in die Unendlichkeit, eine Fahrt in die Wasserwüste bis ans Ende der Welt. Nach diesen Vorstellungen, die mit der sich langsam verbreitenden Kunde, die Welt sei eine Kugel, nur schwer zu vereinbaren sind, war der äußerste Westen noch immer das Ende der Welt. Noch einige Jahrzehnte zuvor waren Petrus von Albano und Cecco d'Ascoli als Ketzer auf dem Scheiterhaufen verbrannt worden, weil sie behaupteten, die Erde sei eine Kugel. Ihnen wurde darauf entgegnet, es müßte dann logischerweise auf der anderen Halbkugel die sogenannten Gegenfüßler geben, die mit den Köpfen nach unten und mit den Füßen nach oben gehen. Sei es denn möglich, daß dort die Bäume abwärts wachsen und es in die Höhe regnen und schneien würde? Sie bejahten das, wenn man die Sache vom Standpunkt der Halbkugel betrachtet, auf der man sich befindet. Das war Ketzerei genug, um sie zu verurteilen. Religion und Wissenschaft waren zu jener Zeit eng verbunden. Der heilige Augustinus erklärt die Lehre von den Antipoden (Gegenfüßlern) als Ketzerei und mit dem christlichen Glauben unvereinbar. Aber auch die, welche die Welt für eine Kugel hielten, sprachen davon, daß nur die obere Hälfte der Halbkugel bewohnbar sei, und wenn man von der oberen Hälfte der Halbkugel mit dem Schiff zur unteren reisen wollte, wie kommt man dann zurück, man müßte doch sozusagen das Wasser hinauf, etwa wie bergauf, fahren. Man stützte sich dabei auf die Autorität Epikurs.

Noch zu Zeiten des Columbus hat sich der Gedanke von der Erdkugel nicht ganz durchgesetzt. Die Meinung der Kirche war geteilt. Columbus wußte: wenn ihm seine Expedition gelingt, dann hat er auch den Beweis erbracht, daß die Erde eine Kugel ist. Einen Beweis, den niemand mehr wird leugnen können. Mit den Begriffen von heute verglichen war es eine Expedition zur dunklen Seite des Mondes. Die Kunde vom Reichtum der Indischen Lande, wie sie durch die Erzählungen des Venezianers Marco Polo von zwei großen Reichen in der Tiefe Asiens mit unzähligen Schätzen der Natur, mit Gold in Hülle und Fülle, die Phantasie der damaligen Welt anregte, trieb vielen Seefahrern den Schlaf aus den Augen. Viele wußten, daß ein Seeweg nach Indien mit großen Gefahren verbunden ist. Vielen schien es sicherer, sich rund um das bereits teilweise bekannte Afrika an Indien heranzutasten. Nicht so Columbus; er suchte neue Wege. Im Jahre 1478 ehelichte er in Lissabon Felipa Moniz-Perestrello. Sie war adeliger Herkunft und er, Columbus, war eigentlich ein unbedeutender Seemann und ein Fremder in diesem Land. Er war ohne ständiges Einkommen. Die Braut stammte aus einer sehr vornehmen und einflußreichen Familie in Portugal, die bei der Verehelichung ihrer Tochter bestimmt ein gewichtiges Wort mitzureden hatte. Forscher und Gelehrte rätseln an dieser Verbindung bis zum heutigen Tag herum. Wie konnte ein fremder Kartenmacher, noch dazu von niedriger Geburt, zu einer Heirat mit einer Tochter des portugiesischen Hochadels kommen? Sie waren gerade nach den gesellschaftlichen Begriffen ihrer Zeit sehr ungleiche Partner. Während manche Forscher diesem Ereignis im Leben von Columbus keinerlei Bedeutung beigemessen haben, sahen andere darin eine Maßnahme des späteren Entdeckers, durch eine solche Verbindung mit den für seine Pläne maßgebenden portugiesischen Kreisen ins Gespräch zu kommen. Manche fanden auch eine andere Lösung. Die Braut war 25 Jahr alt, nach den damaligen Begriffen ein fortgeschrittenes Alter für ein Mädchen, und die Familie war froh, sie anzubringen. Es gibt auch Forscher, die sich an den Stammbaum der Familie Moniz-Perestrello heranmachen und dort eine befriedigende Antwort suchten. Marranen heirateten gewöhnlich untereinander. Es war anläßlich der Brautwerbung notwendig, daß Bräutigam und Braut ihre jüdische Abstammung, selbst wenn sie schon viele Generationen zurücklag, nachweisen konnten. Bei Felipa Moniz fand man tatsächlich marranische Ahnen. Mütterlicherseits war sie jüdischer Abstammung; allerdings hatten schon ihre Vorfahren das Christentum angenommen.

Auch der Beruf, den Columbus während seines Aufenthaltes in Portugal ausübte, war in jenen Tagen total »verjudet«. Er war Kartograph und Kalligraph, zeichnete Karten und handelte mit gedruckten Büchern. Manche spanische Forscher wollen daher seinen Geburtsort auf die Insel Mallorca verlegen. Dort war das Zentrum der Kartographie und Kosmographie. Die Träger dieser Wissenschaft waren größtenteils Juden, es gab nur vereinzelt Mauren und Christen, die sich damit befaßten. Zu jener Zeit war die Kosmographie eine Art jüdische Wissenschaft, und die Meister der Kosmographie von Mallorca wurden sogar in wissenschaftliche Akademien anderer Länder berufen. So verbirgt sich hinter dem Rektor der Akademie für Kosmographen in Sagres in Portugal, Magister Jacome, kein anderer als der Jude Jehuda Cresques von der Insel Mallorca. Auch viele, viele andere, die sich mit diesem Zweig der Wissenschaft befaßt haben, waren Juden aus Mallorca.

Zu einer Zeit, da die Inquisition bereits in Spanien wütete und spanische Juden und Marranen nach Portugal entflohen, gründete König Joao II., Großneffe Heinrichs des Seefahrers, eine wissenschaftliche Junta, die alle nötigen Grundlagen für Entdeckungsfahrten schaffen sollte und der auch jüdische Mathematiker, Astronomen und Kosmographen angehörten. Die Aufgabe, die den Gelehrten der damaligen Zeit gestellt wurde, war für die Schiffahrt von ungeheurer Bedeutung. Es galt, Mittel und Wege zu finden, die Schiffe, die weit von jeder Küste entfernt waren, die gewählte Richtung beizubehalten erlaubten. Ohne entscheidende Verbesserung der Instrumente, ohne die Möglichkeit, den Stand der Sonne zu verschiedenen Jahreszeiten und die jeweilige Entfernung eines Schiffes vom Äquator zu bestimmen, waren Fahrten in unbekannte Meere beinahe unmöglich. Der Schüler Abraham Zacutos, Joseph Vecinho, der Leibarzt des Königs, Rodrigo, der Mathematiker Moses und andere namhafte jüdische Gelehrte waren Mitglieder der wissenschaftlichen Junta, die unter dem Vorsitz des Bischofs von Zeuta, Castelano, stand. Die Entdeckung der Methode, die Sonne nach ihrem Stand am Horizont zu beobachten und daraus die Position eines Schiffs zu bestimmen, ist ein Werk dieser Arbeitsgemeinschaft.

Nach langwierigen Studien gelang es einer Gruppe von Wissenschaftlern unter Mitwirkung der jüdischen Gelehrten Abraham Ibn Esra, Jakob Carsoni und Don Profazius (Jakob ben Machir), die Schiffsinstrumente zu verbessern. Um Portugal zur führenden Seemacht Europas zu machen, regte die Junta an, erfahrene Seefahrer und Wissenschaftler einzuladen und deren Kenntnisse für Portugal zu nützen. Der König billigte diesen Vorschlag.

Der portugiesische Staat hat schon sehr früh die Bedeutung der Kosmographie für künftige Entdeckungsfahrten erkannt. So beriefen sie nicht nur Jehuda Cresques, sondern auch den bedeutenden jüdischen Wissenschaftler und Astronomen Abraham Zacuto in ihr Land. Mit diesem Gelehrten hatte Columbus nachweisbar Kontakt. Seefahrt und Entdeckungsreisen beflügelten die Phantasie vieler Portugiesen und wurden für zahlreiche Menschen zu einem Hobby. Kein Wunder, daß zu dieser Zeit der Handel mit Karten und mit nautischen Instrumenten in Lissabon blühte. Es gab über hundert Buchhandlungen, die Bücher und Reiseberichte verkauften.

Columbus stand in regen Handelsbeziehungen mit den Juden in Lissabon, betätigte sich kaufmännisch, nahm von ihnen Darlehen entgegen und schuldete, als er Portugal verließ, so manchem Juden Geld. Als er am Ende seiner Tage sein Testament niederschrieb, bedachte er darin auch einen jüdischen Gläubiger in Lissabon; allerdings lebten zu dieser Zeit keine Juden mehr in Portugal. Man hatte sie vertrieben. Columbus verkehrte mit den Leuten des wissenschaftlichen Beirates, der den portugiesischen König in den Angelegenheiten der Entdeckungsreisen zu beraten hatte, vor allem mit jüdischen Mathematikern, Astronomen und Kosmographen. Die astronomischen Tabellen, die Abraham Zacuto für Seefahrer berechnet hatte und die auch bei den späteren Reisen von

Columbus einen sehr wichtigen Behelf abgaben, erhielt er vom jüdischen Leibarzt des Königs, Joseph Vecinho. Hier in Portugal reiften seine Pläne für die Entdeckungsreisen, die er bald darauf dem König Johann II. unterbreitete. Der genaue Zeitpunkt der Einreichung der Pläne ist bis heute nicht bekannt. Der Zeitpunkt liegt zwischen 1478 und 1481, da Johann II. sich bereits vor seiner Thronbesteigung mit Seereisen befaßte. Der endgültige Plan wurde dem König in einer anderen Fassung ungefähr 1483/84 vorgelegt. Columbus war damals etwa 32 Jahre alt. Die Befürworter des Planes waren die beide jüdischen Leibärzte des Königs, Magister Rodrigo und Magister Joseph, die zugleich als Hofastronomen arbeiteten.

Wir wissen, daß Columbus in Portugal sehr leicht eine gemeinsame Sprache mit Juden und ein wohlwollendes Verständnis für seine Pläne gefunden hat. Die Leibärzte des Königs, mit denen er seine Pläne bespricht, sind sehr an seiner Expedition interessiert und unternehmen Anstrengungen, um die Zustimmung des Königs zu erreichen. Sie helfen Columbus, seine oft lückenhaften Kenntnisse zu erweitern, indem sie ihm Mitteilungen über die neuesten wissenschaftlichen Erkenntnisse geben. Es ist daher nicht von der Hand zu weisen, daß diese Unterstützung mit den Zielen der Expedition und den Möglichkeiten, die sich durch eine solche für die Juden öffnen könnten, zusammenhängt. Der Umgang mit den beiden Wissenschaftlern bereichert sein Wissen und gibt dem Plan konkrete Formen.

Trotzdem scheitert Columbus, die wissenschaftliche Junta lehnt seinen Plan ab. Die negative Reaktion hängt mit der damaligen Abneigung der Portugiesen zusammen, Expeditionen in westliche Richtung zu schicken. Er verläßt Portugal und begibt sich nach Kastilien. Fast in der ganzen Columbus-Literatur wird seine Abreise aus Lissabon als Flucht gewertet. Die Meinungen über die Ursachen der Flucht gehen indessen sehr weit auseinander. Die Mehrzahl der Forscher vertritt die Meinung, drückende Schulden seien die Ursache gewesen. Andere meinen, er habe sich in den Besitz von Aufzeichnungen und Karten oder von Abschriften davon gesetzt, die in Verwahrung des wissenschaftlichen Beirats waren und Entdeckungsreisen betrafen. In Portugal waren solche Aufzeichnungen und Karten der wissenschaftlichen Junta ein streng gehütetes Staatsgeheimnis. Madariaga glaubt, Columbus habe einen Brief von Toscanelli an den portugiesischen König kopiert und diesen so dargestellt, als wäre der Brief an ihn selbst gerichtet worden. Keiner ist aber in der Lage, eine Mitteilung zu machen, was in Portugal wirklich vorgefallen ist. Daß Columbus nach einer Rückkehr nach Portugal ein Strafverfahren zu gewärtigen gehabt hätte, geht schon aus einem Brief des portugiesischen Königs an Columbus vom 20. März 1488 hervor, in dem dieser schreibt: »Und wenn Ihr wegen unserer Justiz in Anbetracht gewisser Eurer Verpflichtungen Befürchtungen hegt, so wisset durch gegenwärtigen Brief, daß Ihr bei Eurem Kommen, Eurem Aufenthalt und Eurer Abreise weder ergriffen, zurückgehalten, angeklagt, vorgeladen noch aus irgendeinem Grunde verfolgt werdet, weder aus einem zivil- noch strafrechtlichen, sei es was immer.«

Aber was hatte sich wirklich abgespielt? Welches Vergehen oder Verbrechen hat Columbus in Portugal begangen? Darüber gibt es keine Quellen, und der Entdecker nahm das Geheimnis mit sich ins Grab.

In Kastilien begab er sich unter die Obhut des Klosters La Rabida. Die Mönche übernahmen auch die Obsorge für sein Kind Diego. Nach einiger Zeit gelangte er zum Herzog von Medina-Celi, dem reichsten Fürsten Andalusiens. Der Herzog war Enkel einer Jüdin, er nahm Columbus gastfreundlich auf und schien Interesse an der Expedition zu haben. Dazu setzte er sich in Verbindung mit dem Herrscherpaar, das aber anfangs wegen anderer Sorgen keine deutliche Antwort gab. Der Herzog verfaßte für Columbus ein Empfehlungsschreiben, das

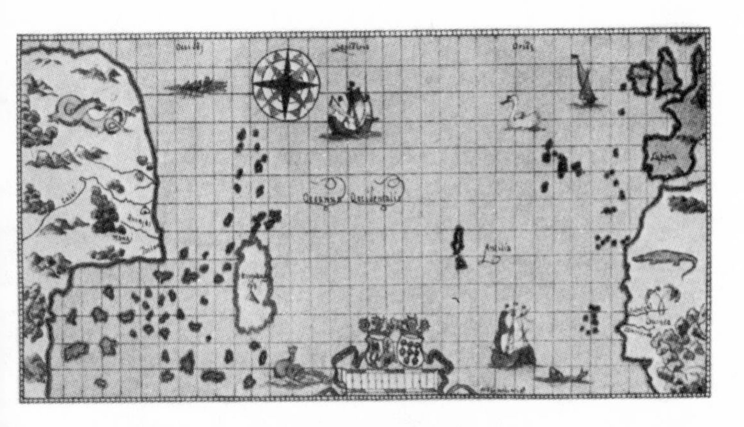

Karte des Toscanelli,
die Columbus auf der ersten Reise als Wegweiser diente
(Bildarchiv Österreichische Nationalbibliothek, Wien)

nach längerer Zeit Erfolg brachte. Das Wichtigste dabei war, daß der Herzog in dem Schreiben einen sicheren Seeweg nach Indien erwähnt hatte. Im Januar des Jahres 1486 wurde Columbus in Córdoba vom Königspaar in Audienz empfangen. Auf diese Audienz war Columbus, der ein guter Psychologe war und die Religiosität der Königin Isabella kannte, ausgezeichnet vorbereitet. Er erzählte der Monarchin, sein Unternehmen sei vor allem im Interesse der Kirche, da man in den neuentdeckten Ländern das Christentum verbreiten werde. Da er die Geld- und Goldgier König Ferdinands kannte, sprach er vom vielen Gold, das dort zu finden wäre, wechselte dann das Thema und meinte, daß mit Hilfe dieses Geldes den Moslems das Heilige Grab in Palästina entrissen werden könnte. Die Königin war von diesem Plan begeistert. Ferdinand reagierte völlig anders. Für ihn spielte die Verbreitung der christlichen Religion eine untergeordnete Rolle, er interessierte sich einzig und allein für Länder und Besitztümer, die der spanischen Krone zufallen könnten.

Ferdinand verhielt sich bei solchen Gelegenheiten immer

reserviert. Die Vereinigten Königreiche von Kastilien und Aragon, in denen Ferdinand und Isabella herrschten, standen eigentlich unter der Führung Isabellas, die zudem in Kastilien Alleinherrscherin war. Diese Tatsache bewirkte einen Minderwertigkeitskomplex Ferdinands. Als Isabella Begeisterung für den Plan Columbus' zeigt, dämpfte Ferdinand diese; er versprach jedoch, den Plan einer wissenschaftlichen Kommission, bestehend aus Gelehrten, vorzulegen. Auch die Königin war damit einverstanden, und sie bestimmte, daß zum Präsidenten der Kommission ihr Beichtvater, der Prior del Prado, Hernando de Talavera, ernannt wurde. Talavera, Enkel einer Jüdin, wurde später Erzbischof von Granada und wie so viele geistliche Würdenträger ein Opfer der Inquisition. Der wissenschaftliche Beirat lehnte Columbus' Projekt ab. Die Königin Isabella vertröstete ihn aber mit der Zusage, daß sein genialer Plan nach dem Sieg über die Mauren nochmals zur Sprache kommen werde.

Diego de Deza, Bischof von Salamanca und Professor der Theologie an der dortigen berühmten Universität, förderte Columbus großmütigst. Diego de Deza war Dominikaner und stammte aus einer Familie von Conversos. Er wurde Erzieher des Prinzen Johann, dann Erzbischof von Sevilla, schließlich Nachfolger des Großinquisitors Torquemada. Diese Funktion behielt Deza jedoch nicht lange, er wurde durch Kardinal Ximenes ersetzt. Um Columbus zu helfen, berief Deza in Valcuebo nächst Salamanca eine Gelehrtenkonferenz ein.

Die Konferenz in Salamanca hatte zwar inoffiziellen Charakter, stelle sich jedoch hinter Columbus und unterstützte seine Pläne. Deza erreichte, daß Columbus am 4. Mai 1487 in die Dienste der spanischen Herrscher genommen wurde. Er lernte zwei angesehene Juden kennen, den königlichen Obersteuerpächter Don Abraham Senior und dessen Freund Don Isaak Abrabanel. Abrabanel entstammte einer alten und bekannten Familie. Sein Großvater, der »große« Don Samuel Abrabanel, war der reichste und angesehenste Jude Valencias gewesen. Samuel Abrabanel mußte im Jahre 1391 der schweren Verfolgungen wegen seinen Glauben ablegen und einen neuen Namen annehmen. Er nannte sich künftighin Alfonso Fernandez de Vilanova. Samuels Sohn, Juda Abrabanel, ließ sich in Lissabon nieder und wurde Schatzmeister des Infanten Don Fernando. Don Fernando lieh von Don Juda hohe Summen und traf nach seiner glücklichen Heimkehr von einem Feldzug gegen die Mauren die Verfügung, seinem Gläubiger den Betrag von einer halben Million Reis zurückzuzahlen. Don Isaak Abrabanel genoß das Vertrauen des Königs Alfonso V. und stand mit den Mitgliedern des Hauses Braganza auf freundschaftlichem Fuß. Er mußte die Flucht ergreifen, weil er der Freund des von König Johann II. zum Tode verurteilten Herzogs von Braganza war. Abrabanel erreichte Kastilien, siedelte sich hier an und gewann bald die Gunst des spanischen Königspaars. Er war einer der ersten, die bereit waren, das Unternehmen des kühnen Seefahrers zu finanzieren. Ob Columbus den klugen Isaak Abrabanel schon in Lissabon kennengelernt hat, weiß niemand zu sagen.

Aber aus den Plänen Columbus' wurde vorläufig nichts. Er muße warten. Es sind keine Unterlagen erhalten geblieben, aus denen hervorgeht, was er in dieser Zeit des Wartens gemacht hat. Wahrscheinlich reiste er hartnäckig von Schloß zu Schloß, um Anhänger für seine großen Pläne zu suchen.

Columbus wußte, daß seine Entdeckungsfahrt mit großen finanziellen Kosten verbunden sein würde. Die Schlüsselpositionen in der damaligen Finanzwelt Spaniens und auch im spanischen Schatzamt waren in den Händen von Juden und Marranen. Auch an den Universitäten und in der Wissenschaft gab es jüdische Forscher. Alle diese Personen mußten Columbus für seine Pläne gewinnen. Er kannte die Situation, in der sich Juden und Marranen in Spanien befanden, ganz genau. Die Prozesse vor den Inquisitionstribunalen, die Anfeindungen der Juden und Marranen, das Mißtrauen gegenüber den Conversos, der Neid wegen ihres Reichtums beherrschten das tägliche Bild Spaniens. Die Predigten von den Kanzeln gegen die Juden und gegen die Ketzer, die Reaktion des Pöbels auf die Propaganda der Bettelmönche schufen für die Juden und auch für die Conversos eine Atmosphäre der Unsicherheit und der Angst.

Es war unausbleiblich, daß seine Pläne sich nicht nur in Hofkreisen, sondern auch unter der Bevölkerung herumsprachen. Sie weckten Hoffnungen sowohl bei den Verfolgten wie auch bei potentiellen Opfern künftiger Verfolgungen.

Die aufziehende Gefahr nahm Gestalt an in Form eines Ereignisses, das dazu angetan war, jedes Mitleid mit den Juden für das Kommende auszuschalten und darüber hinaus die antijüdische Stimmung unter der gesamten spanischen Bevölkerung zu entfachen. Das Geschehen wiederholte sich oft in der Geschichte und kann als Modellfall für ähnliche Gemeinheiten gegen die Juden gelten. Der verdient eine breitere Darstellung, da wir Einblick in die Praktiken der Inquisition erhalten.

Man schrieb den März 1491. Benito Garcia, ein Stoffhändler, kam in die kleine Stadt Astorga, um seinem Gewerbe nachzugehen. Er mietete sich ein Zimmer in einer Herberge. Garcia, jetzt 60 Jahre alt, hatte sich 40 Jahre vorher taufen lassen. In der Herberge plünderten Betrunkene sein Gepäck. Sie liefen zum Ortspfarrer und teilten diesem mit, sie hätten im Gepäck Garcias eine geschändete Hostie gefunden. Garcia wird verhaftet. Der Untersuchungsrichter der Inquisition ließ ihn, wie es die Vorschrift war – ohne ihm den Grund seiner Verhaftung mitzuteilen –, das Credo und die Confessio aufsagen. Der erschrockene Garcia stammelte und stockte vor Erregung beim Aufsagen des Gebetes, er hielt mehrmals inne, brachte kaum Worte heraus und machte den Eindruck, als müßte er sich erst mühsam erinnern. Für die Inquisition war das gleich ein Beweis, daß Garcia bereits lange aus der Übung war. Schon war es für den Richter ein schwerer Fall von Ketzerei. Garcia wurde einer Gehirnwäsche unterzogen, er mußte sein ganzes Leben schildern und sollte alles erzählen, was er als Neuchrist über das Alte Testament und über jüdische Rabbanen wußte. Nach dem Verhör gewann der Untersuchungsrichter die Überzeugung, Garcia sei ein geheimer Jude. Jetzt konnte er zu zweiten Stufe der Untersuchung schreiten, um Garcia zu einem Geständnis zu zwingen. Garcia sollte sagen, wer noch außer ihm geheime Juden seien und wer sie dazu verführt habe.

Garcia blieb standhaft, er nannte keine Namen. Er wurde gefoltert und der Wasserprobe unterzogen. Nachdem er bereits mehrere Liter Wasser geschluckt hatte und sein Magen den Druck des Wassers nicht mehr aushielt, gab Garcia nach und nannte einen anderen Konvertiten namens Juan de Ocana. Dieser habe ihn verleitet. Unter dem Druck der Folter behauptete Garcia, daß er, Ocana und noch andere den Sabbat und die jüdischen Feiertage immer im Hause der jüdischen Familie Ca Franco gemeinsam mit der Familie deren Sohnes, Yuce Franco, feiern. Gleich darauf wurden die beiden Francos und Ocana verhaftet und in das Gefängnis nach Avila überführt. Im Gefängnis erkrankte der junge Franco und verlangte den Beistand eines Rabbanen. Die Inquisition sah nun die Möglichkeit eines Geständnisses mit Hilfe einer Täuschung als zulässig an. Anstatt eines Rabbanen schickte sie Pater Cuviquez zu ihm, einen Familiaren der Inquisition, einen getauften Jude, der Doktor der Theologie war und den Talmud kannte. Die Täuschung glückte. Ein Gefängnisarzt, der in der Nähe war, machte sich hinter einer Tür Notizen und beeidete später vor eiem Notar, daß am Krankenbett von Ritualmord gesprochen wurde. Tatsächlich war es jedoch so gewesen, daß Pater Cuviquez zum Kranken über Ritualmord gesprochen hatte, und zwar in dem Sinn, daß dieser keine Sünde sei, sondern eine gerechte blutige Rache an den Christen. Pater Cuviquez wurde vom Inquisitor einvernommen und schwor, daß die Angaben des Arztes auf Richtigkeit beruhten und daß über Ritualmord gesprochen worden sei. So wurde ein neuer Verdacht konstruiert und die Verhafteten über den Ritualmord verhört.

Die Akten der Untersuchung für den künftigen Prozeß waren schon zu Bänden angeschwollen. Der Großinquisitor Thomas de Torquemada, der in seinem Kloster zu Santa Cruz in der Nähe von Avila residierte, ließ sich über den Fall berichten und übernahm ihn dann in seine Hände.

Torquemada brauchte nämlich dringend einen spektakulären Fall als Hauptmotiv für die von ihm beabsichtigte Austreibung der Juden. Die Austreibung sollte nicht nur auf Glaubensfragen beruhen. Er brauchte einen Kriminalfall, um so für jeden Spanier verständliche Gründe für das kommende Vorgehen gegen die Juden zu schaffen. Die Juden Spaniens mußten in den Augen all derer, die für sie einzutreten bereit waren, kompromittiert werden.

Torquemada merkte sofort, daß der Fall Garcia jener Anlaß war, den er so lange gesucht hatte. Hier war der Beweis der jüdischen Schuld und des schlechten Einflusses, den ungetaufte auf getaufte Juden ausüben. Torquemada lag viel daran, den Schein der Legalität zu wahren. Die Inquisition war nach ihrem Statut für Juden, die nicht getauft waren, nicht zuständg. Also mußte den Fall eine andere, eine weltliche Gerichtskommission übernehmen, die gleichzeitig mit dem Inquisitionstribunal tagen sollte. Recht muß Recht bleiben. Torquemada sorgte dafür, daß dieser Prozeß, der sehr lange dauerte, die größte Publizität bekam und daß die Kunde von den Sünden der Juden bis in das kleinste spanische Dorf drang. Es war das Ziel Torquemadas, daß Spanier, wenn sie Juden begegneten, in ihnen sofort die Brüder Francos und Garcias sahen, die nach Christenblut dürsten und dieses vergossen haben. Vor dem weltlichen Gericht, bei dem auch Verteidiger zugelassen waren, stellte sich bald heraus, daß die Anklage auf schwachen Beinen stand. Die Anklage enthielt keinerlei Angaben über den Namen des angeblich Ermordeten, den Tag und den Ort der Tat. Das Gericht erklärte sich auf Vorschlag des Verteidigers für unzuständig. Auf Drängen Torquemadas gab der Erzbischof ausnahmsweise dem Inquisitionstribunal zu Avila das Recht, über den Fall zu richten.

Schwer mitgenommen durch die üblichen Folterpraktiken der Inquisition, denen der geschwächte und kranke junge Yuce Franco unterzogen war, legte dieser bald das gewünschte Geständnis ab, und schon war die genaue Story, wie sie das Inquisitionstribunal dringend brauchte, da: Drei Jahre zuvor wurde ein christlicher Knabe von den Marranen Garcia und Ocana in einen Keller geschleppt. In diesem Keller befanden sich bereits außer Yuce und seinem Vater noch drei andere Angehörige der Franco-Familie. Das Kind wurde ausgezogen, an ein Kreuz geschlagen, das Herz wurde ihm herausgerissen, in einer Salzlösung aufbewahrt, und die Anwesenden umtanzten das Opfer, spieen es an und nannten es Jesus.

Mehr brauchte die Inquisition nicht. Auch die restlichen drei Francos wurden verhaftet. Jetzt war nur noch eine Schwierigkeit zu überwinden. Alle sieben Verhafteten sollen gleichlautende Geständnisse ablegen. Die Folter feierte auch hier Triumphe. Nun waren dem Fall noch allgemeine Aspekte beizugeben. Man brauchte den Übergang von den sieben Verhafteten zu den restlichen Juden in Spanien, hauptsächlich aber zu den Vertretern des jüdischen Glaubens, zu den Rabbanen. Die Folterknechte sahen Garcia für diese Aussage vor. Sie hatten doch bisher Erfolg gehabt. Unter Foltern mußte er gestehen, daß die Rabbanen in den Juderien die Wichtigkeit des Ritualmordes pedigten und diesen den Juden als Rache am Christentum empfählen. Mit großer Spannung wurde der letzte Tag der Gerichtsverhandlung erwartet. Torquemada und die Inquisition sorgten dafür, daß alles, was sich jetzt ereignete, die weiteste Verbreitung erhielt. Benito Garcia wurde zum Prozeß auf einer Trage gebracht, weil seine Knochen durch die Folter gebrochen waren. Da ereignete sich aber etwas, was von der Regie des Prozesses nicht eingeplant war, die Inquisition dennoch mit Freude erfüllte. Garcia bat ums Wort. Er erklärte, er sei als Jude geboren und habe als junger Mann mit 20 Jahren das Christentum angenommen. Heute, nachdem er die grauenvollen Autodafés sah, habe sein Herz nunmehr Mitleid mit den Opfern, und er sei von Haß gegen die Mörder erfüllt. Das Christentum sei nur eine Komödie des Heidentums, der größte Antichrist sei der Großinquisitor Thomas Torquemada. Er habe nur den einen Wunsch, daß seine beiden Söhne, die schon als Christen geboren seien, sich der verfluchten katholischen Religion entsagten und Juden würden.

Benito Garcia hat sich durch diese Erklärung, da im der Tod sowieso sicher war, innerlich befreit. Was ihn bedrückte, hatte er offen ausgesprochen. Diese Erklärung aber war für die Inquisition etwas sehr Wertvolles - ein Beweis der Gotteslästerung. Torquemada sorgte für eine weite Bekanntmachung dieser Erklärung des »geheimen Juden«. Die Angeklagten wurden zum Tode verurteilt. König Ferdinand sandte an Torquemada ein Schreiben mit Worten des Glückwunsches und Dankes. Ganz Spanien wartete auf den Tag, an dem die Urteile vollstreckt werden sollten. Ein großes Pogrom nicht nur in Avila, auch in anderen Städten bereitete sich vor. Königin Isabella erschreckte vor der Möglichkeit eines Blutbades, das zehntausend oder vielleicht hunderttausend Menschenleben kosten könnten. Sie erließ drakonische Verordnungen zum Schutze derer, die nicht vom Prozeß direkt betroffen wurden.

Bis zur Neuzeit gab es immer wieder Blutbeschuldigungen. Päpste und auch Kaiser Friedrich II. wenden sich gegen diese Blutklagen, erläutern deren Unsinn, aber vergebens. Die Juden gestehen unter der Folter Verbrechen, die sie nie begangen haben. Auf diese Geständnisse warten aber immer Leute, die an Judenverfolgungen, an einer Austreibung von Juden ein Interesse haben. Die einen sind Juden Geld schuldig, die anderen brauchen eine Ablenkung von der innerpolitischen Situation des Landes. Die Päpste sind gegen die Blutbeschuldigungen, die es bis in die neueste Zeit gegeben hat, machtlos.

Torquemada kommt seinem Ziel näher. Für die Juden Spaniens hat sich der Himmel verdüstert. Von allen Seiten werden Beschuldigungen gegen sie erhoben und verschiedener erdichteter Verbrechen und schlechter Einflüsse auf die christliche Bevölkerung beschuldigt. Die Inquisition zitiert mächtige Conversos, Minister der Könige, vor das Tribunal. So müssen erscheinen der Schatzmeister des Königs Luis de Santangel, der Minister Alonso de la Caballeria und viele andere, die angeklagt werden, geheime Juden zu sein. Noch sind die Könige nicht bereit, dem Drängen Torquemadas nachzugeben. Der Feldzug gegen die Mauren kostet Geld und man kann von den Juden noch Gelder auspressen. Reichere Juden beginnen das Land zu verlassen, und auch manche Marranen nehmen eine Pilgerfahrt nach Rom als Vorwand, um nicht mehr nach Spanien zurückzukehren.

Inzwischen zieht Columbus durchs Land und macht immer neue Bekanntschaften, kommt mit Juden und Conversos zusammen und erzählt von seinen Plänen. Er hat ein waches Auge für seine Umwelt, er sieht den Haß und die Anschuldigungen gegen die Juden. Es sind Juden und Conversos, bei denen er Gehör findet. Leider sind keine Unterlagen vorhanden, die genaue Zeitpunkte angeben, wann und mit wem Columbus zusammengekommen ist. Wenn wir aber die Endphase seiner Verhandlungen mit den Königen in Betracht ziehen und die Einschaltung mächtiger Protektoren für seine Pläne berücksichtigen, dann ist es logisch, daß er vorher mit seinen Förderern zusammengekommen sein muß, daß sie seine Pläne und die sich daraus ergebenden Möglichkeiten kannten.

Man muß sich in die Situation dieser Menschen versetzen, alle diese Faktoren berücksichtigen, sie mit den Augen verfolgter Menschen betrachten, oder von Menschen, die eine Verfolgung für sich oder für ihre Nachkommen befürchten. Man wird verstehen, warum sie alle, man möchte sagen leichtgläubig, den Worten eines Mannes lauschten, der anstatt mit konkreten wissenschaftlichen Daten eher mit Zitaten aus der Bibel, aus den Propheten und anderen jüdischen Schriften operierte. Die Vision, die durch die Pläne dieses Mannes bei Juden und Conversos entstand, hat manche logische und vernünftige Überlegungen beiseite geschoben. Der Wille, einen Mann zu unterstützen, der bereit war, einen Wunschtraum von Generationen von Juden der Verwirklichung näherzubringen, war jede Hilfe und jedes Risiko wert.

Abgesehen von den Hoffnungen, die Juden und Marranen an die Reise des Columbus knüpften, die ihnen Kontakte mit jüdischen Ländern, Königreichen und Fürstentümern in der Tiefe des asiatischen Raumes, also in den Indischen Landen, bringen sollte, war damit auch eine andere Erwartung verbunden. Aus den Forderungen, mit Columbus im Zusammenhang mit der Vorbereitung der Expedition der Krone stellte, war ihnen bekannt, daß Columbus im Namen der Könige die Herrschaft über diese Länder übernehmen sollte. Columbus habe sich ausbedungen, Gouverneur oder Vizekönig in diesen Ländern zu werden, die er für die spanische Krone in Besitz zu nehmen gedachte. Damit öffnete sich für die Juden eine Perspektive eines Auswanderungslandes, eine Möglichkeit, dem Druck der Kirche auszuweichen. Wenn sie in Columbus einen Converso oder einen Marranen sahen, dann schien ihnen diese Erwartung und Hoffnung als vollauf berechtigt. Die territoriale Verschiebung würde die Emigranten weit weg von jenem Hexenkessel bringen, zu dem Spanien in den letzten Jahrzehnten für die Juden und auch für die Conversos geworden war. Die politischen Ziele der spanischen Krone würden auch vom innerpolitischen Geschehen abgelenkt und sich einem neuen Aufgabenbereich zuwenden. Das müßte doch für die Juden und Marranen eine spürbare Erleichterung mit sich bringen.

Noch waren sie alle machtlos – Juden oder Conversos konnten alleine keine Expedition organisieren. Sie konnten sie höchstens bezahlen. Genehmigen mußte sie der Staat. Aber der Staat hatte damals andere Sorgen. Der Krieg mit den Mauren verschob alles auf einen späteren Zeitpunkt.

Columbus selbst lebte in Córdoba und trug sich mit der Absicht, Spanien zu verlassen. Wieder wandte er sich an die Mönche des Klosters La Rabida. Der Prior Juan Perez Marchena schrieb einen Brief an die Königin, und sie befahl Columbus zu sich. Bei dieser Audienz mußte sie ihn neuerlich vertrösten, weil das Land damals große Vorbereitungen zur endgültigen Auseinandersetzung mit den Überresten des maurischen Reiches auf spanischem Boden traf. Sie deutete ihm an, daß nach der endgültigen Bereinigung des maurischen Problems sich sein Vorhaben einer Realisierung nähern könnte.

Die letzte maurische Festung, Granada, fiel am 2. Januar 1492. Seit diesem Tag führten die spanischen Könige aufgrund eines päpstlichen Erlasses den Titel der »allerkatholischsten« Könige.

Der Fall Granadas war für Columbus das Startzeichen, seine Bemühungen am Hof zu intensivieren. Der Haupteinwand ist durch den Sieg über die Mauren weggefallen. Tatsächlich kommt es zum Gespräch mit den Königen. Columbus, verbittert durch die lange Wartezeit, von seiner Mission durchdrungen, stellt ungewöhnliche Forderungen, die die Könige nicht erfüllen wollen: dynastisches Vizekönigtum, Titel des Großadmirals der Ozeane und Anteil an den gefundenen Schätzen. Die Verhandlungen sind dem Abbruch nahe oder wie manche glauben – sie wurden unterbrochen, um nicht wieder aufgenommen zu werden. Da schalten sich vier Männer jüdischer Abstammung ein: Juan Cabrero, Luis de Santangel, Gabriel Sanchez und Alonso de la Caballeria.

Es soll auch außer ihnen die Marquise de Moya, eine Freundin und Vertraute Isabellas an ihrem Hofe, erwähnt werden.

Sie war eine Fürsprecherin der Pläne Columbus' und benützte jede Gelegenheit, um Isabella zuzureden. Die Motive der Marquise konnten spanische Forscher bisher nicht klären, außer daß sie in Kreisen der Marranen verkehrte und sich auch sehr oft für Marranen, die in Bedrängnis waren, eingesetzt hatte. Als Freundin der Marranen konnten bei ihr auch ähnliche Gründe für die Unterstützung von Columbus wie bei diesen mitspielen.

Der Haupteinwand der Königin war, daß das Land infolge des kostspieligen Krieges gegen die Mauren nicht in der Lage sei, die Kosten der Expedition zu tragen. Die Staatskasse war leer. Hier sprang Santangel wahrscheinlich nach Absprache mit Gabriel Sanchez, Cabrero und Caballeria, ein und erbot sich, die Expedition vorzufinanzieren. Das war der entscheidende Punkt, denn ohne dieses Angebot Santangels wäre es zu der Entdeckungsreise aus einfachem Geldmangel nicht gekommen. Ferdinand und Isabella glaubten außerdem, daß dieser Plan reale Chancen habe, wenn ein Mann wie der von ihnen sehr geschätzte Santangel bereit war, die Mittel für eine solche Reise ins Ungewisse vorzustrecken.

Es wäre hier am Platze, über eine so wichtige Persönlichkeit wie Luis de Santangel, dessen Statue sich auf dem großen Columbus-Denkmal in Barcelona befindet, etwas mehr zu sagen.

Die Santangels oder Sancto Angelos gehörten im 15. und 16. Jahrhundert zu den begütertsten, einflußreichsten und mächtigsten Familien Aragoniens. Als viele Juden in Calatayud, Daroca, Fraga, Babastro und anderen Städten wegen der großen Verfolgungen und der Hetzpredigten des Vicente Ferrer ihren Glauben ablegten, um ihr Leben zu retten, beugten auch sie sich dem Willen der Kirche.

Wie die Villanuevas, deren Stammvater Moses Patagon war, und die Clementes, die von Moses Chamorro abstammten, kamen auch die Santangels aus Calatayud, dem alten Calat-al-Yehud, einer der reichsten jüdischen Gemeinden Aragoniens im 14. Jahrhundert. Gründer dieser Gemeinde war Azarias Ginillo, ein gelehrter Mann, dessen Frau nicht zu bewegen war, das Judentum auch nur zum Schein abzulegen. Einige Jahre später heiratete sie Bonafas de la Caballeria. Azarias Ginillo oder Luis de Santangel hatte als Jurist einen großen Namen. Seine Söhne Alonso, Juan und Pedro Martin lebten in Daroca und erhielten von König Ferdinand von Aragonien Schutz- und Freibriefe. Durch ihre Klugheit und ihren Reichtum erlangten die Santangels hohe Ämter. Als ausgezeichnete Juristen wurden sie Mitglieder der Cortes und wirkten als Staatsbeamte und kirchliche Würdenträger. Schon der alte Azarias Ginillo hatte es bis zum Zalmedin gebracht (so wurde der vom König ernannte ordentliche Richter der Hauptstadt genannt). Um der Verfolgung zu entgehen und seine Frömmigkeit unter Beweis zu stellen, bestimmte er seinen Sohn Pedro Martin für den geistlichen Stand. Pedro Martin wurde Ratgeber des Königs Don Juan II. und Bischof von Mallorca. Der Neffe des Bischofs Martin de Santangel wurde Provinzial von Aragonien und hatte seinen Wohnsitz in Zaragoza. Die Santangels in Valencia und Zaragoza waren die Rothschilds ihrer Zeit. An der Spitze des Valencianer Hauses stand der Kaufmann Luis de Santangel der Ältere, für den sich schon König Alfonso V. von Aragon eingesetzt hatte und der mit König Juan II. in ständiger Verbindung stand. Sein Sohn Luis de Santangel der Jüngere, königlicher Rat in Valencia, pachtete die Staatsdomänen. Wenn sich König Ferdinand in Geldverlegenheit befand, nahm er zu den Santangels in Valencia Zuflucht. Und das nie vergebens.

Die Einführung der Inquisition wurde den Santangels zum Verhängnis. Mitglieder der Familie Santangel gehörten zu den Hauptverschwörern gegen den Inquisitor Pedro Arbues. Noch heute zeigt man bei Führungen in der Metropolitankirche La Seo jene Stelle, wo Arbues erdolcht wurde. Man zeigt aber auch die stattlichen Häuser am Mercado, dem großen, schönen Markplatz von Zaragoza, die zur Zeit der höchsten Blüte der aragonischen Hauptstadt die Wohnstätten Luis und Juan de Santangels waren. Die Santangels gehörten zu jenen Juden, die gleich zu Anfang der Inquisition den Scheiterhaufen bestiegen. Die Nachstellungen der Inquisitionstribunale richteten sich unaufhörlich gegen die Mitglieder der Familie Santangel und deren Vermögen.

Am 17. Juli 1491 wurde auch Luis de Santangel unter der Anklage, Anhänger des Judentums zu sein, vor Gericht gestellt. Luis de Santangel der Jüngere war der Sohn des reichen Luis de Santangel und hatte, wie schon sein Vater, die königlichen Steuern und Zölle von Valencia in Pacht. Er war Neffe jenes Luis de Santangel, der in Zaragoza den Scheiterhaufen bestiegen hatte. König Ferdinand ernannte ihn zum »Escarbano de racion«, zum Kanzler der Intendantur des aragonischen Königshauses. Außerdem bekleidete er die Stelle eines »Contador mayor« (Generalzahlmeisters) in Kastilien. Er war Ferdinands Günstling, kannte dessen tiefste Geheimnisse und besorgte die Staatsgeschäfte. König Ferdinand schätzte ihn über alles; sooft er an ihn schrieb, nannte er ihn nicht anders als den »guten Aragonesen« oder »den trefflichen, geliebten Rat«. Anderseits verdankte Santangel dem königlichen Freund seine Stellung, sein Ansehen und sein Leben, denn ohne direkte Intervention des Königs bei der Inquisition wäre es ihm nicht besser ergangen als seinen Verwandten.

Luis de Santangel war Spaniens Beaconsfield. Auch die Ahnen des englischen Staatsmanns Beaconfield Disraeli stammten aus Spanien und waren ihres jüdischen Glaubens wegen von der Inquisition vertrieben worden. Luis de Santangel war ein guter Aragonese und arbeitete dennoch für die Einheit Spaniens.

Das war der Mann, der sein Geld und sein Ansehen aufs Spiel setzte, um die Zustimmung zur Expedition von Columbus durchzusetzen. Ihm zur Seite stand der königliche Kämmerer Juan Cabrero; auch er war jüdischer Abstammung, seine Angehörigen waren der Inquisition zum Opfer gefallen. Cabrero galt als treuer Gefolgsmann des Herrschers. Er kämpfte an der Seite seines Königs gegen die maurischen Feinde und war Ferdinand stets ein guter und besonnener Ratgeber. Er genoß das Vertrauen des Königs in so hohem Maße, daß dieser ihn zu seinem Testamentsvollstrecker ernannte.

Beide waren Conversos, und je reicher ein Converso war, desto gefährdeter war er. Seit dem Fehlschlag der Verschwörung der Marranen hatten Conversos, ob sie echte Christen oder Scheinchristen waren, keine Ruhe mehr. Lang aufgespeicherter Haß der Besitzlosen, der Verhinderten, organisiert durch eine Clique von Ehrgeizigen und Fanatikern, bedeutete zur rechten Zeit das auslösende Moment, und im Nu hatten sie ein Übergewicht gegen die Mächtigen, deren Macht über Nacht zum Gestern zählte. Das Heute wurde vom Pöbel beherrscht, von den Besitzlosen, die es zu nichts gebracht hatten und die nichts mehr wünschten, als sich in fremde, warme Nester zu setzen, weil sie Zeit ihres Lebens nicht in der Lage gewesen waren, ein eigenes zu bauen oder ein erbautes zu erhalten.

Solange die Inquisition tätig war, bestand Gefahr für die Santangels, genauso wie für die anderen Conversos, etwa für Alonso de la Caballeria. Die beiden waren aber für Ferdinand unentbehrlich. Besonders Luis de Santangel wurde unablässig von Neidern am Hofe und von Denunzianten bei der Inquisition angeschwärzt. Immer wieder mußte das Herrscherpaar intervenieren. Das ist die Vorgeschichte zu einem Schriftstück, das Luis de Santangel erhalten hat und das zu jener Zeit einzigartig war. Ferdinand und Isabella haben am 30. Mai 1497 Luis de Santangel eine Art Eisernen Brief überreicht, der sowohl ihn wie auch alle seine Nachkommen auf ewige Zeiten vor den Tribunalen der Inquisition schützte, das heißt, daß sie niemals von einem solchen Gericht belangt werden konnten. Santangel und seine Nachkommen wurden, trotzdem sie von Juden abstammten, zu einer Art Ehrenariern mit einer besonderen »Limpieza de sangre« ausgestattet, die in Spanien von so großer Wichtigkeit war. Auch Alonso de la Caballeria, dem Vizekanzler in Aragon, machte die Inquisition den Prozeß, der sich zwanzig Jahre hinzog, bis Caballeria 1501 durch ein Dekret des Königs geschützt wurde.

Zurück zu Santangel. Ohne diesen Mann wäre die Expedition von Columbus nie zustande gekommen. Aus seinem Privatvermögen gewährte er ein zinsloses Vorschußdarlehen von 17000 Dukaten, damit die Flotte ausgerüstet werden konnte. Im Archiv von Simancas liegen die Originale der Rechnungsbücher Luis Santangels und auch die Beweise, daß ihm sein Darlehen erst viel später zurückgezahlt wurde. Columbus war durch seine Bildung, die sich in seinen erhalten gebliebenen Briefen, den Randbemerkungen in seinen Büchern, der Auswahl seiner Bücher und seinen vielseitigen Interessen widerspiegelt, auf das Zusammentreffen mit Juden gut vorbereitet. Er konnte ihnen nicht nur die Bibel und die Propheten zitieren, sondern kannte auch ihre geheimsten Wünsche. Sprach er mit Juden oder Marranen von seinen Reiseplänen, so rannte er offene Türen ein. Was er wollte: eine neue Welt und neue Wege entdecken, das wollten die Juden jener Zeit auch. Es war aber nicht nur ein Wunsch der Juden, sondern auch der Conversos und der Marranen, denn sie litten den Christen gegenüber unter einem Minderwertigkeitskomplex.

Die Sehnsüchte der Juden liefen also parallel zu den Träumen des Columbus, und es war daher kein Wunder, daß sie völlig übereinstimmten, nachdem sie sich miteinander ausgesprochen hatten. Dies, das möchte ich betonen, ist das Hauptargument für die Unterstützung, die Columbus von Juden und Marranen gewährt wurde. Was wären sonst die Motive des Luis de Santangel gewesen, zur Königin Isabella zu eilen, nachdem sie Columbus aufgrund seiner maßlosen Forderungen abgewiesen hatte, um sie umzustimmen, alle ihre Argumente zu entkräften und ihren wichtigsten Einwand, die Krone habe kein Geld, dadurch beiseite zu schieben, daß er sich erbot, die Expedition zu finanzieren?

Warum ging Santangel dieses enorme Risiko ein? Er konnte sich doch vorstellen, was geschehen würde, falls die Expedition scheiterte, Columbus aus den Weiten des Meeres nicht zurückkäme oder, was für Santangel noch ärger gewesen wäre, mit leeren Händen heimkehrte. Er hätte es sehr schwer gehabt, sich mit der Bitte an die Krone zu wenden, ihm seine Ausgaben zurückzuerstatten. Er mußte auch damit rechnen, nicht bloß sein Geld zu verlieren, sondern sich auch Vorwürfe dafür einzuhandeln, der Königin den Rat gegeben zu haben, einen Abenteurer in königliche Dienste zu stellen. Dabei dürfen wir die Position Santangels nicht überschätzen, dessen alleinige Stütze das Herrscherpaar war und der gegen viele Neider und Feinde am Hof anzukämpfen hatte.

Warum setzte Santangel sich für Columbus ein? Daß die Chancen des Gelingens einer solchen Expedition weniger als 50 zu 50 standen, mußte er wissen. Es bleibt daher keine andere Erklärung, als Santangels Intervention als Versuch zu werten, seinen verfolgten Brüdern, von denen ihn zwar jetzt schon die Religion trennte, mit denen er sich aber noch immer verbunden fühlte, zu helfen. Es kann kein Zufall gewesen sein, daß gerade die drei Conversos Santangel, Diego de Deza und Gabriel Sanchez, die beim Scheitern der Expedition mehr als ihr Ansehen eingebüßt hätten, das bereits abgesagte Unternehmen durch ihre Fürsprache bei Isabella retteten. Für die Juden in Spanien war es zu diesem Zeitpunkt fünf Minuten vor zwölf: Die maurische Frage bestand nicht länger – der Weg für die Endlösung des jüdischen Problems war offen. Die Grundlage für das Austreibungsdekret, das bald folgen sollte, war geschaffen.

Hatten die Menschen jüdischer Herkunft zu jener Zeit, in

der die Inquisition wütete, in der auf den Hauptplätzen spanischer Städte die Opfer des Glaubensgerichtes brannten, keine anderen Sorgen, als einen Fremden zu unterstützen, der nach Kastilien gekommen war, um seine Reisepläne zu verwirklichen? Den einen schienen sie gewagt, den anderen abenteuerlich, und die Gelehrten hielten nichts davon. Ausgerechnet Juden und Judenstämmlinge, Conversos und Marranen, denen man Kalkulation und Nüchternheit nachsagt, stellen sich hinter einen Mann, den der wissenschaftliche Beirat der Könige eigentlich ablehnte. Warum taten sie es? Sie durften doch die Möglichkeit nicht außer acht lassen, daß sie beim Scheitern seiner Pläne nicht nur ausgelacht, sondern in den Augen derer, auf deren Gunst sie angewiesen waren, herabgesetzt wurden. Die Conversos hatten mächtige Feinde, die einzig auf ihre Fehler warteten, um sie aus ihren Positionen zu verdrängen. Diese Tatsache mußte sie doch zur Vorsicht mahnen. Und vorsichtig zu sein, hatten die Conversos seit Jahrzehnten in Spanien gelernt.

Trotzdem reagieren die Conversos anders, als man von ihnen erwartet hätte. Sie stellen sich uneingeschränkt hinter Columbus, retten im letzten Augenblick die Verwirklichung seiner Pläne. Weshalb? An der Beantwortung dieser Frage versuchten sich mehrere Forscher, ohne eine befriedigende Antwort geben zu können. Die häufigste ist, daß sie der Krone einen Dienst erweisen wollten. Dieser Dienst hätte sich aber, sollte die Expedition scheitern, als Blamage herausstellen und auf die Urheber zurückfallen können.

Verschiedentlich hat man versucht, die Hilfe, die Columbus von dieser Seite erhalten hat, auf andere Weise zu deuten. In seinem Buch über Columbus glaubt Salvador de Madariaga, die Antwort gefunden zu haben, und schreibt, daß Columbus seiner Meinung nach ein Converso, also ein Bekehrter, war und die Bekehrten daher sein Vorhaben unterstützt hätten. Trotz der gründlichen Untersuchung, die Madariaga auf diesem Gebiet angestellt hat, befriedigt diese Mutmaßung nicht, denn die Annahme, daß Columbus ein Converso war oder von Conversos abgestammt hat, genügt nicht zur Erklärung einer so massiven und tatkräftigen Unterstützung. Es muß noch etwas anderes gegeben haben, das seine Wirkung auf Marranen und Conversos nicht verfehlte: ihr großes, vitales Interesse an den Zielen der Expedition. Da sie von Juden abstammten, waren sie bedroht, genau wie die Juden selber, es war nur eine Frage der Zeit, und sie wußten es. Die Hoffnung der Juden auf eine Zuflucht konnte bald für die Marranen dasselbe bedeuten. Daher gingen sie das Risiko der Unterstützung der Expedition ein. Sie konnten sich leicht ausmalen, welche Hilfe für sie alle - Juden und Conversos - die Entdeckung eines oder mehrerer jüdischer Staaten bedeuten könnte. Waren sie doch mehrmals Zeugen von Interventionen moslemischer Staaten zugunsten der Moslems, die in christlichen Staaten lebten. Die Entdeckung jüdischer Staaten würde das politische Bild verändern und die Position der Juden und Conversos in Spanien und in anderen Staaten festigen und heben. Es gibt keine andere brauchbare Erklärung für die Unterstützung des Columbus durch die Marranen und Juden. Gepaart damit war auch die Hoffnung, daß die politischen Ziele des spanischen Reiches sich territorial auf Übersee verschieben und von den von der Kirche aufgezwungenen Problemen in Spanien selbst ablenken würden.

Das Leben der Conversos und der Marranen hätte sich ganz anders gestaltet, hätte die Expedition, wie es Juden und Marranen im stillen hofften, tatsächlich zur Entdeckung jüdischer Fürstentümer und Königreiche geführt. Kein Jude, Converso oder Marrane, konnte, so groß auch seine Position, sein Einfluß und seine Unentbehrlichkeit bei Hof waren, mit der dauernden Gunst der Könige, mit ihrem ständigen Wohlwollen und gesicherter Existenz rechnen. Das beste Beispiel hierfür lieferte Jahrhunderte vorher Chasdai Ibn Schaprut, als er, der hochgeachtete Minister des Kalifen, sich anerbot, auf all seine Vergünstigungen als mächtiger Mann in Córdoba zu verzichten, um sich dem jüdischen König der Chasaren zur Verfügung zu stellen. Das geschah zu einer Zeit, als die Juden unter dem Kalifat keinerlei Verfolgung ausgesetzt waren und sich frei entfalten konnten. Wie anders war die Situation in Spanien fünfhundert Jahre später.

Wenn es eine Brücke zwischen Columbus und den Juden und Conversos gegeben hat, dann war es die Möglichkeit, solche jüdische Länder zu entdecken. Jeder, der damals mit dem Vorhaben gekommen wäre, auf eine Entdeckungsreise zu gehen, die zu den Gestaden solcher jüdischer Länder führen könnte, hätte die Unterstützung der Juden und Conversos gehabt, ganz unabhängig davon, ob er selbst Converso war oder nicht. Es gibt meiner Meinung nach keine befriedigendere Erklärung für dieses faktische, aber nicht ausgesprochene Bündnis.

Es ist nicht von der Hand zu weisen, daß Columbus gegenüber den Juden und Marranen einen Beweis erbringen mußte, daß er selbst mit einer Möglichkeit der Entdeckung jüdischer Länder rechnete. Diesen Beweis hat Columbus tatsächlich erbracht, indem er auf seine erste Expedition einen Dolmetscher für hebräische Sprache mitnahm. Diese Tatsache wurde bisher wenig beachtet. In vielen Büchern über die Expedition von Columbus wird beim Namen eines Mitreisenden der Name Luis de Torres, Funktion: Dolmetscher, vermerkt. Nur wenige sagen, daß es sich bei Torres um einen getaufen Juden handelt. Für diese Untersuchung scheint der Person des Dolmetschers sehr viel Gewicht zuzukommen.

Aus den vorhandenen Dokumenten geht hervor, daß Luis de Torres vor seiner Reise mit Columbus Dolmetscher für hebräische Sprache beim Gouverneur von Murcia, Juan Chacón, war. Murcia hatte eine große jüdische Einwohnerschaft. Torres konnte auch Arabisch und etwas Chaldäisch. Nachdem die

Expedition mit der Austreibung der Juden zeitlich zusammenfällt, war seine Tätigkeit als Dolmetscher beim Gouverneur damals gerade zu Ende. Denn es gab keine Juden mehr, für die Luis de Torres bei ihren Vorsprachen beim Gouverneur hätte dolmetschen können.

Warum nahm Columbus einen Dolmetscher für hebräische Sprache mit? Die hebräische Sprache war damals in keinem Land eine Landessprache. Es bleibt dafür keine andere Erklärung als die, daß Columbus sicher war, in Länder zu gelangen, von denen die Fama berichtete, daß dort Juden lebten und diese Länder regierten. Das stand auch im Einklang mit den Hoffnungen der spanischen Juden.

Wir wissen außerdem, daß Torres, um an der Expedition teilnehmen zu können, sich kurz vor der Abreise taufen ließ. War Luis de Torres der einzige Jude oder Converso in der Expedition? Die Frage nach der Zahl der Juden, die an der Expedition teilgenommen haben, wird niemals erschöpfend geklärt werden können. Es steht außer Zweifel, daß auch die Ärzte der Expedition, der Schiffsarzt Maestre Bernal und der Wundarzt Marco, Juden waren. Außerdem finden sich unter den Teilnehmern auch andere jüdische Namen wie Alonso de la Callo und Rodrigo Sanchez. Rodrigo Sanchez aus Segovia war ein Verwandter Luis de Santangels. An der Expedition nahm er als Vertreter der Katholischen Kirche teil. Fest steht weiter, daß er auch die Interessen der Marranen wahrgenommen hat, die Columbus unterstützt haben. Er ist eine der fünf Europäer, die als erste amerikanischen Boden betreten haben. Auch soll der Matrose, der als erster Land gesehen hat und hierfür von der Königin Isabella eine Prämie von 10000 Maravedi bekommen sollte, Jude gewesen sein. Der Forscher Meyer Kayserling führt eine Reihe weiterer Namen an, so daß man zu einer beträchtlichen Zahl (etwa einem Drittel) jüdischer Teilnehmer gelangen könnte, doch haben spätere Forschungen die Angaben Kayserlings nicht hinreichend bestätigen können.

Die Tatsache, daß Columbus einen Dolmetscher für die hebräische Sprache mitführte, beweist, daß er zumindest hoffte, mit hebräischsprechenden Menschen zusammenzutreffen. Warum nahm er keinen ausgesprochenen Dolmetscher für Arabisch mit? Das wäre naheliegender gewesen, da er doch einen Dolmetscher für eine orientalische Sprache gebraucht hätte. Viele konvertierte Mauren in Spanien kannten einige arabische Idiome. Warum engagierte er keinen Mauren, sondern Torres? Wer verwies Columbus an Torres? Wann ist Columbus an Torres herangetreten? Es ist bekannt, daß sich Columbus im Jahr 1491 einmal in Murcia aufgehalten hat.

Ich habe versucht, in Spanien etwas mehr über die Person Luis de Torres zu erfahren. Vor allem, ob es Unterlagen dafür gibt, über wen Columbus an Torres gelangt ist. Ich erhielt als Antwort bloß die Vermutung, sicherlich habe Santangel oder ein anderer Converso Torres vorgeschlagen. Mit der Zusammenstellung der Mitglieder der Expedition mußte sich Columbus schon früher beschäftigt haben, zweifellos nicht erst dann, als er endlich im Januar 1492 die Zustimmung der Könige erhielt. Dazu gehört vor allem die Frage des Dolmetschers, denn die Verständigung mit Menschen in fernen Ländern ist wohl eines der wichtigsten Probleme. Die Wahl des Dolmetschers hängt sicher eng mit der Hoffnung auf Entdeckung jüdischer Königreiche oder Fürstentümer zusammen.

Die Meinungen der Forscher gehen auseinander. War Luis de Torres der erste Europäer, der seinen Fuß auf amerikanischen Boden setzte? Man spekuliert, daß gewöhnlich der Dolmetscher als erster an Land geht, um sich mit den Einheimischen zu verständigen. Auch lesen wir im Tagebuch des Columbus, daß bei der Annäherung der Schiffe an das Ufer Scharen von Eingeborenen dem Strand zuströmten. Columbus erwähnt Torres erst, als er diesen zur Erkundung und Aussprache zum Häuptling der Eingeborenen schickt. In Erinnerung an den Reisebericht Marco Polos nennt er den Herrscher

Großkhan. Jedenfalls ist bekannt, daß Torres unter den ersten Europäern war, die sich in Amerika niederließen.

Wenn die Entdeckung solcher von Juden regierten Länder das gemeinsame Ziel von Columbus, Juden und Marranen war, die seine Reise durch Geld und ihren Einfluß unterstützt hatten, dann kommt der Person des Dolmetschers Luis de Torres eine Schlüsselstellung zu. Die Tatsache, daß Columbus ausgerechnet einen Dolmetscher für Hebräisch mitgenommen hat, mußte doch für die Juden, die an seiner Reise interessiert waren, ein Beweis dafür sein, daß mit der Entdeckung des Wasserwegs nach Indien die Entdeckung jüdischer Länder verbunden war.

Leider blieb diese wesentliche Tatsache von den spanischen und anderen Historikern bisher unbeachtet. Im »Boletin de la Real Academia de la Historia«, in dem die amerikanische Forscherin Alice B. Gould alles Wissenswerte über die Teilnehmer der Expedition zusammengetragen hat, findet sich nur wenig über Luis de Torres. Wahrscheinlich kann man über ihn in den Archiven nichts mehr finden. Für viele Forscher war er eine nebensächliche Figur. Sie vermerken nur, daß er zusammen mit Rodrigo de Xerez von Columbus ans Land geschickt wurde, um sich mit den Eingeborenen zu verständigen. Es bleibt daher eine unumstößliche Tatsache, daß die Eingeborenen nach der Landung in Amerika in hebräischer Sprache angesprochen worden sind.

Die Mitnahme eines Dolmetschers für die hebräische Sprache war für Columbus etwas Selbstverständliches, genauso wie auch für Vasco da Gama einige Jahre später. Im Jahr 1497, als gerade die Austreibung der Juden aus Portugal vor sich ging, nahm dieser auf die Entdeckungsreise nach Indien rund um das Kap der Guten Hoffnung einen Dolmetscher für Hebräisch mit. Vasco da Gama hatte den Juden Joao Nunez als Dolmetscher, und dieser ließ sich, genau wie Luis de Torres, vor Antritt der Reise taufen. Es war nach der Landung in Calicut an der Malabarküste in Indien am 21. Mai 1498 als erster an Land gegangen. Auch er sprach die Einwohner genau wie fünf Jahre vorher Luis de Torres in hebräischer Sprache an.

Die Anwesenheit von Juden an der Malabarküste (Pfefferküste) in Vorderindien (heutiger Unionsstaat Kerala) beschreibt auch Marco Polo in seinem Reisebericht. Dieser Teil Indiens pflegte über die Araber große Handelsbeziehungen mit der übrigen Welt, die an den indischen Gewürzen interessiert war. Die Malabarküste war auch das Reiseziel der Portugiesen, die den Handel mit Gewürzen monopolisieren wollten. Marco Polo spricht in diesem Zusammenhang von dem Königreich Koulam. Er sagt: »In ihm leben viele Juden und Christen, die ihre eigene Sprache sprechen.« Dieser Hinweis ist besonders wichtig, wenn wir die Frage der Dolmetscher der spanischen und portugiesischen Expeditionen behandeln.

Das Buch von Marco Polo war im Besitz von Columbus. Er hat es, wie alle Bücher, die er besaß, sehr eifrig gelesen. Bei seinen Bemühungen, der Expedition die Gunst der maßgeblichen Persönlichkeiten zu sichern, beschrieb er die asiatischen Länder so, wie sie im Bericht von Marco Polo vorkommen.

Tatsächlich leben zu dieser Zeit in Indien Juden. Besonders in Calicut und auf der Insel Chennamangalan befinden sich jüdische Handelszentren. Das Fürstentum Cranganore hat jüdische Herrscher. Der Gründer der dortigen Dynastie war Josef Rabban, der als Isuppu Irappan Fürst von Cranganore war. Seine Nachfolger regierten Cranganore zu der Zeit, als Vasco da Gama den Weg nach Indien um das Kap der Guten Hoffnung fand. Man kann mit Sicherheit annehmen, daß sowohl Columbus wie auch Vasco da Gama die Mitteilungen über die Juden in Indien bekannt waren.

Was auffällt, ist die Tatsache, daß sich unter den 120 Besatzungsmitgliedern der drei Schiffe, mit denen Columbus auf die Fahrt ging, sehr zum Unterschied zu späteren Expeditionen, kein einziger Priester befand. Doch eines der Motive,

¶ Al Escriuano de Racion de los RR. Ca

eñor: porque se que haureis plazer de la grande victoria que nuestro Señor me ha dado en mi viaje vos escriuo esta por la qual sabreys como en treinta y tres dias pasé a las Indias (con la armada que los illustrissimos Rey e Reyna nuestros señores me dieron) donde yo fallé muy muchas yslas pobladas cō gēte sinnumero: y dellas todas he tomado posesion por sus Altezas con pregon y bandera real estendida y non me fue contradicho. ¶ A la primera que yo fallé puse nombre San Saluador a cōmemoracion de su alta magestad/ el qual marauillosamente todo esto ha dado: los indios la llamā Guanahani. A la segunda puse nombre la ysla d Santa Maria d Concepcion: a la tercera Fernādina: a la quarta la Isabela: a la quinta ysla Juana: e asi a cada vna nombre nueuo. ¶ Quando yo llegué a la Juana segui la costa della al Poniente y la fallé tan grande que pensé que seria tierra firme la prouincia de Catayo y como no fallé ahi villas y lugares en la costa de la mar/ saluo pequeñas poblaciones con la gente de las quales no podia hauer fabla

Anfang von Columbus' zusammenfassendem Bericht an den Schatzmeister Santangel (Bildarchiv Österreichische Nationalbibliothek, Wien)

mit denen Columbus das Wohlwollen der Königin Isabella gewonnen hatte, war die Aussicht, die Einwohner der neuentdeckten Länder zum Christentum bekehren zu können. Es wäre geradezu selbstverständlich gewesen, wenn sich unter den Expeditionsteilnehmern auch ein Priester befunden hätte. Es gab aber keinen. Ein Rätsel mehr zu den vielen ungelösten.

Columbus wußte am besten, daß er das Zustandekommen der Expediton keinen anderen als den Conversos verdankte, vor allem aber Luis de Santangel und Gabriel Sanchez. Nicht nur, weil sie das Vorhaben finanzierten, sondern auch weil es ihnen gelang, den Unwillen Ferdinands zu besänftigen. Die Nachricht vom Erfolg der Expedition schickte er an die beiden Conversos, nicht an Ferdinand und Isabella. In fast gleichlautenden Briefen vom 15. Februar 1493, geschrieben während seiner Rückreise auf der Höhe der Kanarischen Inseln, gibt er seinen beiden Gönnern Kunde von der geglückten Expedition.

Er wollte nämlich, daß die Mitteilung darüber noch vor ihm in Spanien einträfe und bediente sich eines eben auslaufenden schnellen Schiffes. Santangel und Sanchez informierten dann die Könige. Durch Gabriel Sanchez erfuhr auch Europa von der Entdeckung. Dieser schickte eine Abschrift des Briefes an seinen Bruder Juan nach Florenz, der vor der Inquisition nach Italien geflohen und in einem Prozeß in Zaragoza von der Inquisition zum Tod verurteilt worden war. Da die Häscher aber seiner nicht habhaft werden konnten, wurde er in effige auf dem Scheiterhaufen zusammen mit anderen Ketzern verbrannt. Juan Sanchez übergab den Brief seinem Cousin Leonardo de Coscon, ebenfalls einem Marranen. Coscon übersetzte ihn ins Lateinische und ließ das Papier gedruckt veröffentlichen. Innerhalb eines Jahres erreichte die lateinische Übersetzung neun Auflagen. Unerklärlicherweise blieb die Entdeckungsreise für die spanische Welt eine Sache der Königin Isabella und Kastiliens, obwohl der Vertrag mit Columbus von beiden Königen unterzeichnet wurde und die Finanzierung und wesentliche Unterstützung von Aragonesen, Leuten wie Luis de Santangel und Gabriel Sanchez, beide Minister in Aragon, ausging. Columbus wurde zum Wappen, von dem bereits die Rede war, auch noch ein Spruch gegeben:

Por Castillo é por Leon
Nuevo mundo dió Colón.

»Für Kastilien und Leon fand eine neue Welt Colon.« Es gibt keine vernünftige Deutung, warum in diesem Spruch Aragon weggelassen wurde.

La lettera dellisole che ha trouato nuouamente il Re dispagna.

Die Landung von Columbus. Stich aus dem Jahre 1493
(Bildarchiv Österreichische Nationalbibliothek, Wien)

V. DAS BITTERE ENDE

Als die Katholischen Könige Ferdinand und Isabella gegen Granada zogen, um die letzte maurische Festung auf spanischem Boden zu bekriegen, war die Situation für die Juden und Marranen in Spanien bereits hoffnungslos geworden. Den Herrschern schien es zunächst zweckmäßig, die Juden im unklaren zu lassen und von ihnen noch hohe Beträge in Form von Anleihen und Abgaben zur Ausrüstung der Truppen gegen Granada herauszupressen, obwohl schon damals ohne jeden Zweifel der geheime Plan bestand, die Judenfrage in Spanien zu »lösen«. Es ist ein Symbol für jene turbulente Zeit, daß zwei Personen in der nächsten Umgebung der Herrscher im Heerlager zugleich anwesend waren: der Großinquisitor Thomas de Torquemada, der ungeduldig auf das Ende des Feldzuges wartet, damit er seine Austreibungspläne realisieren kann, und sein Gegenspieler, der Jude Don Isaak Abrabanel, der dem König hohe Geldsummen für diesen Feldzug geliehen hat und der seit langem versucht, den von chronischer Geldnot geplagten Ferdinand von seinen antijüdischen Plänen abzuhalten.

Beide kannten einander zur Genüge. Während Don Isaak Abrabanel sich über die Grenzen seiner Möglichkeiten im klaren war, seinen Einfluß manchmal aber doch überschätzte, war Torquemada seiner Sache immer sicher. Hinter ihm stand eine Macht, der sich auch die Mächtigen dieser Welt, besonders in Spanien, zu beugen hatten. Torquemada wußte, daß sein Spiel nicht verlorengehen konnte, denn den Argumenten, die er vorzubringen hatte, wußten die Juden zu dieser Zeit nichts mehr entgegenzusetzen. Seine Stärke lag auch darin, daß ihn die Juden unterschätzten. Über diese beiden Gegenspieler am Hofe der spanischen Herrscher gab es einen charakteristischen Ausspruch: »Im Gefolge der Könige befinden sich das Gold und der Scheiterhaufen.«

Im Januar 1492 war es soweit. Die Festung Granada fiel, die Mauren ergaben sich, allerdings nicht ohne vorher für sich günstige Kapitulationsbedingungen ausgehandelt zu haben. Über hundert Punkte hatte der Kapitulationsvertrag, in welchem die Könige den Mauren die freie Ausübung ihrer Religion und eine eigene Gerichtsbarkeit zusicherten, die auch die Unantastbarkeit ihres privaten Vermögens garantierte. Man befreite die Mauren außerdem vom Kriegsdienst, und für den Fall der Auswanderung hatte sich Kastilien verpflichtet, ihnen Schiffe zur Verfügung zu stellen. Sie bekamen auch das Recht, nach Granada zurückzukehren, wenn ihnen ihre neue Heimat nicht entspräche. Ungestörte Verbindungen zu Moslems in allen Staaten des Mittelmeeres wurden ihnen garantiert. In Granada lebte seit Jahrhunderten eine größere Anzahl Juden in freundschaftlicher Verbindung mit den Mauren. Auf Bitten der maurischen Unterhändler wurden den Juden von Granada im Kapitulationsvertrag dieselben Rechte wie den Mauren zugestanden. Der Kapitulationsvertrag beginnt bei jedem Punkt mit einem Schwur der Katholischen Könige. Er lautete: »Ich, die Königin, und Ich, der König, versichern, versprechen und schwören auf unsern heiligen Glauben und auf unser königliches Wort, jede einzelne Bedingung der Kapitulation, jetzt und später, heute und in aller Ewigkeit genauestens zu befolgen, genauestens von jedem Unserer Untertanen bei Todesstrafe befolgen zu lassen.« Einhundertmal schworen das die Könige.

Dieser Eid, der auch die Juden von Granada mit eingeschlossen hatte, erfolgte drei Monate vor Verkündung des Austreibungsediktes (deutsche Übersetzung siehe S. 192f.)

Am 30. April 1492 haben die Trommler auf allen Märkten das Edikt der Könige über die Vertreibung aller Juden vom 31. März ausgerufen.

Eine Szene voll von Dramatik wird uns aus dieser Zeit überliefert. Don Isaak Abrabanel nahm die folgenschwere Mission auf sich, die Herrscher umzustimmen. Er war ein kluger Mann, der die Geschichte der Juden Spaniens genau kannte. Er glaubte, es würde sich alles so abspielen wie schon mehrmals in früheren Zeiten, wenn Könige und Fürsten Geld brauchten und die Juden es ihnen nicht in der gewünschten Höhe beschaffen konnten. In diesen Fällen hatten die Herrscher zum Mittel der Austreibung gegriffen und alle den Juden vorher zugestandenen Rechte außer Kraft gesetzt. Ein bitterer Scherz jener Zeit verglich die Juden mit einer Sparbüchse, die man zerschlägt, wenn man Geld braucht.

Abrabanel war darauf vorbereitet und sammelte Gelder, damit er zum Gespräch nicht mit leeren Händen kam. Überdies ließ er sich von gelehrten Rabbanen die Geschichte der Juden Spaniens zusammenstellen. Besonders wurde dabei vermerkt, seit wann sie bereits auf spanischem Boden lebten, welche Privilegien ihnen zuerkannt worden waren und welche Verdienste sie sich im Laufe der Zeit für Spanien erworben hatten.

So trat Abrabanel wohlausgerüstet mit Argumenten vor die Herrscher. Der Königin Isabella hielt er einen Vortrag, in dem er darauf hinwies, daß schon zur Zeit König Davids Juden in Spanien lebten und daß sie hier keine Fremden waren. Ferdinand versprach er Millionenbeträge und brachte gleich, da er seinen König kannte, einen Vorschuß in der Höhe von 30000 Dukaten mit.

Er glaubte, es würde ihm gelingen, die Könige umzustimmen, wie es seit Jahrhunderten immer wieder der Fall gewesen war. Doch Abrabanel verrechnete sich. Er hatte einen Faktor übersehen, der dieser Tage mehr Macht als die Könige hatte: die Kirche. Noch als die Könige schwankten und es so aussah, als würde es Abrabanel gelingen, sie umzustimmen, betrat der Großinquisitor Torquemada den Raum, warf das Kruzifix auf den Tisch und soll gesagt haben: »Judas Ischariot hat Christus für dreißig Silberlinge verraten, Ihr wollt es für dreißigtausend tun. Hier, verkaufet auch das Kruzifix!« Das Austreibungsedikt blieb in Kraft.

Auf geistigem Gebiet war die Macht der Kirche in Spanien unbegrenzt. Die Macht auf der weltlichen Ebene erreichte sie, indem sie unter Berufung auf die Religion von allen die Unterwerfung unter ihre Gesetze verlangte, wobei sowohl ihr großer Reichtum wie auch die Zähigkeit, mit der die Würdenträger der Kirche verhandelten, ausschlaggebend waren.

Schon in Spanien zeigte es sich, daß die Juden stets unverbesserliche Optimisten waren. Das sollte auch den europäischen Juden 450 Jahre später zum Verhängnis werden. Immer und immer wieder glaubten sie, daß es nicht so schlimm kommen werde, wie es auf den ersten Blick aussah. Sie verstanden die Tragweite des Hasses nicht, der natürlich oder künstlich um sie erzeugt wurde und den sie selbst erzeugt hatten. Sie verneinten seine Existenz, weil er eben mit ihrem angeborenem Optimismus, der seit Jahrtausenden die Grundlage des Bestandes des Judentums bildet, nicht in Einklang zu bringen war. Und so wurden die Juden in Spanien von den Ereignissen überrascht; zum Teil auch deswegen, weil sie zwar die Geschichte der Völker, unter denen sie lebten, vortrefflich kannten, hingegen ihre eigene weit weniger. Und selbst wenn sie sie kannten, zogen sie aus ihr nicht die notwendigen Konsequenzen.

Gleichzeitig mit Columbus trafen auch die Juden, die gezwungen waren, Spanien zu verlassen, ihre Vorbereitungen. Da die Juden nur Handgepäck mitnehmen durften, mußten sie ihr Hab und Gut zu Schleuderpreisen verkaufen. Der Wert des jüdischen Eigentums sank von Tag zu Tag. Für Häuser, Wein- und Obstgärten bekamen sie nur wenige Goldstücke, womit sie sich das für die Reise Notwendige einkaufen konnten, da im Austreibungsdekret die Ausfuhr von Gold und gemünztem Gold verboten war. Ihre christlichen Nachbarn übernahmen jüdische Liegenschaften, und was sie den Juden hierfür gaben, betrachteten sie eher als freiwillige Spende. Die Juden mußten ihr Hab und Gut innerhalb einer Frist von 90 Tagen verkaufen, um die ihnen oft völlig unberechtigt aufgebürdeten Steuern bezahlen zu können. Ähnlich wie Jahrhunderte später in Deutschland und in Österreich mußten Spaniens Juden eine Art »Reichsfluchtsteuer« zahlen. Nur der konnte das Land verlassen, der seine Steuern bezahlt hatte. Aber bleiben nach dem Termin konnte er auch nicht. Wer konnte schon binnen so kurzer Zeit seinen Besitz zu einem angemessenen Preis veräußern? Gierig warteten die Nachbarn auf das von den Juden seit Generationen erarbeitete und ersparte Vermögen. Sie kamen sich großmütig vor, wenn sie für deren Eigentum überhaupt etwas zahlten. Es kursierten sogar Gerüchte, daß Ferdinand und Isabella ein Dekret erlassen würden, da den Christen das gesamte jüdische Vermögen zufallen würde. Dabei wurde übersehen, daß die Herrscher nur an sich selbst und an ihren eigenen Vorteil dachten.

Der Weg der verstoßenen Juden führte meist zu einem rettenden Hafen, von dem aus sie ein Schiff in ein anderes Land bringen sollte. Sie charterten halb verfaulte, längst ausgediente Schiffe, die notdürftig geflickt wurden, um noch eine Reise bewältigen zu können.

Der katholische Geistliche Palaccio berichtet über den Auszug der Juden aus Spanien: »Auf offenem Felde halten sie Rast. Die einen fallen vor Müdigkeit um, die anderen, weil sie krank sind. Manche sterben, andere werden am Straßenrand geboren. Jeder Christ, der diese Elenden sieht, wird von Erbarmen ergriffen. Menschen aus dem Volke mengen sich unter sie und bitten sie, sich zur Taufe zu unterwerfen. Aber der Rabbi ist gleich zur Stelle und muntert die Müden und Verzweifelten auf. Bewegen sich die Züge, dann singen die Frauen, und die Kinder schlagen auf die Handtrommel und blasen auf der Trompete. Wie nun einer dieser Züge das Meer erblickt, fangen Männer und Frauen an zu weinen, sie raufen sich die Haare und rufen den Allmächtigen um Gnade und Wunder an. Stundenlang starren sie das Wasser an.«

In den spanischen Hafenstädten, in denen sich die Juden sammelten, verdiente man schwer an ihnen. Gewissenlose und geldgierige Schiffskapitäne forderten ungeheure Summen. Sie ließen sich die Überfahrt drei- und vierfach bezahlen, und selbst während der Fahrt mußten die Juden immer wieder Zahlungen leisten, sogenannte Spesenbeiträge für Spesen, die es gar nicht gab. Wiederholt kamen Hiobsbotschaften über die vertriebenen Juden nach Spanien. Ein Schiff, das in der Türkei vor Anker gehen sollte, hatte plötzlich seinen Kurs geändert und die mitfahrenden Juden nach Afrika gebracht, wo sie von Piraten in Empfang genommen und als Sklaven verkauft wurden. Zwei der gefangenen Juden wurden von den Piraten nach Italien und Frankreich zu den jüdischen Gemeinden geschickt, um dort Lösegeld für die restlichen zusammenzubringen.

»Generaledikt über die Ausweisung der Juden aus Aragonien und Kastilien« vom 31. März 1492 (Übersetzung).

In unseren Königreichen gibt es nicht wenig judaisierende, von unserem heiligen katholischen Glauben abweichende böse Christen, eine Tatsache, die vor allem in dem Verkehr der Juden mit den Christen ihren Grund hat. In dem Bestreben, diesem Übel zu steuern, verfügten wir zusammen mit den im Jahre 1480 in Toledo zusammengetretenen Cortes, die Juden allenthalben abzusondern und ihnen abgegrenzte Wohnstätten zuzuweisen. Auch haben wir dafür gesorgt, daß in unseren Königreichen die Inquisition eingeführt werde, die nun schon zwölf Jahre in Tätigkeit ist und viele Schuldige der gerechten Strafe zugeführt hat. Nach dem

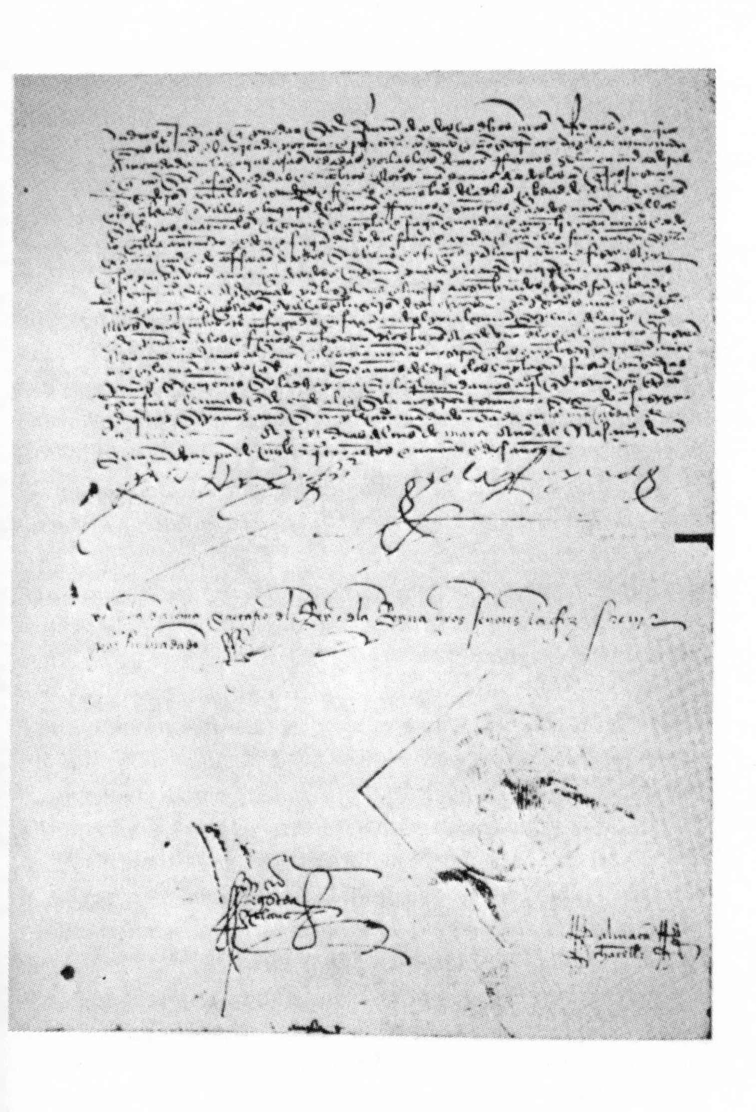

Austreibungsedikt der Juden aus Spanien,
datiert vom 31. März 1492

uns von den Inquisitoren erstatteten Bericht unterliegt es keinem Zweifel, daß der Verkehr der Christen mit den sie zu ihrem verdammten Glauben verleitenden Juden den allergrößten Schaden stiftet. Die Juden geben sich alle Mühe, sie und ihre Kinder (die Marranenfamilien) dadurch zu verführen, daß sie ihnen jüdische Gebetbücher in die Hand drücken, sie über die Fasttage belehren, ihnen zu Ostern ungesäuertes Brot (Mazzoth) beschaffen, sie anweisen, welche Speisen genossen werden dürfen und welche nicht, und sie überhaupt dazu überreden, das Gesetz Moses' zu befolgen. All dies hat die Unterwühlung und Erniedrigung unseres heiligen katholischen Glaubens zur unausbleiblichen Folge. So sind wir denn zu der Überzeugung gelangt, daß das wirksamste Mittel zur Abstellung all dieser Mißstände die völlige Unterbindung jedes Verkehrs zwischen Juden und Christen ist, die allein durch ihre (der Juden) Vertreibung aus unseren Königreichen erreicht werden könnte; indessen beschränkten wir uns zunächst nur darauf, sie aus den Städten Andalusiens auszuweisen, wo der von ihnen angerichtete Schaden besonders groß war. Allein weder diese Maßnahmen, noch die gerechte Justiz, die an den sich gegen unseren heiligen Glauben schwer versündigenden Juden geübt wurde, waren imstande, dem gefährlichen Übel abzuhelfen ... Wir haben daher den Beschluß gefaßt, alle Juden beiderlei Geschlechts für immer aus den Grenzen unseres Reiches zu weisen. So verfügen wir hiermit, daß alle in unserem Herrschaftsbereiche lebenden Juden ohne Unterschied des Geschlechts und des Alters nicht später als Ende Juli dieses Jahres unsere königlichen Besitztümer und Seigneurien mitsamt ihren Söhnen und Töchtern und ihrem jüdischen Hausgesinde verlassen und daß sie es nicht wagen sollen, das Land zwecks Ansiedlung, auf der Durchreise oder sonst zu irgendeinem Zwecke je wieder zu betreten. Sollten sie aber ungeachtet dieses Befehls in unserem Machtbereich erwischt werden, so werden sie unter Ausschaltung des Gerichtsweges mit dem Tode und der Vermögenseinziehung bestraft werden. Wir befehlen demgemäß, daß sich von Ende Juli ab niemand in unserem

Reiche bei Strafe der Vermögenseinziehung zugunsten des königlichen Schatzes erdreisten solle, offen oder insgeheim einem Juden oder einer Jüdin Zuflucht zu gewähren. Damit es aber den Juden möglich sei, während der ihnen eingeräumten Frist ihre Geschäfte abzuwickeln und über ihr Vermögen zu verfügen, gewährleisten wir ihnen unseren königlichen Schutz sowie die Sicherheit von Leben und Besitz, so daß sie bis Ende Juli hier ruhig leben und ihr bewegliches wie unbewegliches Gut nach Belieben veräußern, tauschen oder verschenken dürfen. Wir gestatten ihnen überdies, ihren Besitz mit Ausnahme von Gold, Silber, gemünztem Geld und anderen unter das allgemeine Ausfuhrverbot fallenden Gegenstände auf dem Wasser- oder Landwege aus unseren Königreichen auszuführen.

Die Chancen, mit dem Leben davonzukommen, sanken von Tag zu Tag. Die Unschlüssigen meinten, man sollte abwarten, und hofften zugleich, mächtige Conversos würden bei den Königen ein gutes Wort für sie einlegen. Die meisten Juden aber wußten, daß die Conversos selbst bedrängt waren, gerade zu dieser Zeit jede Verbindung mit dem Judentum leugnen mußten und sich keine Interventionen leisten konnten. Diese Situation wurde von der Kirche gehörig ausgenützt. Missionare suchten unter den verzweifelten Juden nach Unentschlossenen und boten jenen, die sich vom spanischen Boden nicht trennen konnten, als Rettung die Taufe an. Doch die meisten Juden wußten, daß dies nur eine kurzfristige Rettung sein würde. Das traurige Los der Marranen, das sie mitansehen mußten, machte es ihnen leichter, den Priestern nein zu sagen. Nur wenige haben vom Angebot der Kirche in letzter Stunde Gebrauch gemacht. Die Juden warteten gleichsam auf ein Wunder. Die Ereignisse überstürzten sich. Panikartige Nachrichten erhöhten die quälende Ungewißheit. Wieder war eine Stadt »judenrein« gemacht worden, wieder waren ausziehende Juden von Banditen überfallen, ihrer Habe beraubt und erschlagen worden. Dann wurde berichtet, Portugal habe seine Grenzen geschlossen und sei nur mehr gewillt, reiche Juden aufzunehmen. Wie ein Lauffeuer verbreitete sich die Kunde, daß die Preise für die Überfahrt auf den Schiffen verdoppelt worden seien.

Die letzten Tage in Spanien verbrachten die Juden auf den Friedhöfen. Sie wußten, daß diese Friedhöfe nicht verschont bleiben würden. Reiche Juden erkauften sich durch hohe Geldbeträge das Recht, ihre Toten zu exhuminieren und mitnehmen zu dürfen. Vor dem Feind waren auch die Toten nicht sicher. Jüdische Friedhöfe zu zerstören wurde zur beliebten Praxis. Daran nahm auch schon Papst Urban VIII. teil. Er verbot den Juden, Grabsteine aufzustellen, ließ die vorhandenen abreißen, um sie zum Bau der Stadtmauern von Rom zu verwenden.

Es gab auch Christen in Spanien, die Mitleid mit den Juden hatten. Aber die Furcht vor der Inquisition war groß. In vereinzelten Fällen allerdings nahmen Christen die damit verbundenen Gefahren auf sich und halfen den Juden.

Die Inquisitoren trachteten danach, immer mehr Menschen in ihre Dienste zu stellen. Damit schufen sie eine große Anzahl von Mitschuldigen, eine Gemeinschaft, die den Tod der Juden und Marranen oder ihre Austreibung wünschte, um die Zeugen ihrer eigenen Schuld loszuwerden.

Das Austreibungsedikt wurde vorerst auf den 31. Juli 1492 limitiert, doch hat es die Königin Isabella um zwei Tage verlängert. Der 2. August, 12 Uhr nachts, war der endgültige Termin, nach welchem sich kein Jude mehr auf spanischem Boden befinden durfte. Es mutet wie eine Ironie der Geschichte an, daß derselbe Mann, Juan de Coloma, der das Austreibungsedikt als hoher Beamter des Hofes neben den Unterschriften der Katholischen Könige mitunterzeichnete und auch die Dokumente über die Bewilligung der Expedition von Columbus mitsignierte, mütterlicherseits von Juden abstammte. Der denkwürdige 2. August des Jahres 1492 fiel nach dem jüdischen Kalender zusammen mit dem größten Trauertag der Juden, dem 9. Ab, dem Jahrestag der zweiten Zerstörung des Tempels in Jerusalem.

Die Zahl der jüdischen Einwohner Spaniens zur Zeit ihrer Vertreibung ist bis zum heutigen Tage eine Dunkelziffer. Sie zu ermitteln ist nicht leicht, da man sich auf unvollständige und zum Teil auch auf noch nicht ausgewertete steuerliche Berechnungen stützen muß. Zudem gehen die Angaben der Historiker sehr weit auseinander. Aus den Steuerrollen - Abgaben der jüdischen Gemeinden in Kastilien in Form einer Kopfsteuer an die königliche Kasse - geht hervor, daß im Jahre 1290 in Kastilien etwa 800000 Juden gelebt haben. Nachdem die Einwohnerzahl Kastiliens zu jener Zeit auf etwa sechs Millionen Menschen geschätzt wird, nimmt man an, daß die Juden zwischen einem Sechstel und einem Siebtel der Bevölkerung ausgemacht haben. Sie waren hauptsächlich eine städtische Bevölkerung, und in den Städten Avila, Burgos, Córdoba, Lorca, Toledo und Valladolid überstieg die jüdische Bevölkerung die christliche. Die Zwangstaufen des Jahres 1391 und die Flucht eines Teiles der jüdischen Bevölkerung ließen die Zahl de Juden in Spanien stark absinken. Das geht aus den bisher nur sehr spärlich ausgewerteten Steuerrollen einzelner Städte hervor. Für die Ermittlung der Zahl der aus Spanien vertriebenen Juden ist es wichtig zu wissen, wie viele Juden im Jahre 1492 in den Vereinigten Königreichen Kastilien und Aragon gelebt haben. Es liegen indessen auch hier keine verläßlichen Angaben vor. Über die Austreibung selbst gehen die Schätzungen weit auseinander; die niedrigste Ziffer wird mit 190000, die höchste mit 800000 angegeben.

Nimmt man auf jüdischer Seite 300000 Vertriebene an, so stützt sich diese Zahl auf die Angaben von Don Isaak Abrabanel und Don Abraham Senior. Letzterer war königlicher

Steuerpächter und wußte mit Zahlen und Berechnungen umzugehen. Beide stimmen darin überein, daß rund 200000 Juden aus Kastilien und etwa 100000 Juden aus Aragon vertrieben wurden. Sie zogen zu Land und zu Wasser in verschiedene Himmelsrichtungen.

Columbus hat den Weg nach Indien nicht entdeckt, obwohl er nach seiner Landung auf dem amerikanischen Kontinent überzeugt war, in den Indischen Landen zu sein. Dieser Überzeugung blieb er treu bis ans Ende seines Lebens. Die auf Hebräisch angesprochenen Eingeborenen verstanden diese Sprache nicht. Der Traum der Juden und Conversos, mit Hilfe von Columbus zu den Ländern der zehn Stämme Iraels zu gelangen, ging nicht in Erfüllung.

Ganz Spanien jubelte. Die Könige waren Santangel dankbar, daß er durch sein Eingreifen und seine finanzielle Hilfe das Unternehmen gerettet hatte. Die Aussicht auf ein großes spanisches Imperium zeichnete sich ab.

Santangel hat Jahre später die ganze Summe, die er für die Expedition von Columbus vorgestreckt hatte, zurückgezahlt bekommen. Wie war es aber mit der Finanzierung der weiteren Expeditionen?

Die »zur Ehre und Glorie des Herrn« aus dem Reich vertriebenen Juden hatten Geld und Geldeswert, Mobilien, Immobilien und hohe Geldforderungen im Land zurückgelassen. Durch eine königliche Verordnung vom 23. November 1492 ließ Ferdinand das Eigentum der Juden, auch Güter, die den Juden von Christen in unrechtmäßiger Weise abgenommen worden waren, zugunsten des Staatsschatzes mit Beschlag belegen und veräußern.

Am 23. Mai 1493 erteilte das Königspaar Columbus, dem Admiral der neuentdeckten Inseln, und dem Erzdiakon von Sevilla, Juan Rodriguez de Fonseca, der als Vertreter der Krone die Ausrüstung der Flotte leitete, den Auftrag, sich nach

Sevilla und Cadiz zu begeben und die zur zweiten Expedition nötigen Schiffe, deren Mannschaft und die erforderlichen Lebensmittel zu beschaffen. Am gleichen Tag unterzeichneten Ferdinand und Isabella eine große Anzahl von Erlassen, die an Behörden und königliche Beamte in Soria, Zamora, Burgos und vielen anderen Städten gerichtet waren. Die Beamten erhielten darin die Anweisung, Gelder, Schmuck und sonstige Pretiosen, die aus Spanien vertriebene Juden ihren marranichen Freunden und Verwandten in Verwahrung gegeben hatten, auch jüdisches Eigentum, das von Christen »gefunden« oder in unrechtmäßiger Weise erworben worden war, einzuziehen und dem Schatzmeister Francisco Pinelo in Sevilla zur Bestreitung der Ausrüstungskosten der zweiten Expedition zu übergeben.

Hohe Summen baren Geldes und viele Wechsel wurden konfisziert. Die Berichte darüber sind unvollständig. In die Hände Juan de Ocampos, des Alcalden von Oruena, gerieten Gold, Schmuck, Kleider und andere Gegenstände, die einem nach Portugal geflohenen Juden gehörten. Graf Alonso, ein Beauftragter des Königspaars, erhielt den Befehl, diese Gegenstände zu übernehmen, zu verkaufen und den Erlös bis Ende Juni, spätestens jedoch bis zum 10. Juli, dem Schatzmeister Pinelo als Beitrag zur Bestreitung der Kosten der »zur Entdekkung der Inseln und Länder im Weltmeer« auszurüstenden Schiffe zu übergeben.

Alle Gegenstände, die der Goldschmied Diego de Medina in Zamora von dem königlichen Exekutor Juan de Soria, von der Gattin des Diego Guiral, von Antonio Gomez de Sevilla, von Alonso de Ledesma, von dem Rabbi Ephraim, dem reichsten Juden von Burgos, zur Aufbewahrung erhalten hatte, mußte er Bernaldino de Lerma aushändigen. Gold, Silber und Juwelen wurden veräußert und von Bernaldino de Lerma dem Schatzmeister Pinelo zur Finanzierung der Ausrüstungskosten der Schiffe übergeben.

Aber nicht allein die den vertriebenen Juden abgenommenen Wertgegenstände, Schmuck und Kleider, sondern auch fällige Forderungen, die von den Juden nicht mehr einkassiert werden konnten, wurden für verfallen erklärt und auf Befehl des Königspaars mit unerbittlicher Strenge eingetrieben. Dem Juden Benvenisto aus Calahorra, der zur Zeit der Vertreibungen in Burgos gewohnt hatte, und dem reichen Ephraim schuldeten mehrere Kaufleute aus Calahorra, Burgos und anderen Städten beträchtliche Summen. Garcia de Herrera, königlicher Leibgardist, erhielt die strenge Order, diese Forderungen sowie alle anderen, die jüdische Gläubiger in Burgos und Umgebung nicht einkassiert hatten, einzutreiben.

Inventare über die bei Christen oder Marranen gefundenen Gegenstände jüdischen Besitzes zeugen von dem Reichtum der Juden und von der Habgier des spanischen Königspaars. Die Juden hatten silbernes Geschirr besessen, silberne Leuchter, goldene und silberne Ringe, Perlen, Korallen und überraschend viele silberne Armbänder, Broschen, Gürtel, Ketten, Schnallen, Knöpfe und Stirnbänder, obwohl es jüdischen Frauen durch das Gesetz verboten war, Schmuckgegenstände aus Gold zu tragen. Das Königspaar ließ nicht nur Schmuckstücke und Kleider veräußern, um die Expedition zu finanzieren, sondern auch die kostbaren Umhüllungen der Thorarollen und die seidenen Decken, die einst die Tische der Synagogen geziert hatten.

Man kann mit Sicherheit annehmen, daß das Königspaar auch in allen anderen Städten gleichartige Maßnahmen ergriff. Aus den erhalten gebliebenen Aufstellungen geht hervor, daß allein an barem Gold, an Dukaten, Dublonen, Reales, Castellanos, Florines, Justos und Cruzados den vertriebenen Juden mindestens drei Millionen Maravedi abgenommen wurden. Fügt man zu diesen Beträgen noch jene der konfiszierten Wechsel und Forderungen hinzu, die das Königspaar allein in Burgos eintrieb, sowie die aufgrund der vorhandenen Inventare verkauften Schmuckgegenstände, kommt man auf einen Betrag von ungefähr sieben Millionen Maradevi. Das ist fünfmal soviel, wie die erste Expedition Columbus' gekostet hatte. Zu diesen Beträgen kommen noch zwei Millionen, die die Inquisition in Sevilla dem mit der Ausrüstung der Schiffe betrauten Florentiner Kaufmann Juonato Beradi in Sevilla ausfolgte. Wer vermag die ungeheuren Summen zu berechnen, die durch die spanische Inquisition den Juden und Marranen entrissen und für Kirche und Staatsschatz eingezogen wurden?

Von dem Geld der Juden wurden Columbus laut Anweisung vom 23. Mai 1493 jene zehntausend Maravedi, die das Königspaar als Belohnung für denjenigen, der zuerst Land erblickte, ausgesetzt hatte, gezahlt, einen Tag später als besonderes Geschenk tausend Golddublonen.

Das Wunder, auf das manche Juden gewartet hatten, blieb aus. Sie verließen Spanien. Madariaga sagt: »Sie hinterließen ein stark jüdisch geprägtes Spanien und gingen nicht weniger spanisch geprägt ins Ausland. Eben deswegen betrachteten sie sich als die Aristokraten des Judentums.«

Wo den Vertriebenen Asyl gewährt wurde, konnten sie sich schwer mit den alteingesessenen Juden assimilieren. Sie bildeten ihre eigenen Gemeinden. »Wider Erwarten stellte sich bei ihnen eine gehobene Stimmung ein, welche die erduldeten Leiden zwar nicht vergessen machte, aber sie verklärte. Sobald sie sich nur von der Wucht ihres tausendfachen Elends ein wenig frei fühlten und aufzuatmen vermochten, schnellten sie wieder empor und trugen ihre Häupter hoch. Alles hatten sie verloren, nur nicht ihr spanisch vornehmes Wesen und ihren Stolz nicht. Sie hatten auch einigermaßen die Berechtigung dazu. So sehr sie auch seit der Überhandnahme der wissensfeindlichen, streng genommenen Richtung im Judentum und seit der erfahrenen Ausschließung aus den Gesellschaftskreisen in den höheren Wissenschaften zurückgekommen waren und ihre jahrhundertelang behauptete Meisterschaft eingebüßt hatten, so waren sie doch den Juden aller übrigen Länder an Bildung, Haltung und auch an innerem Gehalt bei weitem überlegen, die sich in ihrer äußeren Erscheinung und ihrer Sprache zeigte. Ihre Liebe zu ihrer Heimat war so groß, daß sie keinen Raum in ihrem Herzen für den Haß ließ, den sie gegen die Rabenmutter, die sie ins Elend gestoßen, hätten empfinden müssen. Wo sie hinkamen, gründeten sie daher spanische oder portugiesische Kolonien. Sie brachten die spanische Sprache, die spanische Würde und Vornehmheit nach Afrika, der europäischen Türkei, nach Syrien und Palästina, nach Italien und Flandern und überallhin mit; wohin sie verschlagen wurden, hegten und pflegten sie wie das spanische Wesen, so die reine Sprache aus ihrer Heimat mit so viel Liebe, daß sie sich unter ihren Nachkommen bis auf den heutigen Tag fast unverdorben erhalten hat.« Soweit der jüdische Historiker Heinrich Graetz.

Eine bisher nicht ermittelte Anzahl von Flüchtlingen gelangte in die Türkei. Als sie dort freundliche Aufnahme fanden, wurde die kleinasiatische Halbinsel auch für Marranen zu einer neuen Heimstätte. Hier konnten sie ohne Risiko zum jüdischen Glauben zurückkehren. Bald wurden ihnen Aufgaben in der Wirtschaft und auch am Hofe übertragen. Der türkische Sultan Bajazet, der die Ausgewiesenen wohlwollend in seinem Lande duldete, sagte: »Ihr nennt Fernando einen klugen König, er, der sein Land arm gemacht und unser Land bereichert hat.«

Einhundertzwanzigtausend der aus Spanien vertriebenen Juden fanden im benachbarten Portugal Aufnahme. Für die Einwanderungserlaubnis mußte ein Betrag von acht Dukaten pro Kopf bezahlt werden. Die Masse der Einwanderer hielt eisern zusammen. Die Reichen zahlten für die Armen, und so fanden sie alle Aufnahme. Die große Geldsumme, die der portugiesischen Krone dadurch zukam, wurde für Ausrüstung von Schiffen und Besatzungen verwendet, die auf Entdekkungsreisen nach dem Kap der Guten Hoffnung und nach Brasilien gingen.

Die Aufenthaltsgenehmigung für die Juden wurde auf acht Monate befristet. In der Genehmigung wurde ausdrücklich erwähnt, daß die Juden als Sklaven verkauft würden, wenn sie nach Ablauf der Frist das Land nicht verlassen hätten. Es kam neuerlich zu einer teilweisen Abwanderung, zu hohen Zahlungen der Juden und zu ihrer Aufteilung auf verschiedene Wohngebiete.

Die Katholischen Könige Ferdinand und Isabella waren der portugiesischen Krone wegen der Aufnahme der Juden bitterböse. Sie mußten feststellen, daß die Juden trotz des Verbotes, Gold, Silber und gemünztes Gold auszuführen, gewisse Summen hatten retten können. Bei etwas mehr Strenge wären diese Werte in Spanien geblieben.

Die Tatsache, daß die aus Spanien vertriebenen Juden in Portugal leben konnten, trieb den Katholischen Königen gleichsam den Schlaf aus den Augen. Sie versuchten vergebens, ihren Einfluß auf die Kirche geltend zu machen. Als aber der Sohn des Königs Manuel von Portugal die Tochter Isabellas heiraten sollte, verlangten sie spanischen Majestäten als Bedingung für die Zustimmung zur Heirat die Austreibung der Juden aus Portugal, konnten sie doch ihre Tochter nicht in ein Land schicken, in dem die Juden ungestört und frei lebten. Der portugiesische König war mehr an der Heirat als an den Juden interessiert. Daher wurde in Portugal ähnliche Vertreibungsgesetze erlassen, mit dem Unterschied, daß man den Juden nicht wie in Spanien drei Monate, sondern zehn Monate zum Verlassen des Landes gab.

Ende des Jahres 1492 raffte eine Epidemie eine größere Anzahl der notleidenden spanischen Flüchtlinge hinweg. Die Mönche in den portugiesischen Städten schürten den Unwillen der Bevölkerung. Vorwürfe gegen den König wurden laut, er habe die »von Gott Verdammten« ins Land gelassen. An eine Streckung der ihnen gewährten Aufenthaltsfrist war nicht länger zu denken. Wieder standen die Unglücklichen vor der Wahl: Taufe oder Ausweisung. In Portugals Häfen warteten Schiffe, um die Emigranten außer Land zu bringen. Monatelang kreuzten sie auf den Meeren, und kein Hafen gewährte ihnen die Einfahrt.

Die Schiffskapitäne nahmen den Emigranten alles weg.

Die Geschichte eines Schiffes soll hier geschildert werden, da sie so charakteristisch für jene Zeit ohne Gnade war. Es wurde an die spanische Küste auf der Höhe von Malaga verschlagen, obwohl die Einfahrt für Juden verboten war. Schon erfuhr der Bischof von Malaga von dem Schiff mit den Juden. Es lag vor Anker, und jeden Tag kamen Priester an Bord, um den gehetzten, heimatlosen Menschen Missionspedigten zu halten. Doch alle Überredungskünste waren umsonst. Keiner nahm die Taufe an. Daraufhin empfahl der Bischof dem Kapitän, die Reisenden auszuhungern. Fünf Tage bekamen sie keine Nahrung, und täglich mahnten die Priester: Wer am Leben bleiben will, möge sich taufen lassen. Hundert der Verzweifelten willigten ein. Sie durften an Land gehen. Manche von ihnen wurden auf Bahren getragen. Erst dann wurde dem Schiff freie Fahrt gegeben. Schließlich konnten die Juden in Afrika an Land gehen.

Die spanischen Flüchtlinge in Portugal, die die Möglichkeit hatten, die Schiffspassage zu bezahlen, waren verhältnismäßig gut daran. Schlimmer war es für die, die kein Geld hatten. Sie wurden zu Sklaven erklärt und unter den Granden verteilt. Die minderjährigen Kinder wurden den Eltern weggenommen und auf die neuentdeckte Sao-Tomé-Insel verschickt, wo sie christlich erzogen werden sollten. Während des Abschiedes der Eltern von den Kindern spielten sich erschütternde Szenen ab. Eltern begingen zusammen mit den Kindern Selbstmord, indem sie sich in die Fluten stürzten.

Nur ein Teil der spanischen Juden, die nach Portugal kamen, ergriff den Wanderstab. Der überwiegende Teil blieb im Lande und ließ sich taufen. Sie waren des Wanderns müde, sie wußten, wie gering die Möglichkeiten waren, in einem anderen Land aufgenommen zu werden, sie wußten, wie viele mit den altersschwachen Schiffen, die sie bei gewissenlosen Schiffsbesitzern für hohe Geldsummen gemietet hatten, schon untergegangen waren. Sie hörten davon, wie andere Schiffe mit ihrer menschlichen Fracht nach Afrika segelten und von der Schiffsbesatzung als Sklaven an die Araber verkauft wurden, sie hörten von Überfällen von Korsaren, die solche Schiffe kaperten, um dann von verschiedenen jüdischen europäischen Gemeinden für die Juden hohe Lösegelder zu fordern. Alle diese Nachrichten beeinflußten ihren Entschluß, die Wanderung aufzugeben, sich taufen zu lassen und im Lande zu bleiben.

Für die Kirche in Portugal war die große Zahl der neu Getauften eine Überraschung. Sie witterte darin sofort eine »jüdische List«. Im Nachbarland Spanien brannten die Scheiterhaufen, und die Inquisition zitierte immer mehr Neuchristen vor ihre Schranken. Zum Unterschied von Spanien, wo die Neuchristen nach der Einführung der Inquisition in ihrem Fortkommen gehemmt waren, wurden sie in Portugal gleich zu Vollbürgern, verschwägerten sich mit dem Adel, nahmen die höchsten Ämter im Staate ein und standen unter dem Schutz des Königs, der aus dem Wissen und den Fähigkeiten der Juden großen Nutzen für Portugal zog.

Das Beispiel der spanischen Kirche trug Früchte. Die Kirche Portugals traute den neuen Christen nicht und drängte den Papst, die Inquisition auch in Portugal zu erlauben. Der Papst willigte ein. So kam es, daß die Neuchristen auch hier unter die Räder kamen. Als erste Maßnahme ordnete die Kirche an, daß die neuen Christen gelbe Hüte zu tragen hätten, damit sie sich von der restlichen Bevölkerung unterschieden und man sie besser kontrollieren könne.

Der spanische König Philipp II., der Nachfolger Ferdinands, zu dessen italienischen Besitzungen Mailand, Neapel, Sizilien und Sardinien gehörten, hatte die Kennzeichnung der Juden in diesen Gebieten angeordnet. Ab dem Alter von zehn Jahren mußen männlich Juden gelbe Hüte und weibliche gelbe Armbinden tragen. Eine Anordnung für die Kennzeichnung in Spanien war nicht notwendig. Dort lebten keine Juden mehr.

Die Absonderung der Juden gehörte schon seit Jahrhunderten zu den »Sorgen« der Kirche. Sie ließ sich auch etwas einfallen. Die Juden sollten an ihrer Kleidung sichtbar ein gelbes Stück Stoff anbringen. Dieser gelbe Fleck geht auf einen Beschluß des IV. Lateranischen Konzils zurück. Papst Innozenz III. hat auf diesem Konzil im Jahre 1215 angeordnet, daß Juden, Prostituierte und Leprakranke durch besondere Zeichen an der Kleidung gekennzeichnet und von der christlichen Bevölkerung unterschieden werden sollten.

Viele der Neuchristen in Portugal, die geglaubt hatten, mit der Annahme der Taufe sei die Wanderung und die ewige Flucht von Land zu Land zu Ende, wurden bitter enttäuscht. Sie mußten feststellen, daß die Wahl zwischen Vertreibung und Taufe nur eine Scheinalternative war. Und so ergriffen sie erneut die Flucht, gingen in andere Länder, vor allem nach Holland und England, wo sie wieder zum Judentum zurückkehrten. Dort fühlten sie sich als portugiesische Juden. Sie hielten trotz allem – wie Jahrhunderte später deutsche Juden an ihrer Muttersprache – an der kastilischen Sprache fest, die sie als ihre Sprache ins portugiesische Exil und später auch nach Holland und England mitnahmen. Aus dieser altkastilischen Sprache entwickelte sich das »Ladino«, das die Sephardim in allen Ländern sprachen, genauso wie aus dem Mittelhochdeutschen das Jiddisch der Ostjuden entstanden ist. Sie heirateten untereinander und machten einen Bogen um askenasische Juden, um Juden aus Mittel- und Osteuropa.

Nur selten gab es in Holland Ehen zwischen sephardischen und askenasischen Juden.

Die Kirche wurde mit den Juden nicht fertig. Trotz diskriminierender Verordnungen und Schikanen waren sie immer noch da. Das Dekret Papst Pauls IV. liest sich wie ein Paragraph aus den Nürnberger Gesetzen: Am 12. Juli 1555 ordnete er in der Bulle Nimis Absurdum an, im Verkehr mit Juden die mündliche oder schriftliche Anrede »Herr« zu unterlassen. Fast 400 Jahre später ahmten das die Nationalsozialisten nach.

In den von Columbus neuentdeckten Ländern durften sich aufgrund eines königlichen Dekrets keine Juden ansiedeln. Auch Neuchristen oder ihre Nachkommen, die einmal vor einem Inquisitionstribunal standen, wurden mit einem Einwanderungsverbot in die Indischen Lande belegt.

Das Emigrationsziel »Indische Lande« blieb für Jahrhunderte Fluchtort bedrohter Marranen, auch als es ihnen klar wurde, daß Columbus keinen Kontakt zu jüdischen Ländern geschaffen hatte.

Die Emigration oder die Flucht in die neuentdeckten Gebiete schien ihr Verlangen zu befriedigen, den aufgezwungenen religiösen Ballast abzuschütteln und zur Religion der Väter zurückzukehren.

Vor einigen Jahren wurde in der Pariser Nationalbibliothek ein bisher unbekannter Brief aus dem Jahre 1510 aufgefunden. Dieser Brief beleuchtet die rechtliche Situation der Marranen in Sevilla, enthält aber gleichzeitig auch ein Namensverzeichnis von 390 in Sevilla ansässigen marranischen Familien, die sich in einem Abkommen mit der Krone zur Zahlung einer Summe von 80000 Dukaten in Raten verpflichtet hatten und hierfür von allen Sühnemaßnahmen ausgenommen waren, die ihnen als Nachkommen von gemaßregelten Personen durch die Inquisition sonst auferlegt worden wären.

Seit dem Jahr 1481 standen die von der Inquisition verurteilten Familien oder auch nur von der Inquisition Verhörten außerhalb der für die anderen Bürger geltenden Rechtsordnung. Die Dekrete der Katholischen Kirche vom 4. und 21. September 1501 verboten den Kindern und Enkeln jener, die Sühne getan hatten, öffentlich Ämter zu bekleiden und jede Befähigung, irgendeiner Ehrenpflicht nachzugehen, in die Indischen Länder auszuwandern oder ihr eingezogenes Vermögen zurückzuverlangen. Diese Verordnungen wurden zu einer ständigen und ausgiebigen Einnahmequelle für die Krone. Noch Jahre hindurch gelang es den Herrschern Spaniens, aus den Neuchristen, die in vielen Fällen vermögend waren, größere Geldabgaben herauszupressen. Sie waren Bürger zweiter Klasse, an denen die Schmach der Abstammung von Personen hing, die von der Inquisition verbrannt oder eingekerkert worden waren. Dieser Brief aus dem Jahre 1510, ein einzigartiges Dokument, an dessen Authentizität keinerlei Zweifel bestehen, wurde 1963 im »Bulletin Hispanique« von C. Guillén veröffentlicht. Er stellt eine ungeheure Bereicherung unserer Kenntnisse über die Stadt Sevilla und deren Einwohner dar. Nachdem aus diesen 390 Familien zahlreiche Personen in die Indischen Lande ausgewandert sind, bildet der Brief auch einen wichtigen Abstammungsnachweis für die obere Klasse und die Adelsgeschlechter in den lateinamerikanischen Staaten.

Dem großen Pogrom des Jahres 1391 folgte die Dezimierung des Sevillaner Judenviertels. Ein Teil der am Leben gebliebenen Juden wanderte aus, und die Zahl der Conversos stieg an. Nachdem zahlreiche Italiener, speziell Genuesen, nach Sevilla zugewandert waren, wurde aus dem Judenviertel ein Italienerviertel, und viele reiche Conversos lebten in der Calle de Genova. Sevilla war schon im 15. Jahrhundert eine ethnisch bunte und kosmopolitische Stadt. Dieser Tatsache wurde bisher wenig Rechnung getragen, auch nicht bei der Suche nach der Abstammung von Columbus. Als die restlichen Juden verbannt wurden und ein wissenschaftliches Vakuum entstand, füllten italienische Händler dieses Vakuum, hauptsächlich Genuesen, die zum Unterschied von den Spaniern den Handel nicht verachteten. Als ihre Handelspartner oder auch Rivalen traten die Conversos auf.

Unter den neuen Bürgern von Sevilla war der Florentiner Amerigo Vespucci, ein Zeitgenosse von Columbus, der in spanischen und portugiesischen Diensten an mehreren Entdekkungsfahrten nach Südamerika teilgenommen hatte. Nach ihm ist heute unberechtigterweise der große Kontinent Amerika benannt. Er beschrieb die Reise und das Land wie ein Journalist. Die Leser seiner Publikationen nannten das von ihm beschriebene Land: Land des Amerigo.

Die marranisch-italienische Partnerschaft in Sevilla ist noch nicht ausreichend beleuchtet und durchforscht. Möglicherweise könnte man gerade hier aufschlußreiche Details für die Geschichte finden.

Die Marranen waren eine ständige Einnahmequelle für die Krone, und König Ferdinand war ein Meister darin, das bedauernswerte Schicksal der Menschen, deren Vorfahren durch die Inquisitionstribunale zu verschiedenen Strafen verurteilt worden waren, für seine Zwecke auszunützen. Er war bereit, den Marranen bestimmter Gebiete, die seit Jahrzehnten als Nachkommen Geächteter selbst geächtet waren, für Geld die auf ihnen liegende Schmach zu nehmen, sie mit den anderen Bürgern gleichzustellen und ihnen auch die Auswanderungswünsche nach den Indischen Landen zu genehmigen. Zu diesem Zweck erließ er mehrere Satzungen. Gemäß der ersten Satzung vom 8. Dezember 1508 sollten die Marranen der Erzbistümer von Sevilla und Cadiz 20000 Dukaten bezahlen. Aber schon ein knappes Jahr später, am 10. Oktober 1509, erweiterte er das Gebiet um drei Orte in der Umgebung von Huelva: Lepe, Ayamonte und La Redondela, und verlangte 40000 Dukaten. Am 15. Juli 1511 verdoppelte er den Betrag auf 80000 Dukaten. In dieser Zeit entsteht der oben genannte Brief der 390 marranischen Familien. Mit der Eintreibung des Geldes bestimmte der König einen der gemeinsten Gehilfen der Inquisition, Pedro de Villacis, der sich durch seine Rücksichtslosigkeit in Sevilla schon einen Namen gemacht hatte. Natürlich konnten die Marranen solche Riesensummen nicht auf einmal entrichten. Die 40000 Dukaten wurden in vier Jahresraten bezahlt. Die Beamten der Inquisition waren eifersüchtig auf die Einnahmequelle des Königs, der zum Nutznießer der Inquisition geworden war, und versuchten, seine Anordnungen zu sabotieren. Dazu kam, daß zu den Vergünstigungen, die König Ferdinand den Marranen versprochen hatte, auch die Rückgabe ihres von der Inquisition beschlagnahmten Besitzes gehörte. Es häuften sich Interventionen und Beschwerden, die noch die Nachfolger Ferdinands beschäftigten. Die Eintreibung zog sich über Jahrzehnte hin. Noch unter Karl V. ging die als Vertrag getarnte Erpressung weiter, denn keiner wollte auf diese Einkünfte verzichten. Der Eintreiber Pedro de Villacis war wegen seiner großen Erfahrung und Unnachgiebigkeit eine sehr gefragte Person. Er war sich bewußt, daß niemand auf seine Dienste verzichten konnte, und überstand alle gegen ihn erhobenen Beschwerden ohne Beeinträchtigung seiner Position. Die Inquisitoren machten Schwierigkeiten. Beschwerde auf Beschwerde erreichte Karl V. Der König sah sich gezwungen, einige Dekrete zu erlassen und besonders darauf zu achten, daß den Marranen die Erlaubnis erteilt wurde, in die Indischen Lande zu ziehen, wo sie allerdings nur für die Dauer von zwei Jahren bleiben durften.

Der venezianische Gesandte in Spanien erstattete im Jahre 1505, als nach der Vertreibung der Juden die Inquisition ihr Werk gegen die Marranen fortsetzte, dem Dogen einen Bericht über die Lage in Spanien. Dieser Bericht befindet sich in der Sammlung der diplomatischen Akten der Republik Venedig. Die Botschaft, die die Inquisition rechtfertigt, hielt unter anderem fest, daß die Marranen ein Drittel der städtischen Bevölkerung in Spanien ausmachten.

Ein wertvoller urkundlicher Hinweis auf die Familien der verurteilten Marranen ist das sogenannte »Grüne Buch von Aragonien« (»Libro verde de Aragón«). Es erschien um das Jahr 1574. Das Buch war gedacht als Warnung an die Altchristen, keine familiären Bande mit Neuchristen einzugehen, deren Vorfahren als Marranen von der Inquisition verurteilt worden waren. Hunderte von Namen verurteilter Familien aus verschiedenen Städten Aragoniens werden angeführt. Natürlich hat auch diese Liste keinen Anspruch auf Vollständigkeit.

Wo Schikanen sind, versuchen die Schikanierten, sich ihnen immer wieder durch legale und illegale Mittel zu entziehen oder die Peiniger zu täuschen. Diese illegalen Gegenmittel sind in der Geschichte jeder Verfolgung zu finden. Mit oder ohne Erlaubnis flüchteten im 16. Jahrhundert ganze Scharen von Marranen aus Spanien nach Übersee. Als die Sache größere Ausmaße annahm, kamen die Behörden darauf, daß die Flüchtlinge falsche »Limpieza de sangre«, bestätigt durch falsche Zeugen, besaßen oder sich Lizenzen für die Ausreise gekauft hatten. So kam es zu einem Erlaß vom 3. Oktober 1539, in welchem generell allen Conversos die Reise nach »Indien« grundsätzlich untersagt wurde.

Die Conversos wußten, daß ihnen Gefahr drohte. Immer wieder wurden sie vor den Armen als die Ursache des Hungers, der spärlichen Erträge, sogar als Ursache des schlechten Wetters, mit einem Wort als Sündenböcke für alle Miseren des Lebens gestempelt. Dies alles unter dem Patronat der Heiligen Inquisition. Die Conversos versuchten daher, mit Hilfe einigen Einflusses in Rom beim Papst vorstellig zu werden, damit dieser die Inquisition zur Mäßigung veranlasse. Es waren Francisco de Alcazar, Diego de las Casas, Juan Gutierrez und andere Conversos aus Sevilla, die sich um die Intervention des Papstes bemühten. Diese Aktion fand im Jahr 1518 statt, nachdem schon eine Reihe früherer Interventionen des Papstes nicht den gewünschten Erfolg gezeitigt hatten. Die Inquisition war zwar eine kirchliche Angelegenheit, doch glaubte die spanische Kirche, in diesen Dingen vom Papst unabhängig zu sein. Das war auf eine alte Tradition der spanischen Kirche zurückzuführen und auf verschiedene Rechte und Privilegien, die sich die Katholischen Könige erkauft hatten. Die Frage der Ernennung von Bischöfen gehörte auch dazu. Die Könige haben immer alle Ernennungen, die von Rom kamen, zurückgewiesen und auf ihr Ernennungsrecht gepocht. Man sagte damals: »Die Könige knieten vor dem Bischof nieder, wenn sie ihn vorher selbst ernannt hatten.«

Seit dem Jahr 1941 veröffentlicht das Archiv de las Indias in Sevilla einen interessanten »Catálogo de Pasajeros a Indias«. Die Eintragungen in diesem Katalog über das Jahr 1509 können als Vergleichsquelle mit dem schon erwähnten Brief der Marranen benützt werden. In der im Brief enthaltenen Namensliste der Marranen sind bekannte Namen aufgeführt.

Es sei mir erlaubt, einige dieser Namen zu nennen. Zunächst Pedro del Alcazar; er war ein Vorfahre des Dichters Balthasar del Alcazar. Der nächste Name ist Aleman; es ist bekannt, daß der Schriftsteller Mateo Aleman Converso war. Dann: Bernal. Diese Familie war sehr bekannt unter den Conversos. Noch im Jahre 1655 wurde ein Manuel Nunez Bernal in Córdoba lebendig verbrannt. In der Liste von 1510 finden wir drei Familien Francisaco Franco, Diego Franco und Rodrigo Franco. Franco ist ein häufiger jüdischer Name im 15., 16. und 17. Jahrhundert. An einer anderen Stelle wurde bereits vom Ritualmordprozeß in Avila im Jahre 1491 berichtet, der mit der Verbrennung der Familie Franco endete. Familie Las Casas; man glaubt, daß es sich dabei um die Familie des Bischofs Las Casas handelt, des Biographen von Columbus. Las Casas ist ein häufiger Name unter Juden und Conversos in Spanien und auch in Italien. Wir wissen, daß der Bischof Las Casas in Sevilla nach seiner Rückkehr aus den Indischen Landen große Schwierigkeiten hatte. Sind diese Schwierigkeiten nur entstanden, weil er sich für eine bessere Behandlung der eingeborenen Indios einsetzte oder weil Angehörige mit demselben Namen Las Casas in Italien laufend gegen die Inquisition intervenierten? Es ist wert, diese Frage zu untersuchen. Wie schon erwähnt, sieht die Geschichte des Columbus, die Bischof Las Casas geschrieben hat, anders aus, wenn wir in Betracht ziehen, daß er selbst ein Converso war und auf alle möglichen Unvorsichtigkeiten von Columbus Rücksicht nehmen wollte und auch mußte. Professor de la Peña neigt zu der Meinung, daß Bischof Las Casas einer Familie von Conversos angehörte. Unter den Marranen, die in die Indischen Lande wollten, ist die Familie Las Roelas. Es handelt sich wahrscheinlich um die Familie des Malers Juan de las Roelas. Weiter scheint der Name Lopez auf, wobei es sich um die Familie des Malers Lopez handeln dürfte.

Im Jahre 1642 begab sich eine große Anzahl jüdischer Auswanderer nach Brasilien, das damals unter holländischer Herrschaft stand. Brasilien wurde immer wieder das Angriffsziel der Portugiesen. Die Juden verteidigten zusammen mit den Holländern die Kolonie, zahlten für Ausrüstungen und kämpften. Als die Holländer kapitulierten, haben sie von den Portugiesen dieselben Rechte für die Juden wie für die Holländer verlangt, nämlich das Recht, in Brasilien zu bleiben. Doch der neue portugiesische Gouverneur befahl den Juden, unverzüglich das Land zu verlassen. Ein Teil der Juden kehrte nach Holland zurück, ein anderer Teil ließ sich in Niederländisch-Guyana nieder. Eine Überlieferung besagt, daß einige Emigranten aus Brasilien in die Stadt Neu-Amsterdam zogen, um dort den Grundstein für die jüdische Gemeinde zu legen. Dieses Neu-Amsterdam, das heutige New York, beheimatet die größte jüdische Gemeinde der Welt.

Im Westfälischen Frieden des Jahres 1648 mußte Spanien den Holländern, Engländern und Franzosen die freie Schifffahrt in den westindischen Gewässern und zeitweilige Ansiedlungsrechte in diesen Gebieten zusichern. So kamen Juden aus Holland, England und Frankreich als geduldete Ausländer in diese Gebiete. Unter ihnen waren zahlreiche Marranen. Sie siedelten sich mit Vorliebe in Neu-Granada, dem heutigen Kolumbien, an. Ihre Nachkommen schufen die Grundlagen für den Befreiungskampf gegen Spanien und für die Unabhängigkeit. Die Spuren dieses Einflusses der Marranen blieben bis zum heutigen Tage. Nicht nur, daß zahlreiche Familien der höheren Klassen in Süd- und Mittelamerika nachweisbar abstammungsmäßig auf sie zurückzuführen sind; ganze Provinzen wie Antioquia in Westkolumbien sind von den Nachfahren der Marranen gezeichnet. Wenn die 800000 Einwohner Antioquias nicht von den Indios abstammen, so ist ihre Herkunft von den spanischen Marranen abzuleiten. Sie haben sehr viel Ähnliches und Gemeinsames mit den Juetas aus Mallorca. Ihr Dialekt hat Ausdrücke, wie sie nicht im Spanischen, aber im Ladino, der Sprache der Sephardim, vorkommen.

Der Einfluß der Juden insbesondere im Reich des Sultans sorgte dafür, daß kein spanisches Schiff in einem Levante-Hafen anlegen konnte. Die spanische Wirtschaft wurde jahrhundertelang durch Juden besonders in Holland, England und Italien boykottiert. Die Emigranten aus Spanien übernahmen in diesen Ländern bald wichtige Positionen in Handel und Wirtschaft, besonders im Überseehandel, und trugen entscheidend zur wirtschaftlichen Expansion der Länder bei, die sie aufgenommen hatten. Die Marranen in England beteiligten sich an den Expeditionen gegen die spanischen Kolonien. Spanien wurde von seiten der Rabbanen mit einem Bann belegt. Das spanische Imperium gehörte infolge des Niederganges seiner Wirtschaft bald zur Vergangenheit.

Während es der spanischen Inquisition gelungen ist, die Spuren des Judentums bis auf wenige kleine Überreste zu beseitigen, die man noch unter den Juetas auf der Insel Mallorca beobachten kann, verlief die Sache in Portugal nicht so glatt!

In den nördlichen Provinzen Trazoz-Montes und Beira, und zwar in Belmonte, Covilhã, Castelo Branco und Bragança, vor allem aber in Porto, erhielt sich die marranische Tradition bis zum heutigen Tag. Die Nachkommen derer, die vor Jahrhunderten zur Taufe gezwungen wurden, haben eine Reihe jüdischer Riten behalten. Sie feiern den Sabbat und den Jom Kippur, das Passahfest und den Fasttag der Esther, ohne daß sie sich dabei an den jüdischen Kalender halten. Dieses Doppeldasein der Nachkommen der Juden in alter Treue zu ihrem Glauben hat Inquisition und Scheiterhaufen überdauert.

Die Juden flohen vor der »Judenfrage«. Sie zogen dorthin, wo es keine gab. Doch sobald sie sich seßhaft machten, war die »Judenfrage« auch schon da. Zahlreiche portugiesische Marranen flohen nach Indien. Hier hatte die portugiesische Krone, tausend Meilen vom Mutterland entfernt, eine Enklave, die Provinz Goa, gegründet. Bald brannten auch in Goa die ersten Scheiterhaufen, und Marranen, die geglaubt hatten, in der neuen Heimat ihr Judentum und die Treue zur jüdischen Religion nicht verbergen zu müssen, mußten ihr Leben lassen. In den Inquisitionsakten in Lissabon findet man unter zahlreichen Bänden über die Prozesse auch die Akten über den Prozeß gegen die Familie da Orta. Das Oberhaupt der Familie, Garcia da Orta, ein berühmter Arzt in Goa, lebte nicht mehr. Aber seine Nachkommen bekannten unter der Folter, daß sie nach den Grundsätzen der jüdischen Religion leben. Daraufhin wurde das Grab da Ortas geöffnet, die Überreste seines Leichnams herausgeholt und gemeinsam mit seinen noch lebenden Nachkommen auf dem Scheiterhaufen verbrannt. Auch auf dem amerikanischen Kontinent verbrannte man Menschen auf den Scheiterhaufen. Das größte Autodafé in der Neuen Welt fand am 23. Januar 1639 in Lima in Peru statt. Auch in Brasilien, Chile und Mexiko gab es diese mörderischen Schauspiele.

Die Spanier führten in ihrem amerikanischen Imperium ein grausames Regiment. Die Gewalttaten an der einheimischen Bevölkerung wurden nicht bestraft; für die spanische Besatzung Anreiz genug, diese zu begehen.

Die Indischen Lande sollten katholisch werden. Außer Juden war auch Protestanten und überhaupt Andersgläubigen die Fahrt in diese Teile des spanischen Reiches verboten. Zwölf Priester, erfahrene Diener der Inquisition, die schon viele Ketzer zum Scheiterhaufen gebracht hatten, wurden dazu auserwählt, die Indios zu bekehren. Bernardo Buyl, ein Mönch vom Benediktinerkloster Montserrat, sollte sie anführen. Er wurde vom Papst zum apostolischen Vikar der Indischen Lande ernannt.

Die in den neuen spanischen Besitzungen tätigen Bischöfe, die sowohl die Spanier zu betreuen wie auch neue Menschen zum Christentum zu bekehren hatten, wurden aber bald vom spanischen König zu Inquisitoren ernannt. Sie sollten gegen das Ketzertum kämpfen, da Scharen von Marranen, die sich in diesen Gebieten niedergelassen hatten, bemüht waren, die Fesseln der Kirche abzustreifen und zur Religion der Väter zurückzukehren. In der späteren Zeit hatten sich die Inquisitoren nicht nur mit den judaisierenden Marranen zu befassen, sondern auch mit jenen Emigranten, die sich zur lutherischen Kirche und zum Calvinismus bekannten. Prozesse fanden schließlich nicht allein in den Landen der Konquistadoren statt: Auch in den Ländern der Neuen Welt fanden »Ungläubige« ihr Schicksal vor den Tribunalen der Inquisition.

Die Spanier benahmen sich in den Indischen Landen genauso wie die SS in den besetzten Gebieten Osteuropas. Sie sahen in den Indios niedere Geschöpfe, Untermenschen, denen man mit ihrer Bekehrung zum Christentum eine Gnade erweist. Zeigen sie sich widerspenstig, werden sie abgeschlachtet. Nichts ist mehr das Eigentum der Indios, weder ihr Boden noch ihre Gehöfte und auch nicht ihre Frauen. Diese sollen es vielmehr als Ehre ansehen, wenn ein spanischer Christ an ihnen Gefallen findet.

Ein Autodafé nach dem anderen brennt. Die angeklagten Indios verstehen die Sprache der Ankläger nicht. Um sie dem Scheiterhaufen zu übergeben, braucht man keine Dolmetscher. Aber die Inquisition braucht Geständnisse, damit das Ritual eingehalten wird. Da wird die Tortur angewendet. Das Geständnis kommt in einer Sprache zustande, die die Angeklagten nicht verstehen. Aber das ist Nebensache. Alles wikkelt sich nach der von Spanien mitgebrachten Gewohnheit ab. Der erfinderische Geist der Folterknechte feiert auch in den Indischen Landen Triumphe. Neue Instrumente und Folterwerkzeuge, bisher in Spanien unbekannt, werden erfunden und an den Indios ausprobiert.

Dabei darf man nicht vergessen, mit welcher Freude und Aufrichtigkeit die Eingeborenen die landenden Spanier begrüßten. Sie sahen in ihnen Himmelssöhne, Gestalten aus Legenden und Sagen, die ihnen vertraut waren.

Man sollte auch die Rudel der Bluthunde nicht vergessen, welche sich die Spanier aus ihrer Heimat zur Bekämpfung der Indios haben kommen lassen. Sie wurden besonders gerne auf flüchtende Indios gehetzt, rissen sie zu Boden und zerfleischten sie. Ein toter Indio war ein guter Indio. Einzelne Hunde genossen bei den Spaniern ebensolche Berühmtheit wie heute die Toreros. Sogar ihre Namen wurden uns überliefert, wie der des Hundes Bercerrico. Besondere Zuchtanstalten wurden eingerichtet, in denen die Bluthunde auf das Aufspüren und auf die Jagd nach den Indios abgerichtet wurden.

Die Indios zählten für die Spanier zum Inventar der neuentdeckten Lande. Die Administration hatte nur ein Interesse: Leistungen und Abgaben von seiten der Indios. Sie sollten abliefern, was sie besaßen, Gold, Lebensmittel, Baumwolle. Außerdem mußten sie für die Spanier arbeiten. Wer seine Pflicht erfüllt hatte, bekam eine Messingplakette in der Art einer Hundemarke um den Hals, die er ständig als Beweis seiner Pflichterfüllung tragen mußte.

Als sich die Indios gegen ihre Peiniger erhoben - da sie nichts mehr zu verlieren hatten - und mit ihren primitiven Waffen gegen sie kämpften, da waren die Spanier moralisch gerüstet, als sie die Folgen ihrer eigenen Brutalität verspüren mußten. Als der Biograph von Columbus, Bischof Las Casas, nach Spanien zurückkehrte, für eine bessere Behandlung der Indios einzutreten versuchte und dabei einiges über die Brutalität erzählte, mit der man die Eingeborenen behandelte, übersah er, daß das Herrenmenschentum der Spanier inzwischen hochgezüchtet war und ihre Überheblichkeit, gepaart mit einem Rassenmythos, keinerlei Kritik ertragen konnte. Las Casas erlitt das Schicksal aller Mahner für Gerechtigkeit: er wurde angefeindet.

Mit der Person des Luis de Torres hängt auch eine »Segnung« zusammen, welche die Expedition der übrigen Welt gebracht hat. Columbus schickte Rodrigo de Xerez gemeinsam mit dem Dolmetscher Luis de Torres aus, um den Fürsten der Insel aufzusuchen. Bei ihrer Rückkehr brachten sie zusammengerollte, halb abgebrannte Kräuter mit, welche die Eingeborenen Tabacos nannten. Columbus selbst hat diese Kräuter nicht beachtet, er hat sie nach seiner Rückkehr nach Spanien nicht einmal in seinem Bericht hineingenommen, aber der Tabak kam auf diese Weise nach Europa. Da die Spanier merkten, daß das Rauchen der Tabacos in den Indischen Landen für die Eingeborenen ein echtes Laster bedeutete und nach der Besetzung ihres Landes durch die Herren aus Europa deren einzige Freude geblieben war, schufen sie etwas, was später zum Vorbild der ganzen Welt wurde: das Tabakmonopol. Die Spanier verboten dem Indio, seinen Tabak ohne weiteres selbst zu bestellen; rauchen durfte er erst, wenn er für den von ihm selbst gepflückten Tabak eine Abgabe entrichtet hatte.

Viele Forscher und Schriftsteller, besonders in den vorigen Jahrhunderten, haben versucht, den Beweis dafür zu erbringen, daß die Ureinwohner Amerikas von den Juden abstammen. Die Untersuchungen begannen schon bald nach den Reisen Columbus'. Der erste, der auf diese Möglichkeit aufmerksam gemacht hat, war der Biograph des Columbus, Bischof Las Casas, der mehrere Jahre in den Indischen Landen verbrachte und seine Beobachtungen über die Indios und ihre Bräuche in dem Buche »Historia de las Indias« niederschrieb. Antonio Montesinos, der lange Zeit in Lima lebte und in dessen Besitz sich die Handschriften des gelehrten Bischofs Luis Lopez Quinto befanden, war aufgrund der Lektüre der Überzeugung, daß die Peruaner jüdischen Ursprungs seien.

Im Jahre 1607 äußerte Gregorio Garcias die Ansicht, die ersten Bewohner Amerikas seien jüdischer Herkunft, 1650 wurde dieselbe Meinung auch vom Engländer Thomas Thorowgood geteilt. Menasse ben Israel, ein portugiesischer Jude, der als Rabbiner in Amsterdam lebte und bei Cromwell die Wiederaufnahme der Juden in England erwirkte, teilte ebenfalls diese Überzeugung. Ihm hatte ein portugiesischer Marrane aus Villaflor, der sich sonderbarerweise auch Montesinos nannte und dann den Namen Aron Levi annahm, versichert, er habe in Südamerika mit Juden verkehrt, die den zehn Stämmen Israels angehörten. Menasse ben Israel gab eine kleine Broschüre heraus, in der er diese Behauptung zu untermauern suchte. Die Schrift erregte so großes Aufsehen, daß sie in lateinischer, spanischer, holländischer, englischer und hebräischer Sprache erschien. Der Gründer der Mormonensekte, Joseph Smith, hat im Jahre 1823 in einer längeren Abhandlung die gleiche Meinung vertreten. Das Interesse für sie ist selbst Jahrzehnte später noch nicht erloschen. Der Spanier Santago Perez Janquera hat sie im Jahre 1881 unter dem Titel »Über den Ursprung der Amerikaner« in spanischer Sprache neu aufgelegt. Die Frage der Abstammung der Ureinwohner Amerikas ist indessen bis heute nicht eindeutig geklärt. Der Engländer Lord Kingsborough widmete den größten Teil seines Vermögens und seiner Zeit der Veröffentlichung einer Sammlung amerikanischer Dokumente, um zu beweisen, daß die Ureinwohner Amerikas von den Juden abstammten. Auch der spanische Geistliche Roldan kam in einem handschriftlichen, bisher nicht veröffentlichten Memorial, das sich in der Biblioteca de San Pablo in Sevilla befindet, zu demselben Ergebnis.

Bemerkungen, die von Teilnehmern verschiedener Entdekkungsfahrten stammen, und spätere Berichte von Forschern und Missionaren veranlaßten eine Reihe von Gelehrten, sich mit diesem Problem zu befassen. Dabei stellten sie bei den religiösen Grundvorstellungen viele Parallelen fest: den Glauben an ein Leben im Jenseits, bei religiösen Gebräuchen, beim Priestertum, bei den Weissagungen und Traumdeutungen, bei den religiösen Opfern und beim Ruhetag, dem Sabbat. Auch in den Mythen beider Völker konnten gleiche Züge beobachtet werden. Selbst in der Gesellschaftsordnung fanden sich beachtliche Ähnlichkeiten, und zwar im Gewohnheits- und Strafrecht. Bei Juden wie Indianern gab es sogenannte Freistätten; gleichartig waren schließlich die Regelung der Adoption, der Eheschließung und nicht zuletzt die der verbotenen Speisen.

Wesentlich erscheint die Frage, ob es zwischen den Juden und den Ureinwohnern Amerikas Parallelen in Sprache, Traditionen, religiösen Anschauungen und Zeremonien, die zur Annahme gemeinsamer Abstammung berechtigen, gegeben hat. Roldan führt zur Stützung seiner Ansicht vornehmlich die Sprache der Indianer auf Haiti, Kuba, Jamaica und den benachbarten Inseln ins Treffen; sie hat Ähnlichkeiten mit dem Hebräischen. Kuba, Haiti und andere Inseln erhielten ihre Namen von den ersten Kaziken, den Stammesfürsten und Anführern der Nomaden, die sie entdeckt hatten oder bevölkerten. Die Namen Kuba und Haiti sind Roldans Ansicht nach hebräischen Ursprungs. Auch Flußnamen und Personennamen stammen aus dem Hebräischen. So bildete man das Wort Haina aus dem hebräischen Ain (Quelle), Yones aus Jona, Yaque aus Jakob, Ures aus Urias, Siabao aus Seba, Maisi aus Moysi. Auch die Benennung indianischer Werkzeuge, die kleinen Fähren (Cansas), die sie benutzten, der Name Axi für Pfeffer, die Bezeichnung des Lagers für Mais oder überhaupt Getreide deuten auf die Verwandtschaft mit der hebräischen Sprache hin.

Mehr als die Sprache noch bieten im Lichte mancher Forschungen Riten und Zeremonien der Indios im spanischen Herrschaftsbereich jener Zeit einen Hauptgrund für die Annahme, daß Israeliten und Indianer gleicher Abstammung sein könnten. Die Indianer mußten laut Gesetz häufige Waschungen in Flüssen und Quellen vornehmen. Sie durften keinen Toten berühren, genossen kein Blut, hielten bestimmte Fasttage ein, heirateten ihre Schwägerinnen, wenn diese kinderlos zu Witwen wurden; auch verstießen sie ihre Frauen, wenn sie kinderlos blieben. Sie opferten - gleich den Israeliten - die Erstlinge ihrer Früchte und brachten auf hohen Bergen unter schattigen Bäumen ihrem Gott Opfer dar. Sie hatten Tempel und eine heilige Arche, die sie in Kriegszeiten wie die Israeliten die Bundeslade vor sich her trugen.

In der religiösen Grundauffassung der Juden wie der Indianer existiert der Glaube an einen einzigen allmächtigen Gott. Die zehn Stämme Israels waren nomadisierende Semiten und wie alle Naturvölker in einer von übernatürlichen Wesen erfüllten Vorstellungswelt befangen. Darin liegt wahrscheinlich auch die Ursache für die vielen verschiedenen Bezeichnungen Gottes. Bei den indianischen Gottesvorstellungen spielen Naturerscheinungen eine große Rolle. Aber auch der Gott der Juden, wie er sich dem Volk Israel vom Berg Sinai offenbarte, war ein Gott des Sturms, des Donners und des Blitzes.

Im Alten Testament werden oft Plätze erwähnt, die durch

Träume oder Ereignisse geheiligt worden sind. Die Israeliten pflegten diese Orte kenntlich zu machen, indem sie Säulen aufstellten. Einen ähnlichen Brauch gab es auch bei den Indianern, die derartige Stellen durch Steinhaufen kennzeichneten.

In der Vorstellung der Indianer sammeln sich die Seelen Verstorbener im »Gefilde« der Urväter und vereinigen sich dort mit ihren Ahnen; auch die Juden glauben an ein Beisammensein mit den Urvätern nach dem Tode. Selbstmörder finden nach jüdischem wie nach indianischem Glauben keinen Einlaß ins Reich der Urväter.

Erst recht gleichen die religiös verankerten Alltagsriten der Indianer denen der Juden. Sie betreffen vor allem die Geburt eines Kindes, die Namensgebung, den ersten Haarschnitt, das Ritual beim Eintreten der Mannbarkeit, die Eheschließung, die Heilung von Krankheiten, das Pflügen des Ackerbodens und den Fischfang. Auch im Priestertum der Indianer und Israeliten lassen sich Gemeinsamkeiten erkennen. So bevorzugen beide Völker bei hohen Festlichkeiten die Farbe Weiß. Die indianischen Schamanen benützen weiße Bockfelle, Perlen und Mokassins. Die Utensilien der altjüdischen Priester waren von derselben Farbe. Bei Indianern wie bei Israeliten gab es strenge Fasttage. Völlige Übereinstimmung herrschte hinsichtlich der Befleckung und der Reinigung. Zu gewissen Zeiten errichteten die Indianer für ihre Frauen eigene Zelte, dann nämlich, wenn man sie für unrein hielt. Eine Frau wurde nach der Entbindung für drei Monate von ihrem Mann getrennt. Auch nach den levitischen Gesetzen wurde die Mutter eines weiblichen Kindes für 80, die eines männlichen Kindes für 40 Tage abgesondert. Juden und Indianer bezeichneten den Raum oder das Zelt eines Verstorbenen für sieben Tage als unrein.

Die Juden opferten täglich ein Lamm, das sie zu Asche verbrannten. Auch die Indianer brachten ihrem Gott von jedem geschlachteten Tier in Stück Fleisch dar, das verbrannt wurde.

Ebenso wie die Juden kannten auch die Indianer einen Versöhnungstag, an dem alle Beleidigungen verziehen und alle Streitigkeiten beigelegt wurden.

Das indianische Totem entspricht in seiner Bedeutung der israelitischen Bundeslade. Die Bundeslade war eine Truhe, die nie auf den Boden gestellt werden durfte und daher auf Stäben getragen wurde. In kriegerischen Zeiten trugen die Israeliten ihre Bundeslade, die Indianer das Totem inmitten ihres Heeres. Die vier Mondviertel ergeben eine Einteilung nach Monaten. Wie eng bei den Israeliten der Neumond mit dem Sabbat verbunden war, zeigt sich daran, daß die Neumondfeier ein religiöses Fest war. Auch bei den Indianern hatten die Neumondzeremonien große Bedeutung.

Indianische Sagen haben große Ähnlichkeit mit den altisraelitischen Mythen, ganz abgesehen von den Legenden über die Sintflut, die jeder Religion in irgendeiner Form eigen sind. Wissenschaftler haben Analogien zwischen der Beschreibung des Lebens Mosi und den indianischen Legenden über Michabo, Josheka und Manaboscho gefunden. Auch indianische Überlieferungen berichten von zwölf Brüdern, von denen der jüngste dem Vater besonders lieb war. Einer Sage zufolge, die mit einer am Ufer des Mississippi stehenden Steinsäule verknüpft ist, soll sich ein aus dem zerstörten Dorf fliehendes Weib in die Säule verwandelt haben. Diese Legende entspricht der von Lots Weib, das in eine Salzsäule verwandelt wurde. In den Geschichten über die Wanderungen der Indianer wird immer wieder von einer Stange berichtet, die als Wegweiser voranging und dort verweilte, wo gerastet werden solle. Diese seltsame Stange hat große Ähnlichkeit mit der Feuersäule, die den Israeliten in der Wüste den rechten Pfad zeigte. Gemäß einer indianischen Überlieferung kostet der Anblick Gottes einen Menschen das Leben. «Du sollst dir kein Bildnis machen von deinem Gott«, steht in der Bibel. Als man den Indianern Stellen aus der Bibel vorlas, erinnerten sie sich ihrer eigenen

Legenden. Die Stämme Israels wählten als Wahrzeichen Tiere. Auch die Indianer taten dies, jeder Clan hatte ein bestimmtes Tier als Wahrzeichen.

Die gesellschaftliche Ordnung der Indianer hatte große Ähnlichkeit mit jener der Israeliten zur Zeit der Richter. Der Strafcodex der Indianer entspricht in vieler Hinsicht dem israelitischen, so in bezug auf Blutrache und Sühnegeld. Besonders interessant sind die sogenannten Freistätten, die es bei Indianern und Isrealiten gab. Gelang es einem Verbrecher, an einen Ort zu entfliehen, der außerhalb des Kompetenzbereichs des Gerichts lag, also an eine Freistätte, so konnte er nicht mehr bestraft werden. Bei beiden Völkern gab es also eine Art Asylrecht.

Die indianischen Tätowierungen dürften auch den alten Indianern nicht fremd gewesen sein, sonst wäre im Leviticus XIX, 28, nicht ein Verbot des Tätowierens enthalten. Bei Israeliten wie bei Indianern gehörte Grund und Boden dem Clan. Es war den Indianern auch verboten, bestimmte Speisen zu essen. So durften sie zum Beispiel kein Fleisch von Tieren zu sich nehmen, die im Wappen ihres Stammes enthalten waren.

Frappierend ist die Ähnlichkeit bei Eheschließungsbräuchen: Eine Witwe konnte ohne die ausdrückliche Erlaubnis ihres Schwagers nicht wieder heiraten; ein Brauch, der nur bei Israeliten und Indianern existiert. In keiner anderen Religion der Welt gibt es diese Sitte. Eine sehr umfangreiche Zusammenfassung der Studien über die Gemeinsamkeiten der religiösen Riten und Bräuche enthält das Ende des vorigen Jahrhundets erschienene Buch von Mallery Garrick »Israeliten und Indianer - eine ethnographische Parallele.«

Im August 1970 überraschte Cyrus H. Gordon, Professor für Archäologie der Mittelmeerländer an der Brandeis-Universität, die Welt mit einer Entdeckung, die sich auf einen Stein mit einer hebräischen Aufschrift bezog. Im Washingtoner Smithsonian-Institut lag ein beschrifteter Stein, den ein Archäologe im Jahr 1886 in einem Grabhügel am Bat Creek im Bundesstaat Tennessee gefunden hatte. Da man die Inschrift kopfstehend photographierte, hat man sie fälschlich als Schrift der Cherokee-Indianer identifiziert. Gordon entdeckte den Fehler und entzifferte die Inschrift als eine hebräische. Sie lautet: »Für das Land von Juda.« Die Inschrift weist Merkmale auf, die auch auf althebräischen Münzen vorkommen. Gordon meinte, daß die Inschrift auf dem Stein wahrscheinlich tausend Jahre vor Columbus' Reise entstanden ist. Der Ort, in welchem der Stein im Bundesstaat Tennessee gefunden worden ist, ist das Siedlungsgebiet des indianischen Stammes der Melungeons. Diese Melungeons sind hellhäutig und sollen Merkmale einer kaukasoiden Rasse haben. Die Entzifferung der Inschrift war in Amerika eine große Sensation. Es wurde ein Problem aufgeworfen, das noch Thema eingehender Untersuchungen sein wird.

Soweit die Schilderungen, zusammengefaßt aus einschlägigen Publikationen. Sie sind ein Beweis, daß die Diskussion, die ihren Beginn mit der Expedition von Columbus genommen hat, während fast fünf Jahrhunderten, bis zum heutigen Tag, nicht verstummt ist. Natürlich lassen sich Parallen zwischen verschiedenen Religionen, wie sie in Urform bestanden haben, mit jeder Religion feststellen. Doch die Tatsache, daß man hier auf so breiter Basis Studien unternommen hat, schließt bis auf weiteres die Möglichkeit zumindest nicht aus, Menschen der zehn Stämme könnten den amerikanischen Kontinent quer über Asien, die Beringsee und über Alaska erreicht haben.

Im Jahre 1970 hat ein norwegischer Forscher, Thor Heyerdahl, auf einem Papyrus-Boot die Karibische See erreicht. Er hat überzeugend demonstriert, daß auf dem Seeweg auch Menschen aus dem Nahen Osten mit ihren primitiven Schiffen den amerikanischen Kontinent erreicht haben.

Solange die Inquisition wütete, war das Schicksal der in Spanien verbliebenen Conversos immer ein bedrohtes. Noch Jahrhunderte später brannten die Scheiterhaufen. Das Land verarmte, verlor mit der Zeit seine Kolonien, seine Machtstellung und Bedeutung in der Welt. Was blieb, war ein bitterer Geschmack eines großen Unrechts, das man Unschuldigen zugefügt hatte.

Die Inquisition in Spanien, gemeinsame Einrichtung der spanischen Kirche und der Krone, war bestrebt, das ganze Vorgehen gegen die Juden mit einer Fülle von Gesetzen und Verordnungen zu untermauern und so den Charakter der Legalität zu wahren. Das ist ihr gelungen. Denn die Machthaber konnten sich keine Gesetzlosigkeit leisten, weil sonst zu befürchten gewesen wäre, daß diese auch auf andere Bereiche des Lebens übergegriffen hätte.

Die Inquisition war in ihren Anfängen gegen die Ketzer, hauptsächlich gegen Nachkommen von Juden gerichtet, gegen Personen, die man beschuldigte, »judaisiert« zu haben. Aber noch bevor die Inquisition mit den »geheimen Juden« fertig war, suchte sie sich auch schon Opfer aus dem nichtjüdischen Bereich.

Die Flucht oder die legale Auswanderung der Marranen erstreckte sich über Jahrhunderte, aber die Inquisition blieb bestehen. Die normalen Gerichte waren nicht in der Lage, unliebsame Persönlichkeiten, die keine Juden waren, grundlos zu verteidigen. In diese Bresche sprang die Inquisition. Wer die Regeln der Inquisition verletzte, der konnte noch so hochgestellt in Staat und Kirche sein, er wurde vor das Tribunal gezerrt. Unter diesen Persönlichkeiten befanden sich der heilige Johann von Ribera, die heilige Therese, Ignaz von Loyola,- Franz von Borgia, die Königin von Navarra, Johann von Asturien und viele andere. Die Inquisition war es, die den Grundsatz eingeführt hat »ciuus regio, eius religio«. Damit sollte die konfessionelle Einheit des Landes erreicht werden.

Auch der Nationalsozialismus negierte die Religion, weil er anstelle der Religion getreten ist. Er wurde zu einer Art Weltanschauung und Religion zugleich. Die Jünger des Nationalsozialismus sind mit kleinen Ausnahmen aus der Kirche ausgetreten. Sie hielten das Christentum für eine Abart des Judentums.

Als die Juden aus Spanien vertrieben worden waren, hatten die Morisken, die zur Taufe gezwungen wurden und sich genauso verhielten wie die Marranen, die Rolle des Prügelknaben übernommen. Sie waren eine harmlose, kleine mohammedanische Gemeinde, letztes Überbleibsel der großen maurischen Ära. Die hundert Punkte des Kapitulationsvertrages von Granada, den Ferdinand und Isabella unterzeichnet und einzuhalten feierlich beschworen hatten, sicherte zwar den Moslems bürgerliche Rechte zu, sie waren aber nicht mehr als in Fetzen Papier. Schon wenige Monate nach seiner Unterzeichnung wurde der Vertrag in den Punkten, die die Juden Granadas betroffen hatten, gebrochen und von den Herrschern nicht mehr anerkannt. Die Anwesenheit der Morisken auf spanischem Boden betrachtete man als eine Art dunklen Fleck auf der Reinblütigkeit und der Einheit Spaniens. Immer wieder wurden die Morisken durch Pogrome vertrieben. Man beschuldigte sie, wie früher die Juden, phantastischer Verbrechen. Man schrieb ihnen Morde an Christenkindern zu, bezeichnete sie als Urheber von Überschwemmungen, machte sie für den Aufprall eines Kometen und für das Auftauchen eines Löwen verantwortlich. Unter schweren Folterungen wurden sie gezwungen, den christlichen Glauben anzunehmen, und hatten sie dies getan, so marterte man sie aufs neue unter dem Vorwand, sie seien Rückfällige und Heuchler. Die »Endlösung« der Morisken-Frage war eine Idee der Inquisition. Der Kardinal von Toledo verlangte vom Papst die Bildung eigener Exekutionskommandos, die den Morisken den Feuertod am Marterpfahl bereiten sollten. Diesen Vorschlag unterstützte ein Geistlicher aus Valladolid mit der Begründung, er stehe mit dem Wunsch der gesamten katholischen Bevölkerung im Einklang. Schließlich mußen die Morisken ins Exil gehen. Aber im Gegensatz zu den Juden zeichneten sie die Geschichte ihres Martyriums nicht auf. Sie versäumten es, den Verfolgern die gleiche Unermüdlichkeit entgegenzusetzen und damit ein ungeheures historisches Erinnerungsvermögen zu speichern.

Die wirtschaftliche Katastrophe, der der spanische Staat nach der Ausweisung der Juden entgegenging, konnte durch die im Lande verbliebenen Marranen, die in denselben Wirtschaftszweigen wie die Juden arbeiten, für eine kurze Zeit aufgehalten werden. Der mit den neuentdeckten Ländern angebahnte Handelsverkehr ging zumeist durch die Hände der Marranen.

Doch die in Spanien verbliebenen Menschen jüdischer Abstammung, die zur Taufe gezwungen, erniedrigt und bespitzelt wurden, trachteten nur, das Land der Inquisition zu verlassen. Ihr Drang in die Landstriche der Neuen Welt war unaufhaltsam und dauerte während des ganzen 16. Jahrhunderts an. Mit der Flucht der Marranen aus Spanien begann der wirtschaftliche Niedergang. Der jüdische Historiker Simon Dubnow sagt über dieses Kapitel: »Das an das Schauspiel der menschenfressenden Autodafés gewöhnte Volk verfiel der Verwilderung: die Sitten wurden immer roher; der gesunde Same der Religion wurde von Aberglaube und Fanatismus überwuchert. Das blühende Land der arabisch-jüdischen Renaissance verwandelte sich in eine tote Einöde der Mönche.«

Die spanische Inquisition brachte das Land wirtschaftlich an den Rand des Abgrunds. Eineinhalb Millionen Menschen, Juden, Marranen, Mauren, Morisken und Mohammedaner wurden gezwungen, Spanien zu verlassen. Manche Berufe, die sie ausgeübt hatten, blieben ohne nennenswerte Nachfolger. Spanien wurde von Glücksrittern von allen Teilen Europas überschwemmt, die die verlassenen Plätze einnahmen, von denen sie glaubten, es seien Goldgruben. Sie konnten selbstverständlich die am Boden liegende spanische Wirtschaft nicht beleben. Das einzige Plus, das sie hatten, war ihr zur Schau getragener christlicher Glaube. Aber das zählt für die Gesetze der Ökonomie nicht.

344 Jahre währte die Inquisition in Europa. Die Zahl ihrer Opfer ist unbekannt. Sicherlich waren des Hunderttausende. Die Inquisition, wie sie in Spanien gehandhabt wurde, war von der Überheblichkeit der spanischen Kirche gegenüber jedem anderen Glauben beeinflußt und hat in der Geschichte keine Parallele.

Genaugenommen hat die Inquisition ihr Werk bis zum Jahr 1834 fortgesetzt, indem sie selbst die Schatten der Ungläubigen verfolgte. Längst nachdem der letzte Jude Spanien verlassen hatte, vergeudete der niedrige Adel sein Geld durch den Kauf von Abstammungsnachweisen. Das Bürgertum suchte seine nichtjüdische Abstammung durch eine offen zur Schau getragene Verachtung für die ehemaligen jüdischen Domänen - Handel, Gewerbe und die Künste - zu manifestieren. Diese Haltung war einer der Gründe dafür, daß das ehemals so reiche und mächtige Spanien verarmte.

Vor Jahrhunderten wollte die Inquisition die Juden absondern, vertreiben und vernichten, um Spanien neue Impulse zu geben. Doch die völlige Vernichtung der Juden gelang ihnen nicht.

Ich habe zahlreiche Dokumente und Bücher über die Inquisition gesehen und gelesen, in denen auch das viele Leid, das unschuldige Menschen erdulden mußten, in Zeichnungen jener Zeit dargestellt ist. Es ist erstaunlich, daß nach so vielen Jahrhunderten keines der gemarterten, der unschuldig verurteilten Opfer der Inquisition rehabilitiert wurde.

Die Kirche hat es bis zum heutigen Tag nicht als ihre Pflicht empfunden, den Ruf jener Menschen, die in ihrem Namen grundlos geköpft, gevierteilt, bei lebendigem Leib verbrannt wurden, Menschen, an denen man eine Folter anwandte, die nur ein krankes Hirn ausdenken konnte, wiederherzustellen. Ich weiß, es wäre unmöglich, alle diese Tausende von Prozessen zu wiederholen. Aber in einigen Fällen sollte es geschehen, damit für alle Zeiten ein Memento geschaffen wird und auch ein Beweis, daß sich die Kirche von allen diesen Scheußlichkeiten und Rechtsbrüchen distanziert. Aber die Kirche wird es nicht tun. Als vor einigen Jahren vorgeschlagen wurde, den Prozeß des Galileo Galilei wiederaufzunehmen, um ihm auch von kirchlicher Seite Gerechtigkeit widerfahren zu lassen, winkte Rom ab.

Vor fast zwei Jahrtausenden begann der Kampf der Kirche gegen die Juden. Fast zwei Jahrhunderte lang ergoß sich von jeder Kanzel an Sonn- und Feiertagen ein Strom des Hasses durch die ganze christliche Welt. In Worten, in Pamphleten, in päpstlichen Bullen und in den Büchern der Kirchenfürsten wurde diese Feindschaft gepredigt, als hätte die Kirche keinen anderen Feind als den Juden. Den Strom des Hasses begleitete sehr bald ein Strom des Blutes. Von Zeit zu Zeit - vor allem während der Kreuzzüge - erschraken die Päpste selbst vor dem Ausmaß der gegen die Juden erhobenen Beschuldigungen und an diesen vollbrachten Greueln. Oft war es zu spät, die Geister zu bannen, die die Kirche rief. Als der Nationalsozialismus mit seinen Rassentheorien und dem Vernichtungswillen gegen das von ihm zum Untermenschentum gestempelte Judentum aufbrach, schwieg die Kirche.

In einer Zeit des Leidens der Juden gab es Priester, die, auf dieses Leid angesprochen, nichts anderes zu sagen hatten als: »Gott will es«, oder zum Trost der Juden: »Israel wurde auserwählt, und die Erwählten müssen leiden. Leiden zum Segen der Welt . . .« Es waren aber auch andere Geistliche, die in den Leiden der Juden eine Sühne für das Blut Jesu, das vergossen worden ist, sahen. Diese Würdenträger haben anscheinend vergessen, daß die Kirche doch oft gepredigt hat, das Blut Jesu bedeute Versöhnung, und Versöhnung kann niemals in Fluch ausarten. Joseph Klausner schreibt: »Jedenfalls sind die Juden als Volk für den Tod Jesu viel weniger verantwortlich als etwa die Griechen für den des Sokrates. Und wer würde gegenwärtig daran denken, den Tod des Griechen Sokrates an seinen heutigen Landsleuten zu ahnden? An den Juden aber wird seit 1900 Jahren Rache für den Tod des Juden Jesus genommen; mit Strömen von Blut haben sie dafür bezahlt, und dessen ist noch immer kein Ende!«

Die Christen haben genauso wie die anderen aus der Geschichte nichts gelernt. Im Römischen Reich waren es die Christen, die falschen Anschuldigungen und einer bestialischen Intoleranz zum Opfer gefallen sind. Es war unwesentlich, ob sie als Individuum etwas verbrochen hatten oder nicht. Die Tatsache, daß sie Christen waren, genügte allein, sie zu foltern, durch wilde Tiere zerfleischen zu lassen oder dem Feuertod zu überantworten. Welche Lehre zogen sie daraus? Was taten die Nachfahren der verfolgten Christen Jahrhunderte später? Sie gingen mit der gleichen Intoleranz, mit der gleichen Grausamkeit gegen die Juden vor. Tausende von Juden mußten ihr Leben lassen zur Vergeltung für angebliche Hostienschändungen, Brunnenvergiftungen und Ritualmorde, die nie stattgefunden haben. Waren diese Christen die Nachfahren jener, die zu Neros Zeiten sich ihres Glaubens wegen von wilden Tieren zerreißen oder auf Scheiterhaufen hatten verbrennen lassen? Oder waren jene Christen, die im alten Rom singend die Scheiterhaufen bestiegen, zumeist getaufte Juden gewesen?

Die Kirche hat es schweigend geduldet, wenn nicht gefördert, daß die Religion, vor allem ihre verzerrte Auslegung, zu einer mörderischen Waffe in den Händen raubsüchtiger oder machtgieriger Gruppen geworden ist. Diese Leute säten Haß, der in sich schon den Keim des Mordens trug.

Die Hasser vergaßen oder wollten nichts davon wissen, daß Jesus Christus in der Gestalt eines Juden zur Welt gekommen ist. Daher gehörten die Juden zur Verwandtschaft Jesu. Vielleicht wollten sie durch das Verschwinden der Juden jede Kunde von der Abstammung Jesu löschen.

Die Auswüchse des Hasses feierten in der Nazizeit ihre größten Triumphe. Der Begriff »judenrein«, der von den Praktiken Spaniens und anderer christlicher Länder übernommen wurde, mußte am Ende auch zu einem »christenrein« führen.

Die Juden wurden im Zeichen des Kreuzes verfolgt. Aber das Kreuz wurde in der Zwischenzeit für viele Christen nur ein Abzeichen. Wirklich und wahrhaftig durch die Jahrhunderte haben das Kreuz die Juden getragen.

Hitlers Erstlingswerk »Mein Kampf«, die »Bibel der Nazis«, war niemals auf dem Index der durch die Kirche für die Katholiken verbotenen Bücher; sehr zum Unterschied von den Büchern Lessings oder Freuds. Der deutsche Bischof in Rom, der aus Österreich stammende Alois Hudal, für seine Nazifreundlickeit bekannt, war auch für den Index verantwortlich. Die Hilfe, die Hudal nach dem Krieg zahlreichen geflüchteten Nazis angedeihen ließ, die wegen ihrer Verbrechen gesucht wurden, ist heute bereits Geschichte und aus Prozessen hinlänglich bekannt.

Einem weisen und gütigen Menschen, Papst Johannes XXIII., wurde klar, welche Stellung die Kirche nach Auschwitz beziehen mußte. Er wußte, was im Namen Christi und im Zeichen des Kreuzes den Juden Jahrtausende hindurch angetan worden war. Daher die Bemühungen dieses großen Papstes, dem christlichen Antisemitismus ein Ende zu machen. Johannes' früher Tod hat die Durchführung seines Vorhabens wahrscheinlich um Generationen verzögert; denn die auf dem von ihm vorbereiteten Vatikanischen Konzil beschlossene Formel ist nur eine halbe Lösung. Sie ist ein Kompromiß, bedingt durch politische Rücksichten und durch die Widerstände eines Teils des Klerus.

Wie Papst Johannes XXIII. über das Verhältnis der Kirche zum Judentum dachte, darüber gibt sein kurz vor seinem Tod verfaßtes Bußgebet Zeugnis:

»Wir erkennen nun, daß viele, viele Jahrhunderte der Blindheit unsere Augen bedeckt haben, sodaß wir die Schönheit Deines auserwählten Volkes nicht mehr sehen und in seinem Gesicht nicht mehr die Züge unseres erstgeborenen Bruders wiedererkennen. Wir erkennen, daß das Kainszeichen auf unserer Stirne steht. Jahrhundertelang hat Abel darniedergelegen in Blut und Tränen, weil wir Deine Liebe vergaßen. Vergib uns die Verfluchung, die wir zu Unrecht aussprachen über den Namen der Juden. Vergib uns, daß wir Dich in ihrem Fluche zum zweiten Male kreuzigten. Denn wir wußten nicht, was wir taten . . .«

POSTSCRIPTUM

Mit der Austreibung der Juden zog nicht das Goldene Zeitalter herauf. Bald merkten die Regierenden des Landes, daß unter dem Einfluß der Kirche im Jahr 1492 ein grundlegender historischer Fehler begangen wurde. Abermals versuchte man, Juden wieder in Spanien anzusiedeln. Allein, die Kirche war mächtiger als die ökonomischen Gesetze: Immer wieder waren es die bis ins 19. Jahrhundert in Spanien tätigen Inquisitoren, die sich einer Zulassung von Juden mit allem Nachdruck widersetzten.

Die freiheitlichen Bestrebungen des 19. Jahrhunderts machten aber vor den Toren Spaniens nicht halt. Je mehr Freiheiten man den Bügern des Landes zugestehen mußte und je mehr Freiheiten sich die intellektuelle Schicht des Landes nahm, desto häufiger waren die Versuche, das Kapitel der spanischen Geschichte, das mit der Austreibung der Juden ein Ende genommen hat, nicht einfach unwiderrufliches historisches Ereignis bleiben zu lassen. Als die Vorbereitungen zur neuen spanischen Verfassung des Jahres 1869 im Parlament diskutiert wurden, schlug auch die Stunde für die Aufhebung des Ausweisungsdekretes. Noch im Parlament haben Priester-Abgeordnete versucht, dieses Vorhaben zu verhindern.

Im Laufe der Zeit siedelten sich in Spanien wieder Juden an. In Madrid und auf dem Land entstanden jüdische Gemeinden. Der Bürgerkrieg hat eine Reihe von Vorhaben der spanischen Republik zunichte gemacht oder verschoben, darunter auch die Bildung eines Institus, das die Geschichte der Sephardim erforschen und der spanischen Öffentlichkeit zugänglich machen sollte.

Die Sünde Spaniens gegenüber den Juden liegt tief im Unterbewußtsein eines jeden Spaniers. Deshalb war es nicht verwunderlich, daß zu einer Zeit, als Franco-Spanien mit den Achsenmächten verbunden war, dieses Institut - Arias Montano -in Madrid eröffnet wurde.

Noch in den zwanziger Jahren hat die spanische Republik allen Juden, die eine sephardische Herkunft nachweisen konnten, die spanische Staatsbürgerschaft angeboten. Nur wenige Juden haben von diesem Recht Gebrauch gemacht. Aber als die Verfolgung des Dritten Reiches die Sephardim erreichte, haben spanische Diplomaten in den Balkanländern den Juden Schutz gewährt. 25000 jüdische Flüchtlinge aus verschiedenen europäischen Ländern waren in Spanien sicher vor dem Arm der Gestapo. Weder Drohung noch Zureden konnten die Spanier dazu bewegen, diese Juden auszuliefern. Das Asylrecht wurde aber auch nach dem Krieg solchen faschistischen Flüchtlingen zuteil, die wegen Verbrechen während des Krieges gesucht wurden.

Spanien bleibt das Land der Gegensätze. Noch heute heißt eine Ortschaft Castrillo de Matajudios, und Matajudios bedeutet Juden töten. Anderseits wurde eine Hauptstraße in Huervas umbenannt in die »Straße der christlich-jüdischen Freundschaft«.

Von Archivaren in Spanien wurde mir bestätigt, daß in den Städten, in denen einst Juden lebten, zahlreiche spanische Familien in den Archiven ihre Herkunft erforschen lassen. Obwohl es mit großen Kosten verbunden ist, sind sie glücklich, wenn sie feststellen können, daß sie von Juden abstammen. Die Juden, die nach 1492 in Spanien geblieben sind, hatten hohe Stellungen, waren reich und mit dem spanischen Adel verschwägert.

Unter der spanischen Bevölkerung gibt es heute viel Sympathie für die Juden. Interessanterweise verhalten sich die in Spanien lebenden Juden nicht so, als würden sie diese Sympathien spüren. Manche Juden versuchen, ihre Identität zu verbergen. Sie leben heute noch unter dem Schock der Ereignisse vor fast fünfhundert Jahren und fürchten sich wahrscheinlich instinktiv, als Juden erkannt zu werden. Demgegenüber gibt es weitaus mehr Spanier, die stolz erklären, sie hätten aufgrund von Nachforschungen festgestellt, daß sie von Juden abstammen.

Die Hoffnungen, die die Juden und Marranen im Zusammenhang mit der Reise von Columbus hegten, erfüllten sich nicht. Columbus fand keine jüdischen Königreiche, Fürstentümer oder Länder, in denen Juden wohnten. Er war bis am Ende seines Lebens überzeugt, in Indien gelandet zu sein, auf Inseln, die dem indischen Subkontinent vorgelagert waren. Dennoch öffnete Columbus eine neue Welt. Eine neue Welt für Verfolgte. Und zu dieser neuen Welt strebten während Jahrhunderten Juden und Marranen trotz aller Verbote, die ihnen spanische und portugiesische Könige auferlegten. Die neue Welt und das freie Leben, das sie sich dort erhofften, reizte sie entgegen allen Gefahren. Sie wollten das alte Europa abschütteln, jenes Europa, das für sie nichts übrig hatte, außer Beschuldigungen, Marter und Tod. In diesen neuen Ländern hofften sie, ein neues Leben beginnen zu können, um ihren Kindern eine andere Welt und ein anderes Leben zu bereiten, als sie es selber hatten.

Es waren nicht nur Juden, die in die Indischen Lande strömten. Es waren Verfolgte der Kirche, Protestanten, Calvinisten, Angehörige verschiedener Sekten. Später kamen dazu politisch Bedrängte aus allen europäischen Ländern. Ihnen war ein Ziel gemeinsam: In dieser neuen Welt Leid und Prüfungen zu vergessen und auf diesem neuentdeckten, fast menschenleeren Kontinent ein neues Leben zu bauen.

Die »Operation Neue Welt«, die mit der Reise von Columbus begonnen hat, fand mit Columbus nicht das Ende. Der amerikanische Kontinent wurde zu einer neuen Heimat für Heimatlose und Verfolgte. Für die Juden war es über fast 450 Jahre das Gelobte Land, das Land, das ihnen Schutz gewährte.

Doch noch während unserer Tage erfüllte sich ein anderer Traum der Juden: die Entstehung des Staates Israel. Die Erwartungen, die sie über den Kontakt mit den Menschen der zehn Stämme, die in der Tiefe Asiens jüdische Staaten regieren sollten, hegten, sind Wirklichkeit geworden. Der Staat Israel erfüllt jene Rolle, die sich die Opfer der Inquisition, die Opfer der Blutbeschuldigungen, die Ausgestoßenen, die Erniedrigten, die Menschen zweiter Klasse erhofften. Israel wurde für die Juden zu dem, was die Länder der zehn Stämme hätten sein sollen: Beschützer und Zufluchsort. Erfüllung eines zweitausend Jahre alten Traumes.

ANHANG

Verzeichnis der hauptsächlich benützten Literatur

André, Marius: Das wahre Abenteuer des Christoph Columbus, Wien und Leiptzig 1927.

Asaria, Zwi: Die Juden inKöln, Köln 1959.

Baer, Yitzhak: A History of the Jews in Christian Spain, 2 Bde., Philadelphia 1961.

Ben-Chorin, Schalom: Paulus, München 1970.

Binjamin von Tudela: Reisetagebuch, Berlin 1918.

Deursen, A. van: Waar zijn de verstrooide stammen Israels gebleven?, o.O.u.J.

Dubnow, Simon: Weltgeschichte des jüdischen Volkes, Berlin 1926.

Eban, Abba: Dies ist mein Volk, München 1970.

Emessen, T.R.: Aus Görings Schreibtisch, Berlin 1947.

Engelmann, Bernt: Deutschland ohne Juden, München 1970.

Förster, Friedrich: Das Tagebuch des Kolumbus von der Entdeckung Amerikas, München 1924.

Garrick, Mallery: Israeliten und Indianer, eine ethnographische Parallele, Leipzig 1892.

Goldschmit-Jenter, Rudolf K.: Christoph Columbus, Hamburg 1946.

Gould und Quincy, Alice B.: Nueva lista documentada de los tripulantes de Colón (Boletin de la Real Academia de la Historia), Madrid 1928.

Graetz, Heinrich: Geschichte der Juden von den ältesten Zeiten bis auf die Gegenwart, Leipzig 1874.
Grün, Robert: Christoph Columbus - Das Bordbuch, Tübingen und Basel 1970.
Guillén, C.: Un padrón de conversos sevillanos, Bulletin Hispanique, Bordeaux 1963.
Heer, Friedrich: Gottes erste Liebe, München und Eßlingen 1967.
Heymann, Fritz: Der Chevalier von Geldern, Köln 1963.
Italiaander, Rolf: Juden in Lateinamerika, Tel Aviv 1970.
Kayserling, Meyer: Christoph Columbus und der Anteil der Juden an den spanischen und portugiesischen Entdeckungen, Berlin 1894.
Klausner, Joseph: Jesus von Nazareth. Seine Zeit, sein Leben und seine Lehre, Jerusalem 1962.
Lea, Henry Charles: Geschichte der Inquisition im Mittelalter, Bonn 1913.
Lewy, Günther: Die katholische Kirche und das Dritte Reich, München 1965.
Madariaga, Salvador de: Kolumbus, Bern/München/Wien 1966.
Marcu, Valeriu: Die Vertreibung der Juden aus Spanien, Amsterdam 1934.
Morison, Samuel Eliot: Admiral des Weltmeeres, Bremen-Horn 1948.
Müller, D.H.: Die Recensionen und Versionen des Eldad Had-Dani, Denkschriften der Kaiserlichen Akademie der Wissenschaften in Wien, Wien 1892.
Munoz, Col.: Los Indios de las Indias Islas son Hebreos, Biblioteca de la Real Academia de la Historia, Madrid 1925.
Neubauer, A.: Where are the Ten Tribes? The Jewish Quarterly Review I, 1888.
Peña y Camara, Jose Maria de la: Hasday Ben Saprut (915–970)

y la cultura judeo-española, El Correo de Andalusia-Sevilla 27.5.1971.
Poliakov, Leon: Histoire de l'antisémitisme, Paris 1961.
Polo, Marco: Die Reisen des Venezianers Marco Polo, Bremen 1963.
Prescott, William: Spaniens Aufstieg zur Weltmacht, Wien 1938.
Raccolta di documenti e studi, pubblicati dalla R. Commissione Colombiana, Rom 1892.
Roth, Cecil: A history of the Marranos, New York 1959.
Runes, D. Dagobert: The war against the Jew, New York 1968.
Streicher, Fritz: Die Columbus-Originale, Spanische Forschungen I. Görresgesellschaft, Münster i.W. 1928.
Streicher, Fritz: Die Heimat des Kolumbus, Spanische Forschungen II, Görresgesellschaft, Münster i.W. 1930.
Tolkowsky Samuel: They Took to the Sea, New York 1964.
Walsh, William Thomas: Isabella, die letzte Kreuzfahrerin, Berlin 1938.
Washington, Irving: A history of the life and voyages of Christopher Columbus, Paris 1828.
Wassermann, Jakob: Christoph Columbus, Berlin 1929.
Wischnitzer, Mark: Die Juden in der Welt, Berlin 1935.

Register

Bitte beachten Sie
auch die folgenden Seiten

Simon Wiesenthal

Jeder Tag ist ein Gedenktag

Die Geschichte der Juden ist die Geschichte einer 2000jährigen Verfolgung. Diese Chronik dokumentiert eine Leidensgeschichte, die sich Jahrhunderte hindurch, Tag für Tag vollzogen hat. Simon Wiesenthal arbeitet gegen das Vergessen, indem er das Unfaßbare konkret macht und das einzelschicksal nicht hinter der abstrakten Zahl verschwinden läßt.
»Mit diesem Buch schuf Simon Wiesenthal ein Handbuch, das in die Bibliothek eines jeden Nachgeborenen des ›Dritten Reiches‹ gehört, aber auch und vor allem in die Bücherregale jener Historiker, die heute noch die Einmalikeit der nationalsozialistischen Verbrecher an Juden zu leugnen versuchen.«
(Dr. Heinz Galinski)

Ullstein Taschenbuch

33136